나의 첫 문학 수업

문학을 열다
4

나의 첫 문학 수업

문학을 열다 4 – 한국 현대 소설 베스트 ❹

초판 1쇄 발행 2020년 09월 10일
초판 16쇄 발행 2024년 07월 22일

글 양귀자·박완서·성석제 외 **그림** 에토프
발행처 주식회사 스푼북 **발행인** 박상희 **총괄** 김남원
출판신고 2016년 11월 15일 제2017- 000267호
주소 (03993) 서울시 마포구 월드컵북로6길 88-7 ky21빌딩 2층
전화 02- 6357- 0050(편집) 02- 6357- 0051(마케팅)
팩스 02- 6357- 0052 **전자우편** book@spoonbook.co.kr

ISBN 979- 11- 6581- 030- 6(44810)
ISBN 979- 11- 6581- 026- 9(세트)

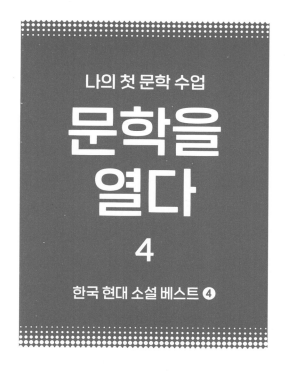

나의 첫 문학 수업

문학을 열다

4

한국 현대 소설 베스트 ❹

양귀자·박완서·성석제 외 글 | 에토프 그림

스푼북

들어가며

지금은 바야흐로 서사의 시대입니다. 전통적인 서사 양식인 소설은 말할 것도 없고, 영화와 드라마로부터 웹툰이나 게임 서사에 이르기까지 현재 우리가 향유하고 있는 서사 양식은 다양하게 분화되어 있습니다. 이러한 시대에 소설을 읽는다는 것은 어떠한 의미를 가질까요. 단순히 소설에 특권적인 의미를 부여하기 위해서 이러한 질문을 제기하는 것은 아닙니다. 이는 수많은 서사 양식 중에서 왜 하필 소설을 읽어야 하는지를 여러분 스스로 묻고 대답할 수 있어야 한다는 절박감에서 비롯된 질문입니다. 이 책의 첫 장을 펼친 지금, 여러분들은 바로 그러한 질문에서부터 출발해야 합니다. 그래야만 여러분들이 비로소 소설을 읽는 행위에 의미를 부여할 수 있기 때문입니다.

여러분들도 잘 알다시피, 소설은 꾸며 낸 이야기입니다. 그런 의미에서 소설은 전적으로 작가의 상상력에 의존할 수밖에 없으며, 바로 그러한 특성 때문에 그것은 엄정한 사실에 근거하여 기록한 역사나 신문 기사와는 본질적으로 다른 특성을 갖습니다. 우리나라에서 소설가의 원형이라고 할 수 있는 '패관(稗官)'이 역사가라기보다는 일종의 창작자에 가까운 사람이었다는 사실도 그러한 소설의 특성을 잘 반영해 주는 것이라 할 것입니다. 그런데 중요한 것은, 소설적 상상력이 결코 작가의 개인적 체험이나 당대의 역사적 경험과 무관하지 않다는 사실입니다. 일례로 오늘날 고전의 반열에 올라 있는 이상의 〈날개〉가 작가의 개인적 체험을 기반으로 하고 있다는 점은 이미 널리 알려져 있거니와, 염상

섭의 〈만세전〉이라든지 최인훈의 〈광장〉과 같은 작품의 경우에도 작가의 개인적 체험뿐만 아니라 3·1운동과 분단이라는 역사적 사건이 중요한 서사의 모티프로 활용되고 있습니다. 이러한 단적인 예에서 확인할 수 있듯, 소설은 개인적·역사적 경험과 창조적 상상력 간의 상관관계를 통해 탄생하는 서사 양식임에는 틀림없습니다.

《문학을 열다》 4권에 실린 작품들도 그러한 소설의 특성을 잘 반영하고 있습니다. 이 책에는 1980년대 중반에서부터 2020년까지 발표된 작품 중 문학사적으로 회자될 만한 작품들이 선별·수록되어 있습니다. 이 시기를 거치는 동안 대한민국 사회는 전례를 찾아보기 힘들 정도로 급속한 산업화를 거쳤고, 이 과정에서 다수를 차지한 중산층이 민주화의 토대를 닦게 되었습니다. 그러나 점차 사회적 양극화로 인한 빈곤 문제, 생태 문제 등이 표면화되기 시작했고, 최근에 이르러서는 신자유주의가 지향하는 무한 경쟁 시스템에 대한 비판이 거세지고 있는 실정입니다. 이 책에 수록된 소설들은 모두 이러한 문제를 면밀하게 응시할 뿐만 아니라 향후 우리가 어떻게 살아가야 할지에 관한 근본적인 물음을 제기하고 있습니다.

여기에 실린 소설들이 우리 사회에서 중요하게 간주되었던 문제를 다루고 있는 만큼, 여러분들은 이 소설을 읽을 때 다음과 같은 점을 염두에 두어야 합니다. 첫째, 작품이 창작된 시기의 역사적 사실 내지는 작가의 전기적인 일화 등을 고려하여 읽을 때라야 비로소 소설의 숨겨진 의미를 보다 명확하게 파악할 수 있습니다. 소설을 제대로 이해하기 위해서는 작품의 내재적 요소뿐만 아니라 외재적인 요소, 즉 작품에 반영된 현실 혹은 집필 당시 작가가 처한 상황 등을 두루 검토할 수 있어야 합니다. 작품에 구사된 비유, 상징 등의 요소와 더불어 작품이 발표되었을 당시의 사회적 배경과 작가의 행적 등을 정리하면서 독서한다면, 소설에 대한 이해는 더욱 깊어질 것입니다. 둘째, 여기에 수록된 작품들이 해당 작가의 대표작 중 하나임을 감안하여, 작품에 내재된 작가의 시선과 표현 방식 등을 정리하면서 읽어야 합니다. 물론 한 편의 소설만으로 작가 의식의 전모를 파악할 수는 없을 것입니다. 하지만 여기에 수록된 작품을 꼼꼼하게 독해한다면, 작가의 사상 및 감정에 대한 중요한 단면을 이해할 수 있게 될 것입니다. 셋째, 작품의 구조·주제·표현 방식 등이 유사한 작품을 같이 묶어 비교하면서 읽는 습관도 중요합니다. 동시대 작품에서 볼 수 없는 구조나 주제, 표현 방식을 구사하는 작품도 두루 존재하지만, 현행 교과 과정에서는 이른바 '관계 짓기(associating)'가 가능한 작품들을 광범위하게 다루고 있습니다. 이러한 점을 고려하여 산업화로 인해 나타난 문제점들을 다룬 작품들을 한데 묶어 작가의 의식을 비교하거나 역순행적 구성을 취한 작품들이 갖는 서사 전략을 상호 비교하는 등의 방식으로 독해를 해 나간다면, 작품을 보다 입체적으로 이해할 수 있을 것입니다.

이제야 비로소 서두에 제기한 질문, 즉 "다양한 서사 양식이 공존하고 있는 이 시대에 소설을 읽는다는 것은 어떤 의미를 갖는가?"라는 질문에 대해 답을 할 차례가 온 것 같습니다. 이 질문에 대한 답변을 위해 2013년 10월 〈사이언스〉에 실린 흥미로운 논문을 소개하면서 이 글을 마무리해 볼까 합니다. 〈문학 소설을 읽으면 마음의 이론이 향상된다(Reading Literary Fiction Improves Theory of Mind)〉라는 제목으로 발표된 이 논문에서는 소설과 관련하여 의미 있는 데이터가 제시되었는데, 이를 간략하게 소개하자면 다음과 같습니다. 비소설을 읽은 A그룹, 대중 소설(스릴러 혹은 로맨스)을 읽은 B그룹, 문학 소설을 읽은 C그룹을 대상으로 공감 능력 테스트를 진행한 결과, A그룹은 23.47점, B그룹은 23.22점, C그룹은 25.92점이 나왔습니다. 이러한 결과는 문학적 가치가 높은 작품을 읽었을 때 타인의 입장에 서서 공감할 수 있는 능력 또한 향상될 수 있음을 잘 보여 주는 것이라 할 수 있습니다.

여러분들은 각자가 처한 시공간 속에서 한정된 경험을 하면서 살아가고 있습니다. 현재 학업에 매진하고 있는 여러분들은 80대 노인이나 결혼, 이민을 결심

한 외국인 여성의 삶을 직접 경험할 수도, 또 그들의 삶의 애환을 온전히 이해할 수도 없습니다. 그러나 소설은 바로 그 불가능한 경험과 이해를 가능케 하는 매개체로 기능합니다. 때로는 작가가 창조한 현실과 인물이 우리가 평소 마주할 수 없는 낯선 것이라는 점에서 이물감을 불러일으킬 수도 있겠지만, 이러한 낯선 이물감 속에서 우리는 나와 다른 처지에 놓인 타자를 응시하게 됩니다. 그런 의미에서 소설 읽기는 근본적으로 타자를 마주하는 행위입니다. 여러분들이 미처 경험하거나 느끼지 못했던 것들은, 소설을 읽는 과정에서 진짜와 같은 경험과 느낌을 선사합니다. 이 책에 수록된 작품을 통해 여러분들은 세속적 욕망에 찌든 1980년대의 소시민 형상에서부터 반지하방에서 빈곤한 삶을 살아가는 2010년대의 젊은이까지 다양한 얼굴들을 마주할 것이며, 이러한 마주침을 통해서 비로소 윤리적인 사유의 길로 나아가게 될 것입니다. 부디 이 책이 그 길로 나아가는 데 있어서 디딤돌 역할을 하길 기원합니다.

이만영(문학 평론가, 고려대학교 교수)

차례

일러두기

1. 표기는 원문에 충실히 따르는 것을 원칙으로 하되, 띄어쓰기는 최대한 현행 표기법을 따랐습니다. 단, 작품의 분위기에 영향을 준다고 판단되는 방언이나 구어체 표현, 의성어, 의태어 등은 그대로 두었습니다.

2. 책 제목, 장편 소설은 《 》, 단편 소설, 연극·잡지·노래 제목은 〈 〉로 표시하였습니다.

3. 부가적으로 설명이나 단어 풀이가 필요하다고 판단한 경우에는 각주로 설명을 붙여 놓았습니다.

4. 작품 말미에 밝혀 둔 작품 출처는 저작권사의 요청으로 인한 것입니다.

비 오는 날이면 가리봉동에 가야 한다

양귀자

양귀자 (1955~)

1978년 〈다시 시작하는 아침〉으로 〈문학사상〉 신인상을 받으며 등단했다. 소설집 《귀머거리새》와 《원미동 사람들》은 비평가들로부터 "단편 문학의 정수를 보여 주고 있다."라는 찬사를 받았다. 《희망》 《나는 소망한다 내게 금지된 것을》 《천년의 사랑》 《모순》 등을 펴내며 동시대 최고의 베스트셀러 작가로 부상했다. 〈비 오는 날이면 가리봉동에 가야 한다〉는 도심의 외곽에 살고 있는 소외된 사람들의 삶을 통해 이웃 간에 벌어지는 갈등과 이해, 그리고 함께 살아가고자 하는 공존의 원리를 보여 준 작품으로 평가받고 있다.

두 명 일꾼은 아침 8시가 지나서 들이닥쳤다. 일의 시작은 때려 부수는 것부터였다. 두 사람이 덤벼들어서 함부로 두들겨 깨는 것을 지켜보다가 그는 그 요란한 소리에 이맛살을 찌푸렸다. 망치질 한 번에 여기저기로 튕겨 나가는 타일 조각과 콘크리트 파편 때문에라도 더 이상은 그곳에 있을 수 없었다. 목욕탕과 잇대어 있는 주방도 어수선하기론 마찬가지였다. 목욕탕에서 옮겨 온 세간살이가 옹색한 부엌을 더욱 비좁게 만들고 있었다. 그 속에서 아내는 인부들 점심상에 내놓을 푸성귀를 다듬고 있었다.

은혜는 여태껏 텔레비전에 매달려 있는 채였다. 취학 전의 어린애들을 대상으로 하는 프로그램인데 그로서는 토옹 볼 기회가 없었으므로 아이가 화면에서 나오는 대로 따라 노래를 부르곤 하는 게 밉지는 않아서 내버려 두기로 하고 작은방을 들여다보았다. 아직 젖을 먹는 은혜 동생은 목욕탕에서 꿍꽝거리는 요란한 소리에도 아랑곳하지 않고 모로 누워 쌔근쌔근 잠들어 있다. 은혜 밑으로 다시 딸을 낳은 뒤 말은 하지 않지만 노모는 어지간히 서운한 기색이었다. 한동안은 저희에게 살 집을 주시라고 기도하더니 연립 주택이나마 부천에 집을 마련한 뒤부터는 대신 저희에게 건강한 옥동자를 주시고,라는 구절이 끼어들기 시작했다.

"어머님은 김 집사네 이삿짐 거들어 주시러 가셨어요."

그가 이 방 저 방을 기웃거리고 다니는 것을 어머니 찾는 것으로 여긴 아내가 하는 말이었다. 아내의 말에는 대꾸도 하지 않고 그는 다시 난장판이 되어 가고 있는 목욕탕을 들여다보았다. 욕조를 상하지 않게 하려고 정교한 솜씨로 정을 대어 망치질을 하고 있는, 빛바랜 누런 티셔츠의 사내가 오늘 공사를 떠맡은 임 씨였다. 바닥을 두들겨 파헤쳐 놓은 일꾼은 임 씨보다 적어도 열 살은 어려 보이는 젊은이였다. 아직도 한더위인데 멋을 부려 보겠다는 것인지 긴소매 남 방을 입고 몸에 꼭 끼는 청바지가 노가다 복장으로는 어쩐지 서툴러 보여 미덥 지가 않았다. 자칭 기술자라는 임 씨조차 겨울이면 연탄 배달로 삯을 버는 연탄 장수가 주업이라서 아무래도 미덥지가 않기로는 매일반[1]이었다. 아랫동네의 임 씨를 소개해 준 것은 지물포 주 씨였다. 도배 일을 다니면서 찬찬히 살펴보았지 만 임 씨만큼 일솜씨 야무지고 성실한 일꾼이 없다는 것이었다. 그동안 어지간 한 일들은 대신설비의 소라 아버지가 맡아 해 주곤 했으나 요새 소라 아버지는 허리를 다쳐 누워 있는 중이라서 그 역시 마땅한 일꾼을 찾지 못하고 있는 판이 었다.

지물포 주 씨 말을 믿기로 하고 임 씨가 뽑은 견적대로 일을 맡기고 나서야 그는 아내를 통해 임 씨가 사실은 연탄 배달부로서 여름 한철에만 이것저것 잡 일을 하는 어설픈 막일꾼이라는 것을 알게 되었다. 그렇다면 보나 마나 하자가 생길 것이 틀림없다고 믿은 그는 일을 시작도 하기 전에 적잖이 기분을 그르치 고 말았다. 다른 것도 아니고 목욕탕 공사야말로 급수 배관에서 방수, 그리고 미 장, 타일까지 전문직이 필요한 게 아니냐는 나름대로의 이론에 비추어 봐도 섣 부른 결정임에는 틀림없는 것처럼 여겨졌다.

재수가 없으려니. 목욕탕 사단[2]이 생긴 이후 그는 걸핏하면 재수 타령을 하게 되었다. 하기야 집의 여기저기에 하자가 생겨 생돈을 밀어 넣어야 할 경우에는 으레 튀어나오는 말 또한 재수가 없으려니, 였다. 재수가 없어도 보통 없는 게 아 니었다. 서울에서 그처럼 떠돌아다니다가 전세방 생활을 청산하고 겨우 연립이 나마 한 채 사서 들어왔는가 했더니 한 달이 멀다 하고 이곳저곳의 문제점들이

---

1 매일반 결국 서로 같음. 매한가지.
2 사단 '사달(사고나 탈)'의 잘못.

출몰하기 시작하는 데는 정신이 없을 지경이었다. 집에 문제점이 있다는 것은 곧바로 돈을 써야만 풀리는 숙제 같은 것이어서 집주인이 되고부터는 노상 돈에 쪼들리는 것도 그 때문이었다.

이사 오던 해 겨울에는 천장이며 벽에 습기가 배어들어 물이 흐르기 시작했다. 이어서 온 집 안에 곰팡이 냄새가 가득해지고 서서히 해동이 되면서는 숫제[3] 비가 새듯 천장에서 물이 떨어졌다. 어차피 내 집인 이상 이쯤이야 고치고 살아야지. 그런 맘으로 그 첫 번째 공사는 시원시원하게 이루어졌었다. 원미지물포 주 씨가 맡은 그 공사는 집의 외벽과 천장에 두터운 스티로폼을 붙이는 작업이었다. 온 집 안에 먼지처럼 작은 스티로폼 입자가 풀풀 떠다니고 세간살이가 제자리를 떠나 있어 집 안이 온통 난장판일 때는 괴로웠었다. 하지만 그다음에는 방습지로 말끔히 도배를 하여서 일 시작한 김에 집 안 꼴이 훤해진 것은 그닥[4] 나쁘지는 않았다.

첫 번째 공사는 말하자면 신호에 불과한 셈이었다. 그 얼마 후에 은혜와 노모가 쓰고 있는 작은방의 난방 파이프가 터져 버렸다. 구들[5]을 파헤치고 다시 방의 꼴을 갖추는 데 며칠간의 북새통은 물론이고 수월찮은[6] 돈이 날아가 버렸다.

그것뿐이 아니었다. 이어서 주방의 하수구가 막혔고 보일러의 굴뚝이 무너져 보일러까지 새로 갈아야 하는 일이 터져 버렸다. 지은 지 3년도 채 안 되었다는 집이 걸핏하면 터지거나 막히거나 무너지는 데는 어이가 없을 뿐이었다. 그런 일들이 아니라면 하다못해 목욕탕의 수도꼭지가 헛바퀴를 돌거나 변기의 물탱크가 제구실을 못 하거나 해서 크고 작은 돈이 쉴 새 없이 집수리하는 데 들어갔다. 이제 더 이상의 고장은 없으려니 하고 있으면 느닷없이 보조 키가 말을 들어먹지 않아서 내친김에 새로 발명되었다는 컴퓨터 보조 키까지 달

---

3 숫제 아예 전적으로.
4 그닥 '그다지'의 잘못.
5 구들 방 밑에 화기가 통하게 하여 난방하는 구조체. 온돌.
6 수월찮다 꽤 많다.

게 했다.

그러고는 이번의 목욕탕 사건이 터진 것이었다. 바로 어제 일이었다. 아침상을 받아 놓고 껄끄러운 입맛 때문에 모래알 씹듯 밥알을 세어 가며 식사를 하고 있는데 누군가가 현관문을 마구 두들겨 댔다. 그 요란한 소리에 갓난애까지 잠에서 깨어나 울음을 터뜨렸다. 어엿이 벨도 달려 있고, 벨을 사용하지 않으려면 점잖은 노크 방법도 있는데 이것은 해도 너무하지 않나 싶어 그 즉시 다짜고짜 문을 열어젖혀 버렸다.

현관문 밖에는 머리가 반쯤 벗겨진, 예순이 넘어 보이는 노인네가 눈을 동그랗게 뜨고 서 있었다. 스스로의 거친 행동은 잊어버린 채, 단지 문이 갑자기 열려 놀라지 않을 수 없다는 표정이어서 그는 어이가 없었다. 노인네의 일견 순진하게조차 보이는 얼굴에 자연 그의 말씨도 공손해졌다.

"무슨 일이십니까?"

"아, 저…… 물이 말씀이야……."

"물이라구요? 수돗물 말씀하시는 겁니까?"

여름 들어서 격일제로 나오는 수돗물을 가리키는 말로 그는 알아들었는데 노인은 답답하다는 듯 자꾸 침을 삼키면서 손바닥을 비벼 대었다.

"물이…… 그러니까 목욕탕에서…… 물이……."

더듬거리는 말버릇도 아니고, 그렇다고 어눌하고 솜씨 없는 말투도 아닌 어조로 노인은 일껏 뒤로 빼고 있는 느낌을 주었기에 그는 소롯이[7] 짜증이 밀려오기 시작했다. 그때 계단 아래에서 쿵쾅쿵쾅 발소리가 들리는가 했더니 이내 젊은 여자가 나타났다.

"아이구, 할아버지도, 참. 관두세요! 다른 게 아니라 그 집 목욕탕 파이프가 터졌나 봐요. 오늘 아침이 물 나오는 날 아녜요. 어제는 괜찮았는데 아침부터 우리

---

7 소롯이 고스란히.

집 목욕탕 천장으로 물이 떨어진다구요. 자꾸 더 떨어지는데 얼른 손을 보세요."

우는 아이에게 젖을 물리고 있던 아내가 아이를 추슬러 안은 채 참견을 했다.

"어머나, 어쩐지 목욕탕 물이 시원찮게 나오더라구요. 이를 어째."

그들이 돌아간 뒤 그는 수도 계량기의 꼭지를 단단히 잠가 두고 다시 아침상 앞에 앉았다. 어제 받아 놓은 물이 많이 남아 있으니 오늘은 그럭저럭 지내고 퇴근 후에 다시 살펴보기로 한 그는 이내 숟가락을 놓아 버렸다. 몇 달 잠잠하다 했는데 기어이 큰 건수로 터져 버린 것을 생각하니 울화가 치밀어서였다. 모처럼 내일은 광복절 휴일로 넉넉하게 쉬어 볼까 했더니 이것 역시 그르치고 말게 될 것이 분명했다.

"그런데 아까 그 할아버지는 누구야?"

"으악새 할아버지 아녜요. 당신도 보셨잖아요."

그러면서 아내가 때맞지 않게 쿡 웃음을 터뜨렸다.

"으악새? 뭐 그따위 이름이 있나?"

"글쎄 말이에요. 김 반장이 붙여 놓은 건데 아주 제격이에요."

그러고 보니 그 할아버지를 본 적이 있었다. 며칠 전의 퇴근길에서였다. 앞에 가던 노인네가 아무래도 수상했다. 버스 정류소에서부터 주욱 따라온 셈인데 30초쯤의 간격으로 으악, 으악, 이렇게 소리를 내지르는 것이었다. 그것도 소리만 내뱉는 게 아니라 흡사 목젖 밑의 무엇을 끄집어내기 위해서인 듯 양 손바닥을 탁 치면서, 혹은 팔목을 내리치면서 으악, 외치는 것이었다. 처음에 들으면 꼭 해소 기침하는 노인네의 가래 긁어 올리는 소리로 들리기도 하였지만 분명 그것은 아니었다. 아내의 말에 의하면 두어 달 전에 아래층의 작은방에 세를 얻어 이사 온, 혈혈단신 혼자 사는 노인네로 걸핏하면 원미동 거리를 오르락내리락하면서 그런다는 것이었다.

미덥지 않게 보인 인상과는 달리 임 씨는 흠집 하나 내지 않고 욕조를 들어내었다. 임 씨의 의견에 따르면 목욕탕으로 들어오는 파이프는 욕조 밑을 지나 세면대와 변기로 이어졌음이 십 중에 여덟아홉이므로 어차피 목욕탕 전체를 파헤쳐야 한다는 것이었다. 터진 곳을 요행 쉽게 찾아낸다 하여도 방수 문제도 있고 노후된 수도관의 교체도 불가피하므로 완벽하게 공사를 마무리 짓기 위해서는 목욕탕 전체를 일체 새로 꾸민다는 각오로 덤벼야 한다, 동네 공사에 하자가 생기면 밥 먹고 사는 일에 지장이 있으므로 자기는 절대 그렇게 일을 하지는 않는다, 한번 시켜 본 사람은 다음번 일에도 꼭 자기를 부르는 것도 다 이런 자세 때문이다,라고 임 씨는 말했다. 입도 재빠르지만 입이 말을 하는 중에도 손놀림 또한 민첩했다. 임 씨는 욕조를 들어낸 자리가 축축하게 젖어 있는 것을 보고 회심의 미소를 지으며 담배 한 개비를 빼어 물었다.

"사장님, 여길 보세요. 욕조가 끝나는 자리부터 질퍽하지요? 제대로 찾아낸 겁니다. 이 부분에서 세면대까지의 사이에 하자가 생긴 게 분명해요."

적게 보면 서른여덟, 많이 보면 마흔쯤으로 보이는 임 씨가 자신을 사장님이라 부르는 소리에 그는 얼떨떨했다. 사장님은커녕 여태도 말단 사원인데 이 사람은 집주인은 무조건 사장님이라 칭하기로 내심 통일시킨 모양이었다.

"어허, 사장님. 요 나쁜 자식들 좀 보세요. 이럴 줄 알았다니까요. 이건 BS표보다도 아랫질[8]이에요. 덤핑 제품이죠. 돈도 몇 푼 차이 안 나는데도 집 장수 녀석들 심뽀[9]는 꼭 이렇다구요."

들고 있던 망치로 녹슬고 변색되어 있는 파이프를 툭툭 두들기며 임 씨는 한탄을 했다. 그러자 옆에 있던 젊은이가 불쑥 나선다.

"에이, 아저씨. 그런 집 장수들 덕분에 우리도 먹고사는 거 아녜요. 어디 우리뿐이에요. 원미동만 해도 설비집이 수십 개인데 그 사람들 먹여 살리는 공은 생각 안 해요?"

깨부숴 놓은 파편들을 부대에 담아 밖으로 나르던 일도 몇 번 만에 질렸는지

---

8 아랫질 다른 품질에 비하여 낮은 품질.
9 심뽀 심보(마음을 쓰는 속 바탕). 마음보.

젊은 인부는 목욕탕 문턱에 앉아 아리랑 담배에 불을 붙인다. 그러고 보면 임 씨는 아내가 분명 아리랑 한 갑을 건네줬는데도 그것은 뜯지도 않고 피우던 담배를 꺼내 놓고 있다. 그는 젊은 녀석의 껄렁한 말씨에 적잖이 노여움을 느끼고는 녀석이 뿜어 대는 담배 연기에 눈살을 찌푸렸다. 스무 살이나 되어 보이는 녀석은 담배 연기를 동글동글 만들어 올리면서 옷에 묻은 먼지를 털어 내었다. 저런 녀석에게 일을 맡겨 봤자 몇 달 못 가 또 터지지. 그는 방으로 돌아오면서 또 한 번 미심쩍음에 시달렸다. 저런 잡역부를 데리고 다니는 임 씨 또한 별다를 바가 없으리라. 파이프가 터지지 않는다면 방수를 제대로 못해 물이 스밀지도 몰랐다. 외국에서는 수백 년 이상 된 집들도 탈 없이 건재하고 있다지만 우리나라에서는 어림도 없다. 여기까지 생각하자 그는 자신도 모르게 "조선 놈들은 할 수 없어."란 말이 새어 나왔다.

사실 그 역시 이런 자조 섞인 욕설이 입에서 새어 나오는 것에 적이[10] 기분이 상했다. 이거야말로 일제의 잔재인데 알게 모르게 그 자신의 몸에도 깊숙이 배어 있다는 게 놀라웠다. 게다가 올봄부터 영업부에서 홍보실로 자리를 옮긴 그는 반관반민(半官半民)[11]의 형태를 띤 회사에서 사보(社報) 성격의 기관지를 편집하는 직업을 가지고 있었다. 그가 맡은 일은 간략하게 말해서 가능한 한 모든 한국인의 장점과 특성·근면·성실·정직 등을 드러내는 데 주력하는 것이었다. 100페이지쯤 되는 책자의 처음부터 끝까지가 우리는 자랑스러운 한민족이라는 사실을 확인하고 검증하고 환기시키는 작업에 바쳐지는 것인데 그런 일을 한다는 자신의 입에서 새어 나온다는 소리가 조선 놈들은 어쩌구 하는 탄식이니 스스로도 묘한 이율배반[12]을 느끼지 않을 수 없었다. 이건 마치 자신은 우월한 한민족이고 임 씨와 저 꺼벙한 젊은 친구는 조선 놈으로 편 가름시키는 꼴이 되는

---

10 적이 꽤 어지간한 정도로.
11 반관반민 정부와 민간인이 공동으로 자본을 대어 회사, 시설, 단체 따위를 설립·경영하는 일.
12 이율배반(二律背反) 서로 모순되어 양립할 수 없는 두 개의 명제.

것이었다. 그가 이런 생각에 골몰해 있는데 그새 놀러 갔다 오는지 은혜가 뛰어들며 소리쳤다.

"아빠, 아빠. 우리도 태극기 달아요. 소라네 집이랑 정미네 집도 태극기 달았어요."

그러고 보니 오늘이 광복절이었다. 빠진 집도 몇 있지만 그가 창밖으로 고개를 내밀고 살펴보니 띄엄띄엄 하얀 국기가 펄럭이고 있었다. 아이의 성화에 국기를 내어 걸고 나자 은혜는 자랑이라도 하려는지 깡총거리며 또 밖으로 뛰어나갔다. 목욕탕에서는 계속 두들겨 부수는 작업이 한창이고 아내는 없는 물을 아껴 가며 점심을 하려니까 진땀이 나는지 연신 선풍기 방향을 돌려 가면서 부엌에서 허둥대고 있었다.

"오늘 끝나기는 어렵겠죠?"

아내는 내일까지 일이 계속된다는 게 벌써부터 지겨운 듯했다.

"그럴 거야."

움직일 때마다 발부리에 차이는 세간살이들을 이리저리 옮겨 놓으며 그는 건성으로 대답했다. 그 비슷한 말을 임 씨에게 해 보았더니 임 씨 역시 건성이었다.

"사장님이야 며칠이 걸려도 아무 상관없지요. 견적 뽑은 대로만 주시는 거니께요. 나머지는 지가 백날이 걸려도 하자 없이 해 놓을 일만 남은 셈입니다."

임 씨 말대로라면 당일로 끝낼 속셈은 아닌 듯싶었다. 젊은 인부는 30분쯤 일하고 나면 담배 한 대에 냉수 한 컵 하는 식으로 일을 질질 끌고, 젊은 녀석 단속하랴 자신이 하는 일에 신경 쓰랴 입으로 한몫하랴 임 씨 속도도 그가 보면 더디기 짝이 없었다. 하기야 뭐 이런 공사가 국숫가락 뽑아내듯 쑥쑥 뽑혀 나오는 재미를 주는 일이야 아니겠지만 깨고 들어내고 긁어 대고 하는 일은 한참 후에 들여다보아도 그게 그 모양이었다. 그렇다고 감독관마냥 문 앞에 버티고 서서 잔꾀 부리지 않도록 감시하고 있을 수도 없는 일이어서 그는 어슬렁거리며 집

안 이곳저곳을 기웃거렸다.

"왔다 갔다 하지만 말고 가서 지켜보세요. 일꾼들이란 원래 주인이 안 보면 대충대충 덮어 버리는 못된 구석이 있다구요."

시금치나물을 무치면서 아내가 행여 들릴까 봐 낮은 소리로 소곤거렸다. 갓난애나 징징 울어 대면 애 보기나 하련만 아이는 배만 부르면 쌔근쌔근 잠들어 버리는 터라 사실 그가 할 일이 딱히 없는 형편이었다. 그는 하는 수 없이 다시 목욕탕을 들여다보지 않을 수 없었다. 마침 임 씨가 젊은이에게 건재상[13]에 가서 새 파이프를 가져오라고 시키고 있을 때였다. 욕조에서 세면대로 구부러지는 이음새[14] 쪽에 사단이 생긴 모양이었다. 땀방울이 흘러내리는 얼굴을 쳐들어 올리며 임 씨가 말했다.

"사장님, 수도 좀 열어 보세요. 이곳에서 물이 솟구칠 것 같은데."

임 씨가 시키는 대로 계량기의 꼭지를 비틀고 돌아와 보니 아닌 게 아니라 그 자리에서 물줄기가 솟아오르고 있었다.

"보세요. 요걸로 한 번만 내리치면 완전 분수처럼 솟구칠 테니까."

임 씨가 옆에 놓여 있던 흙손[15]으로 파이프를 살짝 내리치자마자 이내 감당할 수 없을 만큼 물이 터져 나오기 시작했다.

"완전히 삭았어요. 사장님, 어서 계량기 잠그세요. 터진 데 찾았으니 일은 다 한 거나 마찬가지라구요."

임 씨는 젊은 인부를 기다리는 사이 아내에게 냉수를 한 컵 청했다. 일을 다 한 거나 진배없다[16]는 일꾼의 말에 기분이 좋아진 아내가 청량음료를 한 컵 가득 따라 주며 다짐했다.

"세면대나 변기는 손댈 것 없겠지요?"

---

13 건재상 건축 재료를 파는 가게.
14 이음새 '이음매(두 물체를 이은 자리)'의 잘못.
15 흙손 흙일을 할 때에, 이긴 흙이나 시멘트 따위를 떠서 바르고 그 겉 표면을 반반하게 하는 연장.
16 진배없다 그보다 못하거나 다를 것이 없다.

"예, 사모님. 다른 데 파이프는 구부러지게 이을 필요가 없거든요. 이 자리는 맨 처음 시공 때부터 욕조를 앉히느라고 닦달을 해 댄 모양이에요."

목울대를 울리며 임 씨는 맛있게 음료수를 들이켰다. 여름 한철 집수리 일이나 한다는 사내치고는 꽤 정확한 솜씨가 아닌가 하여 그는 새삼 사내의 몰골을 자세히 뜯어보았다. 원래는 자주색이었을 티셔츠는 잦은 세탁으로 누런빛이었고 얼마나 오래 입었는지 검정 고무줄이 삐져나온 추리닝의 허리께는 서툰 손바느질로 터진 실밥을 꿰맨 자리가 어지러웠다. 작은 체구에 비하면 어깨 근육이나 팔목의 힘줄은 탄탄하게 보였고 더위로 상기된 얼굴은 이제 막 밭을 갈다 나온 농부처럼 건강해 보였다.

"지물포 주 씨가 칭찬하던 대로 일을 잘하시네요."

그는 슬쩍 사내를 추켜세웠다. 인간이란 칭찬 앞에 약한 법이다. 하물며 저 단순한 육체 노동자야말로 이런 귀 간지러운 말에 자신의 온 힘을 바치지 않겠는가. 그는 자신의 한마디가 잘 계산하여 내놓은 작품임을 은근히 자만하였다. 한데 임 씨의 반응은 계산과는 다르게 빗나갔다.

"뭘입쇼. 누가 와서 일해도 마찬가지니까요. 목욕탕 하자 공사는 순서가 있어요."

"그래도……." 그래도,라고 입막음을 하려다 말고 그는 할 말이 마땅치 않아 주춤거렸다. 그래도 당신 솜씨가 최상급이오,라는 말도 이상하게 들릴 것이고 그래도 누군들 당신만 하게 일을 처리하겠느냐,라고 말해도 속이 보여서 곤란했다.

"사모님, 오늘 일이야 하자 없이 잘해 드릴 테니 겨울 연탄은 저희 집 것을 때세요. 저야 뭐 연탄장수 아닙니까."

이야기가 이쯤에 이르면 그는 더욱 할 말이 없어진다. 되레 임 씨의 자기선전 앞에서 스스로의 대답이 궁색해졌다. 아내 또한 딱히 연탄을 맡기겠다는 대답도 없이 웬일인지 굳어진 표정이었다.

"고향이 어디요?" 아무려면 머리 굴리는 거야 임 씨보다 못하랴 싶어서 그는 말꼬리를 돌려 보았다. 어딘가에는 반드시 임 씨를 달뜨게[17] 할 함정이 있을 것이다. 부드러운 말로 꽉 움켜잡아야 일에 정성을 쏟아 완벽한 공사를 해 줄 게 아닌가.

"고향요?"

임 씨는 반문하고서 쓰게 웃었다.

"고향이 어디냐고 묻지 말라고, 뭐 유행가 가사가 있잖습니까. 고향 말 하면 기가 막혀요. 벌써 한 칠팔 년 돼 가네요. 경기도 이천 농군[18]이 도시 사람 돼 보겠다고 땅 팔아 갖고 나와서 요 모양 요 꼴입니다. 그 땅만 그대로 잡고 있었어도."

그때 파이프를 들고 젊은 인부가 돌아왔다. 입에는 아이들이 먹고 다니는 쭈쭈바가 물려 있고 그 껑정껑정[19] 뛰는 듯한 걸음걸이로 성큼 욕탕 안으로 넘어섰다. 저따위 녀석들이야 평생 노가다판에 뒹굴어도 싸지. 에이 못 배워 먹은 녀석.

그들이 다시 목욕탕으로 들어가 일을 시작한 뒤 아내가 그를 마루 구석으로 끌고 갔다. 뭔가 인부들 귀에 닿지 않게 속닥거릴 이야기가 있는 모양이었다.

"그럼, 돈 계산은 어떻게 되는 거예요? 저 사람 처음에는 목욕탕을 다 뜯어발길 듯이 말하잖았어요? 견적도 그렇게 뽑았을 거예요. 20만 원이 다 되는 돈 아네요?"

아내의 말을 들으니 딴은 중요한 문제이긴 했다. 목욕탕 공사야말로 하자 없이 해야 한다는 말을 몇 번씩이나 들먹이며 임 씨가 빼놓은 견적은 욕조와 세면대 사이의 파이프만 교체하는 수준의 것이 아님은 분명하다.

"당신이 지금 가서 따져 봐요. 저런 사람들 돈이라면 무슨 거짓말을 못 하겠

---

17 달뜨다 마음이 가라앉지 아니하고 조금 흥분되다.
18 농군 농사짓는 일을 생업으로 삼는 사람.
19 껑정껑정 긴 다리를 모으고 자꾸 거볍게 내뛰는 모양.

어요. 괜히 견적만 거창하게 뽑아 놓고 일은 그 반값도 못 미치게 하자는 속임수가 틀림없어요. 우리 같은 사람이 어떻게 공사판 내용을 다 알겠어요. 이렇다 하면 그런갑다 하고 믿는 게 예사지."

아내는 애가 달았다. 이럴 줄 알았으면 이곳저곳에 견적을 뽑아 보고 시킬 것을 그랬다는 둥, 괜히 주 씨 말만 믿고 덥석 일을 맡겼다가 돈만 속게 되었다는 둥, 저런 양심으로 일을 하니 연탄 배달 신세 못 면하는 것 아니냐는 둥, 종국에는 임 씨의 반지르르한 말솜씨마저 다 검은 속셈을 감추기 위한 게 아니냐는 말까지 쏟아져 나왔다.

"그런 작자한테 일 잘한다고 추켜세우지를 않나, 원……."

아내는 눈까지 흘기면서 부엌으로 돌아갔다. 갑자기 그릇 부딪치는 소리가 요란해진 걸 보니 아내는 억울하게 빼앗길 돈 생각에 잔뜩 울화가 솟구치는 모양이었다. 하기야 언제까지 원미동 구석에 처박혀 살겠느냐고 벌써부터 서울 집값을 수소문하면서 아라비아 숫자들을 나열해 보곤 하던 아내였으니까 너무한다고 나무랄 것도 없었다. 전철을 타고 한강을 건널 때면 멀리 강변을 따라 우뚝 솟아 있는 고층 아파트를 보는 일이 괴롭다고 하소연한 적도 있었던 그녀였다. 공장 그을음이 깔려 있는 영등포를 지나 한강을 건너 서울로 들어갈 때의 기분과 서울에서 나올 때 한강을 건너는 기분은 사뭇 다르다고 말하던 그녀였다.

다락 용도로나 쓰임 직한 부엌 옆 골방까지 방 셋에 마루·부엌·욕실까지 어엿하게 꾸며진 집에서 살게 되었을 때의 흐뭇함은 1년도 못 되어 거지반[20] 사라지고 만 셈이었다. 서울에서 살 때의 그 끝없는 허둥댐, 떠돌아다님의 정처 없음과는 다르겠지만 이곳 원미동에서의 생활 역시 좀체 뿌리가 박히지는 않았다. 무엇보다도 잦은 공사로 그간 안정을 누리는 일 따위와는 거리가 멀었던 까

---

20 거지반 거의 절반.

닭도 있지만 간단히 말하면 그와 그의 아내는 서울에 대한 미련을 버리지 못하고 있는 중이었다.

생각하면 참 가당찮은 일이었다. 트럭의 짐칸에 실려 영등포를 지나고 개봉을 지나 부천에 들어섰을 때의 그 어줍잖은 느낌 속에도 분명 새 땅, 새 생활에의 부푼 기대 같은 게 없었다. 남의 집이 아닌 내 집을 마련했다는 약간의 흐뭇함이야 물론 없지는 않았다. 그것마저 누리지 않으려 했을 바에야 굳이 부천까지 왔을 이유가 없기 때문이었다. 가당찮은 점은 바로 여기에 있었다. 1200만이니 1500만이니 해 대는 서울특별시에 거주하는 인간들 속에는 분명 그들보다 못 배우고 더 가난한 이들도 섞여 있을 것이었다. 그런 사람도 서울 시민으로 살고 있는데 하물며 우리가 그곳에서 쫓겨나 여기까지 오게 되다니, 하는 같잖은 느낌이 마치 문틈으로 연탄가스가 새어 들듯 조금씩 조금씩 그들 부부를 침식해 왔다. 어떤 사람 말대로 없는 사람 먹고살기로는 부천이 좋다 하지만 그는 어엿하게 한강을 건너 서울의 중심가에 직장을 둔 월급쟁이였다. 회사 주변의 술집에는 작게는 일이만 원에서 크게는 이삼십만 원의 외상 술값을 남겨 놓고 다니는 적당한 주량을 가지고도 있었으며 때로 실장의 곁눈질에 가슴이 철렁하는 소심함도 남 못지않기는 하지만 그래도 저 임 씨처럼 겨울이면 연탄 배달에 여름이 오면 공사판 막일을 해야 하는 처지와는 사뭇 다른 것이다.

임 씨에게 잔뜩 당했다고 믿고 있는 아내는 점심상을 내놓을 때까지도 얼굴이 굳어 있었다. 하다못해 많이들 드시라는 입에 발린 인사조차 내밀지 않아서 그가 오히려 민망하였다. 게다가 밥상에는 두 그릇의 밥만 올려져 있었다. 그의 몫의 식사는 함께 준비하지 않은 것이었다.

"내 밥도 가져와. 아저씨들이랑 함께 먹어 치우지 뭐."

그는 짐짓 소탈하게 아내를 채근했다.

"나중에 어머님이랑 함께 드세요. 아직 이르잖아요."

아침 식사한 지가 얼마나 되었느냐는 아내의 말이었지만 인부들과 겸상으로 차릴 수 없다는 아내다운 발상임을 그는 모르지 않았다. 그때 숟가락을 들려다 말고 임 씨도 아내의 말에 동조했다.

"그러시지요. 저희야 옷도 먼지투성이고, 일하던 꼴이라 망측스러우니 사장님과 함께 들기가 뭐하네요."

"어허, 무슨 말씀을. 얼른 내 밥도 가져오라구."

아내는 마지못해 밥과 숟가락을 상에 놓았다. 머리칼 위에 허옇게 내려앉은 시멘트 가루를 이고서 임 씨는 고봉으로 퍼 담은 밥그릇을 비워 내기 시작했다. 젊은 잡역부는 아내가 달걀을 입혀 지져 낸 소시지 부침만을 겨냥하는 젓가락질을 해 대다가 임 씨에게 머퉁이[21]를 먹기도 하였다.

"예끼, 이 자슥아. 열 살 먹은 어린애도 아니면서 입에 단 것만 골라 먹누."

"그런 말씀 마세요. 다른 집에 가면 새참에 카스테라[22]나 우유도 내주던데 오늘은 쫄쫄 굶었단 말이에요."

젊은 인부의 말이 그가 듣기에 민망했음을 고려해서인지 임 씨가 녀석의 머리통을 쥐어박았다.

"일은 참새 눈물만큼 해 놓구선 먹기는 황소같이 처먹으려고."

"오전 시간은 짧아서 새참 내놓을 짬이 없었어요. 오후에는 술이라도 한잔 들면서 쉬었다 하지요."

그러자 임 씨가 입에 가득 밥을 물고 휘휘 손을 내저었다.

"사장님도 그런 말씀 마세요. 이만하면 되었지 뭘 또. 오늘 일 마치려면 쉴 짬도 없어요. 이놈 자식이 원래 먹성이 좋아서……."

"사실이 그렇지요, 뭘. 먹어야 뱃심이 생겨 일을 잘할 꺼 아닙니까."

젊은 인부가 입을 뚱하니 내밀었다.

글줄이나 익히고 대학쯤 졸업해서 볼펜 굴리며 일하는 부류에게는 뱃심이라

---

21 머퉁이 '핀잔', '꾸지람'의 방언.
22 카스테라 '카스텔라'의 잘못.

는 게 필요 없는 법이다. 머리를 굴리는 일에 과식은 오히려 금물이지만 이들처럼 막노동꾼에게는 그저 배불리 먹이는 게 밑천 뽑는 것 아닌가. 그는 임 씨나 젊은이에게 이것저것 반찬을 돌려 주면서 내심으로는 아내의 눈치를 보았다.

"이런 일은 언제부터 했어요?"

임 씨의 공이[23] 박인 손가락이 예사롭지 않아서 그는 문득 남자의 전력이 궁금해졌다.

"뭐 안 해 본 게 없어요. 까짓거[24] 몸 돌보지 않고 열심히만 하면 농사꾼보다야 낫겠거니 했지요. 처음에는 땅 판 돈이 좀 있어서 생선 장사를 하다가 밑천 잘라먹고[25] 농사꾼 출신이라 고추 장사는 자신 있지 싶어 덤볐다가 아예 폭삭 망했어요."

밥그릇 비우는 솜씨도 일솜씨 못지않아서 임 씨는 그가 반도 비우기 전에 벌써 숟가락을 놓았다. 그리고 은하수[26] 한 개비를 물었다.

"밑천 댈 돈이 없으니 그다음부터는 닥치는 대로죠. 서울서 밑천 털리고 부천으로 이사 온 게 한 6년 되나. 이 바닥서 안 해 본 게 없어요. 얼음 장수, 채소 장수, 개장수, 번데기 장수, 걸리는 대로 했으니까요. 장사를 하려면 단돈 천 원이라도 밑천이 들게 마련인데 이게 걸핏하면 밑천 까먹기라 이겁니다. 좀 되는가 싶어도 자식새끼가 많다 보니 쓰이는 돈도 많고. 그래서 재작년부터는 몸으로 벌어먹는 노가다 일을 주로 했지요. 뻰끼[27]쟁이, 미쟁이, 보일러쟁이[28] 뭐 손 안 댄 게 없어요. 잡부가 없다면 잡부로 뛰고, 도배쟁이[29]가 없다면 도배도 해요. 그러다 겨울 닥치면 공터에 연탄 부려 놓고 연탄 배달로 먹고살지요."

키 작은 하청일과 키 큰 서수남이 재잘재잘 숨넘어가게 가사를 읊어 대는 노

---

23 공이 '굳은살'의 방언.
24 까짓거 '까짓것(별것 아닌 것)'의 방언.
25 잘라먹다 써서 없애거나 마구 허비하다.
26 은하수 담배 이름.
27 뻰끼 페인트.
28 뻰끼쟁이, 미쟁이, 보일러쟁이 '뻰끼장이' '미장이' '보일러장이'의 잘못.
29 도배쟁이 '도배장이'의 잘못.

래가 생각날 만큼 그가 주워섬기는[30] 직업 또한 늘어놓기 힘들 만큼 많았다. 그렇게 많은 일을 했다면서 아직도 요 모양 요 꼴인가 싶으니 견적에서 돈 남기고 공사에서 또 돈 남기는 재주는 임 씨가 막판에 배운 못된 기술인지도 몰랐다.

"연탄 배달이 그래도 속이 젤로 편해요. 한 장 배달에 얼마, 이렇게 금새[31]가 매겨져 있으니 한철에 얼마큼만 나르면 입에 풀칠은 하겠다는 계산도 나오구요. 없는 살림에는 애들 크는 것도 무서워요. 지하실에 꾸며 놓은 단칸방에 살면서 하루에 두 끼는 100원짜리 라면으로 때우게 되더라구요. 그래도 농사질 때는 명절 닥치면 떡 한 말쯤이야 해 놓을 형편이었는데…… 시골서 볼 때는 돈이란 돈은 왼통[32] 도시에 몰려 있는 것 같음서도 정작 나와 보니 돈 구경하기 힘들데요."

그는 또 공사 맡아서 주인 속여 남긴 돈은 다 뭣하누 하는 생각에 임 씨 얼굴을 다시 보게 된다. 하기야 임 씨 같은 뜨내기 인부에게 일 맡길 집주인도 흔치 않겠지 하고 어림하다 보니 스스로가 바보가 된 것 같아서 새삼 입맛이 썼다.

"얼음 장수나 계속하시지, 여름에 시원하고 좋지 않아요?"

트림을 끄윽 해 대면서 젊은 녀석이 히죽 웃었다. 맛있어 보임 직한 반찬만 골라 먹고 정작 밥은 그릇 밑바닥에 남겨 놓은 것을 보니 참 한심한 녀석이다 싶어서 그는 녀석을 외면하고 임 씨를 보았다.

"야, 그것 말도 마라. 남의 차 빌려 갖고 냉동 시설을 갖추느라고 돈깨나 퍼 들였지. 처음에는 좀 남는 것도 같더라고. 사실로 따지면야 물 퍼다가 만드는 얼음 아닌가. 그래 한철 진 빠지게 하고 나서 맞춰 보니 어쩐 일인지 남는 게 없어. 기왕에 거래선을 잡아 보겠다고 싸게 공급하느라 헛김만 뺀 거지 뭐."

"개장수하시면서는 멍멍탕깨나 잡수셨겠어."

벽에 기대고 앉아 담배를 피우던 젊은 녀석이 또 이죽거렸다.

---

30 주워섬기다 들은 대로 본 대로 이러저러한 말을 아무렇게나 늘어놓다.
31 금새 물건의 값. 또는 물건값의 비싸고 싼 정도.
32 왼통 '온통'의 방언.

비 오는 날이면 가리봉동에 가야 한다

"사장님도 보신탕 잡숫지요? 여름엔 그저 개장국에 밥 말아 먹는 게 최고 인데."

밥상을 들어 내가던 아내가 입을 비죽 내밀었다. 임 씨의 개장수 시절 이야기는 아내의 샐쭉함이야 어쨌든 아주 흥미 있었다. 집에서 기르던 똥개가 새끼를 낳으면서 시작된 개장수는 망태기 하나 둘러메고 망태기 속에 오징어 다리나 명태 대가리들을 넣어 한적한 주택가를 헤매는 게 사실상의 일이라 했다.

"예나 이제나 똥개값이야 팔고 사는 사람들이 하도 빡빡하게 구니 남는 게 없어요. 주인 없는 발발이[33] 새끼라도 건지는 게 돈 버는 일입지요. 명태 대가리 던져 놓고 다 먹기 기다려서 슬슬 걸어가기만 하면 돼요. 침을 질질 흘리면서 어디까지라도 따라오지요. 얼마큼 멀어졌다 싶으면 목에다 고리 채워서 같이 걸어가면 그뿐이에요. 그래 갖고 저 영등포 시장에 개 골목이 있지요. 거기다 넘기면 말이에요, 다음 날 가 보면 어제 넘긴 놈이 벌건 몸뚱이로 고깃근이 되어 좌판에 엎어져 있어요. 그것도 못할 노릇이데요. 눈깔 뻔히 뜨고 나자빠져 있으니 괜히 뒤가 구리다 이 말씀이에요."

임 씨 손에 끌려가 도살장에서 목을 달았을 개가 수십 마리쯤에 이르렀을 때 그는 개장수를 집어치웠다. 그렇게 맛있던 보신탕이 슬슬 역겨워지던 무렵이었다. 그리고 얼마 안 있어 개고기에 무슨 균이 있다고 신문·방송에서 법석을 떨어 대는 통에 견공[34]들의 수난이 좀 덜한 세월이 되었다.

그들이 슬슬 일을 시작하려고 자리에서 일어설 무렵, 은혜를 앞세우고 노모가 들어왔다.

"집도 억시기 좋드라. 부천에도 그러코롬 잘 꾸민 집이 있을 줄 내사 몰랐지."

새로 이사한 김 집사네 집을 가리키는 말이다.

"어머니 식사하세요."

---

33 발발이 '발바리'의 잘못.
34 견공(犬公) '개'를 의인화하여 높여 이르는 말.

아내가 어느새 점심상을 차려 내왔다.

"아이다. 은혜 데불러 안 왔나. 목사님 모시고 이사 예배 본다꼬 점심 장만이 한창인 기라. 일하느라 걸그치는데[35] 은혜 맡아 갖고 그 집에서 점심 묵꼬 일 좀 더 봐주다 올 끼다."

더럽혀진 아이의 옷을 갈아입히고 어머니는 다시 나가 버렸다. 어쩔 수 없이 혼자 밥상 앞에 앉게 된 아내가 공깃밥에 물을 주르르 말아 버린다. 심사가 좋지 않다는 표시였다.

"왜?"

그가 다그쳤다.

"은혜는 그냥 놔두고 가시잖고. 아, 당신이 말리지 그랬어요?"

"할머니 따라가서 맛있는 점심 먹으면 어때서 그래?"

"이사하느라 부산한 집에서 눈칫밥 먹는 게 좋아요? 생전 맛있는 음식 구경 못한 사람처럼. 우리가 뭐 거지인가."

"허허, 이거 왜 이러시나. 김 집사네 대궐 같은 집 산 것이 못마땅해?"

"누가 그렇대요. 우리 형편하고 김 집사네하고 대기[36]나 할 수 있어야 말이지……."

그래도 아내는 자신의 분수를 아주 모르지는 않은 모양이었다. 이내 임 씨의 견적 문제로 되돌아오는 말꼬리를 봐도 그렇다.

"어서 가서 확실하게 다짐해 둬요. 아까 이야기 들어 보니 산전수전 다 겪어서 수완이 보통은 넘겠습디다."

임 씨의 살아온 내력을 들었을 때 그는 지지부진한 한 인생을 떠올렸었다. 그가 끌고 다녔을 개들의 인생이나 별로 다를 바 없는, 도저히 구제할 수 없는 삶을 생각했었다. 그런데 똑같은 이야기를 듣고 아내는 임 씨의 수완이 보통이 아

---

35 걸그치다 '가로거치다'의 방언. 앞에서 거치적거려 방해가 되다.
36 대다 서로 견주어 비교하다.

닌 것을 간파했다고 시방 말하는 것이었다.

"돈 건넬 때 말해도 늦지 않아. 수완이 좋았다면 여태 저러고 있겠어."

알게 모르게 그는 아내 편에서 떨어져 나와 임 씨 편에 서 있는 셈이었다. 그렇다고는 해도 한심한 어떤 사내의 구구절절한 사연을 기웃거린 일말의 동정에 불과한 것이기가 십상이었다.

그리고 오후부터는 일의 양상이 사뭇 달라져 있었다. 마지못해 시키는 일이나 간신히 해 대던 젊은 잡역부가 약속을 핑계로 일을 중단했기 때문이었다.

"반나절 일한 것, 지금 주세요. 어제 것도 안 줬잖아요? 커피값도 없단 말이에요."

녀석은 그가 보거나 말거나 임 씨에게 손을 내밀었다. 머리통을 한 대 쥐어박을 듯이 덤벼들었던 임 씨가 욕설을 중얼중얼 내뱉으며 5,000원짜리 한 장을 꺼내서 녀석에게 주었다. 벽에 붙은 거울 앞에서 이빨 새도 살피고 지니고 다니는 빗을 꺼내 머리도 매만진 녀석이 이번에는 부엌 싱크대 수도꼭지를 틀어 놓고 오랫동안 손을 씻었다. 오전 동안 일한 돈을 들고 녀석이 어디로 갈 것인지는 보지 않아도 환히 알 수 있었다.

"아직 고생을 못 해 봐서 저래요. 이웃에 사는데, 집에서 빈둥빈둥 놀고 있길래 심부름이나 시킨다고 데리고 다녀 보니까 애가 영 바람만 들어 갔고. 쯧쯧."

"이런 일 하러 다닐 친구로는 안 보입디다."

"맞아요. 어디 가서 제비족[37]으로 남의 등이나 치며 사는 게 저놈한테는 딱 맞다니까."

임 씨 입에서 먼저 남의 등이나 치며, 하는 말이 나왔으므로 그는 별수 없이 또 견적 뽑은 대로 돈을 울궈낼[38] 임 씨의 검은 속셈을 상기하지 않을 수 없었다. 남한테는 저리 엄격하면서 자신이 남의 등을 치는 일쯤은 이해받아야 된다고

---

37 제비족 특별한 직업 없이 유흥가를 전전하며 돈 많은 여성에게 붙어사는 남자를 속되게 이르는 말.
38 울궈내다 '알겨내다(남의 재물 따위를 좀스러운 말과 행위로 꾀어 빼앗다)'의 방언.

생각하는지도 몰랐다.

욕조를 들어다 제자리에 앉히는 일을 거든 것을 시작으로 하여 그는 마침내 임 씨 밑에서 잡역부 노릇을 톡톡히 해내게 되었다. 아까 젊은 녀석이 겨우 그깐[39] 일로 시간을 메우나 해서 영 시원찮던 잡부 일이란 게 막상 달려들어 해 보자니 보통 힘으로는 어려웠다. 우선 깨진 돌 더미들을 부대에 담아 몇 차례 아래층까지 나르는 일만으로도 어깨가 뻐근했다. 계단을 서너 번 오르락내리락하니까 벌써 러닝셔츠가 땀에 푹 젖어 버리고 말았다. 임 씨가 사장님, 사장님 하면서도 시킬 일은 다 시키고 있는 것 같아 은근히 부아가 솟기도 하였다.

"사장님. 오늘 쉬지도 못하고 고생이 많습니다요. 어허, 이거 큰일이네. 저 땀 좀 봐요."

제 얼굴에 흐르는 땀은 모르는 듯 그의 얼굴에 맺힌 땀방울을 신기하게 바라보며 임 씨는 싱겁게 웃어 댔다. 시멘트와 모래를 져다 나르는 일도, 시멘트와 모래를 배합하는 일도 '사장님' 몫이고 임 씨는 기술자답게 미장이 노릇만 해 나갔다. 그러다가 방수액이 모자라면 뛰어 내려가 건재상에 다녀와야 하고 욕조가 잘 붙도록 누르고 있으려면 한껏 팔을 뻗치고 있는 힘을 쏟아야 했다.

3시가 지나서 아내가 막걸리 한 병에 안주를 마련해 왔으므로 그와 임 씨는 비로소 허리를 펴고 일을 쉴 수가 있었다.

"일꾼들한테는 막걸리가 최고예요."

막걸리 한 병을 금방 비워 내고 임 씨는 단걸음에[40] 타일을 가져오겠다고 뛰어갔다. 안줏감으로 돼지고기를 볶아 온 아내에 대한 인사인지 아니면 겨울철의 연탄 장사를 위한 사전 공작인지 임 씨는 막걸리를 마시면서 이렇게 말을 했다.

"사모님. 어디 시멘트 깨진 데 있음 말하십시오. 타일만 붙이면 일은 끝날 테고 여름 해도 기니 손을 봐 드립지요."

---

39 그깐 '그깟'의 잘못.
40 단걸음에 쉬지 않고 곧장.

임 씨가 나가고 나자 아내가 입을 비죽했다.

"자기도 양심이 있나 보지. 생돈을 그냥 먹으려니 찔리는 데가 있는 거예요."

"그게 아니고 내가 잡역부 노릇을 톡톡히 해 주어서 고맙다는 뜻이야. 이 사람은 그저 생각하는 것마다……."

"당신도 어느새 일꾼 심뽀 닮아 가는 것 아녜요?"

어쨌거나 그들은 억울하게 생돈을 무느니 비가 많이 오면 물방울 떨어지는 소리가 들리곤 하던 안방 천장 부근의 옥상을 이 기회에 고쳐 보기로 의논을 마치었다. 비가 새는 부위만 깨부수고 방수를 하면 될 일이었으나 도배지까지는 번지지 않아 그럭저럭 미루고 있던 참이었다.

타일을 깔고 어질러진 연장 뭉치들을 거두어 내는 것으로 목욕탕 보수 공사는 일단락을 지었다. 6시가 가까운 시각이었으나 여름 해는 길어서 푸른 하늘이 선명히 올려다보였으므로 임 씨는 군말 없이 옥상 방수를 해치울 차비를 차렸다. 임 씨와 함께 물이 새는 부위를 어림짐작으로 찾아내어 망치질로 깨부수는 일을 시작하면서 그는 은근히 후회하였다. 몇 번의 망치질로도 어깻죽지의 힘줄이 잔뜩 땅기며 짜릿짜릿한 통증을 안겨 주었기 때문이었다.

그러나 그것은 서막에 불과했다. 불과 한 평 남짓 깨부수었음에도 져 날라야 할 쓰레기는 서너 행보로는 턱없이 부족했고 그 자리를 메우기 위해서는 시멘트 두 포대와 모래가 등짐으로 다섯 번 이상이었다. 여덟 굽이의 계단을 오르는 데 걸음을 옮길 때마다 아랫도리가 후들후들 떨려 왔다. 그렇다고 날은 곧 어두워질 텐데 임 씨더러 혼자 하라고 내맡겨 놓을 수도 없는 노릇이었다. 경위야 어찌 되었든 견적에 나와 있지 않은 일을 해 주고 있는 탓에 그는 팥죽 같은 땀을 흘리면서 등짐을 져 날랐다.

정말이지 아무나 할 수 있는 일이 아냐. 그는 영업부의 박찬성을 생각했다. 홍보실 발령을 받으면서 "이것 물 먹이는 것 아냐. 생판 모르는 일을 하라니 사람 놀리는 것도 아니고." 어쩌구 하며 죽을상을 지었더니 박찬성이 위로랍시고 하는 말이 이랬다. 군소리 없이 받들어 모셔야 해. 월급쟁이 노릇이 더럽다 더럽다 하지만 이 나이에 여기서 떨려 나면 솔직히 우리 신세가 뭐가 되겠어? 모은 돈이 있나, 재벌 처갓집이 있나, 묵혀 둔 땅덩이가 있나, 안 그래? 그렇다고 몸뚱이로 먹고살 수 있냐 하면 그것도 어림없어. 우리 몸뚱이는 이미 삭았어. 술에 삭고 눈치에 삭고 같잖은 지식에 삭고. 숟가락 들어 올리는 일도 귀찮은 몸이야, 나는.

구구절절이 옳은 말이었다. 생전 안 하던 일로 용을 쓰자니 머리가 다 띵할 지경이었다. 임 씨는 아침부터 몸을 굴렸음에도 아직 끄떡없었다. 날씨가 더우니 땀이야 흘리고 있지만 그는 정말이지 일에 지쳐 있는 표정이 아니었다. 오늘이 광복절이지. 마치 광복군의 투사처럼 용감하군. 장사야 장사. 고려 시대에나 태어났더라면 서릿발 같은 기상의 용맹한 장군감이 틀림없을걸.

그는 임 씨의 툭 불거진, 종아리의 힘찬 알통을 바라보며 속으로 중얼거렸다. 이 아무짝에도 필요 없는 분석력, 습관화된 늘어진 엿가락 같은 생각의 실타래 때문에 공연스레[41] 머리가 무거운 거라고 그는 머리를 흔들어 대기도 했다. 그러면서도 생각은 어쩔 수 없이 또 꼬리를 문다.

일꾼들이 주인의 눈을 피해 일을 허술하게 하거나 망가뜨리는 게 사실은 저항의 한 형태가 아니었을까. 광복 이전의 일제 시대에는 조센징 어쩌구 하는 냄새나는 게다짝 때문에 더욱 일인들의 눈을 피해 일을 망치게 했던 건 아닐까. 그리고 광복 이후에는 사회의 구조적인 모순이 일꾼들을 그렇게 만든 건 아닐까. 바로 오늘까지도 부유한 계층은 당당하게, 한 치의 의심도 없이 자신들의 부를 만끽하고 임 씨처럼 막일을 하는 일꾼들은 또 그들대로 당당하게 공정을 무시하고 슬쩍슬쩍 눈가림을 한다. 그렇다면……

임 씨는 그의 머릿속에서 어떤 생각이 굴러가는지 알 바 없이 재빠른 솜씨로

---

41 공연스레 까닭이나 실속이 없는 데가 있게.

방수액을 섞은 시멘트 배합물을 깨부숴 놓은 자리에 이겨 바르기에 여념이 없었다. 실내 공사야 관계없지만 일껏[42] 방수를 해 놓고 굳기 전에 비라도 내리면 산통이 깨질 것이므로 그는 어두워 오는 하늘을 쳐다보았다. 여름 하늘이 노상 그렇듯 서너 장의 먹장구름이 둥싯 떠 있고 먹장구름 뒤로 물결 같은 잔 구름이 남풍을 타고 흐르고 있었다. 여름날의 변덕 많은 날씨를 어찌 잡아 두랴 싶어서 그는 흙 묻은 손을 털었다. 임 씨의 하는 일이 대충 마무리 단계인 듯싶어 담배나 한 대 피우며 쉬어 볼까 해서였다.

"여름엔 비도 잦은데 그러면 일을 못 해서 어쩝니까?"

"비가 오면 비가 오는 대로 할 일이 있습지요."

흙손을 내두르는 그의 손놀림이 더 빨라졌다. 어느새 주위가 군청빛으로 어두워 오고 있었다.

"비가 오면 또 다른 벌이가 있어요?"

"비 오는 날엔 아침부터 가리봉동에 가야 합니다."

"가리봉동에?"

"예. 사장님은 몰라도 됩니다요. 암튼 비가 오면 난 가리봉동으로 갑니다."

임 씨가 잠시 일손을 멈추고 알 수 없는 표정을 언뜻 지었다. 이렇게 힘든 일을 매일같이 계속했으면 비 오는 날 하루쯤은 쉬어야 할 게 아닌가,라고 말해 주려다가 그는 입을 다물었다. 누군들 쉬고 싶지 않을 거냐는, 하루에 두 끼는 라면으로 배를 채우는 식구들을 거느린 가장으로서 어찌 비 오는 날이라 하여 아랫목에서 뒹굴기만 하겠느냐는 데 생각이 미쳤던 까닭이었다.

간단하게 여겼던 옥상의 공사는 의외로 시간을 끌었다. 홈통으로 물이 잘 빠질 수 있도록 경사면을 맞춰야 하는 것도 시간을 더디게 했고 깨 놓은 자리와 기왕의 자리의 이음새 사이로 물이 새지 않도록 면을 고르다 보니 조금씩 더 깨부

---

42 일껏 모처럼 애써서.

쉬야 하는 추가 부담도 잇따랐다. 이미 밤은 시작된 것이나 진배없어 이웃집들의 창문에 하나둘 불이 밝혀졌다. 그런데도 임 씨는 만족하다 싶을 때까지는 일손을 놓고 싶지 않은 모양이었다. 이리 재고 저리 재고, 그러고도 모자라 이왕 덮어 놓은 곳을 한 번에 으깨어 버리고 또 새로 흙손질을 거듭하곤 했다. 옆에서 보고 있자니 임 씨는 도무지 시간 가는 줄을 모르는 사람 같았다.

몇 번씩이나 옥상에 얼굴을 디밀고 일의 진척 상황을 살피던 아내도 마침내 질렸다는 듯 입을 열었다.

"대강 해 두세요. 날도 어두워졌는데 어서들 내려오시라구요."

"다 되어 갑니다, 사모님. 하던 일이니 깨끗이 손봐 드려야지요."

다시 방수액을 부어 완벽을 기하고 이음새 부분은 손가락으로 몇 번씩 문대어 보고 나서야 임 씨는 허리를 일으켰다. 임 씨가 일에 몰두해 있는 동안 그는 숨소리조차 내지 않고 일하는 양을 지켜보았다. 저 열 손가락에 박인 공이의 대가가 기껏 지하실 단칸방만큼의 생활뿐이라면 좀 너무하지 않나 하는 안타까움이 솟아오르기도 했다. 목욕탕 일도 그러했지만 이 사람의 손은 특별한 데가 있다는 느낌이었다. 자신이 주무르고 있는 일감에 한 치의 틈도 없이 밀착되어 날렵하게 움직이고 있는 임 씨의 열 손가락은 손가락 이상의 그 무엇이었다. 처음에는 이 사내가 견적대로의 돈을 다 받기가 민망하여 우정[43] 지어내 보이는 열정이라고 여겼었다. 옥상 일의 중간에 잠시 집에 내려갔을 때 아내도 그런 뜻을 표했다.

"예상외로 옥상 일이 힘드나 보죠? 저 사람도 이제 세상에 공돈은 없다는 사실을 깨달았을 거예요."

하지만 우정 지어낸 열정으로 단정한다면 당한 쪽은 되레 그들이었다. 밤 8시가 지나도록 잡역부 노릇에 시달린 그도 고생이었고, 부러 만들어 시킨 일로

---

43 우정 '일부러'의 방언.

심적 부담을 느끼기 시작한 그의 아내 역시 안절부절못했으니까.

아내는 기다리는 동안 술상을 보아 놓고 있었다. 손발을 씻고 계단에 나가 옷의 먼지를 털고 들어온 임 씨는 8시가 넘어선 시간을 보고 오히려 그들 부부에게 미안해하였다. "시간이 벌써 이리되었남요? 우리 사모님 오늘 너무 늦게까지 이거 고생이 많으십니다요. 사장님이야 더 말할 것도 없구. 참 죄송하게 되었습니다."

안방에서 아이들을 보고 있던 노모가 대신 임 씨의 노고를 치하해 주었다.

"젊은 사람이 일도 엄청 잘하네. 늦으문 낼 하고 쉬었다 하모 좋을 끼고만 일 무서븐 줄 모르는 걸 보이 앞으로는 잘살 끼요."

노모의 덕담을 임 씨는 무릎을 꿇고 두 손을 짚은 채 들었다.

"내사 예수 믿는 사람이라 남자들 술 마시는 꼴은 앵꼽아서[44] 못 보지만 그렇기 일하고는 안 마실 수 없겠구마는. 나는 고마 들어가 있을 테이 좀 쉬었다 가소."

노모가 방문을 닫고 들어가자 임 씨는 그가 부어 주는 술을 두 손으로 황감히[45] 받쳐 들고 조심스레 목울대로 넘겼다.

"이거 왜 이러십니까. 편히 드십시다. 나이도 서로 엇비슷할 텐데 말이오."

그렇게 말은 했어도 그는 임 씨의 나이가 그보다 훨씬 많으면 왠지 괴롭겠다는 기분을 지울 수가 없었다. 찬바람이 불면 다시 온몸에 검댕 칠을 하는 연탄 배달에 나서야 하고 여름이 오면 정식으로 간판 달고 일하는 설비집 동료들이 손이 딸려야만 넘겨주는 일감에 매달려 하루 벌어 하루 먹고사는 저 사내의 앞날이 창창하다는 게 위안이 되는지 그것도 모를 일이긴 했다.

"사장님은 금년 몇이시지요? 저는 토끼띠, 서른여섯 아닙니까?"

임 씨가 서른여섯에 토끼띠라면 그는 서른다섯의 용띠였다. 옆에 앉아서 지

---

44 앵꼽다 '아니꼽다'의 방언.
45 황감히 황송하고 감격스럽게.

갑을 열었다 닫았다 하던 아내가 얼른 "이 양반은……." 하고 나서는 것을 그가 가로챘다.

"그래요? 나도 토끼띠지요. 서로 동갑이군요."

아내가 기가 막히다는 표정으로 그를 쳐다보았지만 그는 아랑곳하지 않고 동갑 기념이라고 또 한 잔의 술을 그의 잔에 넘치도록 부었다. 한 살 정도만 보태는 것으로 거짓말의 양을 줄일 수 있는 것이 몹시 다행스러웠다.

"토끼띠 남자들이 원래 팔자가 드센 편 아닙니까요? 여자 토끼띠는 잘사는데 요상하게 우리 나이 토끼띠 남자들은 신수가 고단터라 이 말씀입니다. 헌데 사장님은 용케 따시게 사시니 복이 많으십니다."

저런……. 그는 속으로 머쓱했다.

토끼띠가 어쩌고 해 쌌는 게 아무래도 아슬아슬했던지, 아니면 준비한 술이 바닥나는 게 보였던지 아내가 단호하게 지갑을 열었다.

"돈 드려야지요. 그런데……."

아내는 뒷말을 못 잇고 그의 얼굴을 말끄러미 올려다보았다. 그는 술잔을 들어올리며 짐짓 아내를 못 본 척했다. 역시 여자는 할 수 없어. 옥상 일까지 시켜놓고 돈을 다 내주기가 아깝다는 뜻이렷다. 그는 아내가 제발 딴소리 없이 20만 원에서 2만 원이 모자라는 견적 금액을 다 내놓기를 대신 빌었다. 그때 임 씨가 먼저 손을 휘휘 내젓고 나섰다.

"사모님. 내 뽑아 드린 견적서 좀 줘 보세요. 돈이 좀 틀려질[46] 겁니다."

아내가 손에 쥐고 있던 견적서를 내밀었다. 인쇄된 정식 견적 용지가 아닌, 분홍 밑그림이 아른아른 내비치는 유치한 편지지를 사용한 그것을 임 씨가 한참씩이나 들여다보았다. 그와 그의 아내는 임 씨의 입에서 나올 말에 주목하여 잠깐 긴장하였다.

---

46 틀리다 '다르다(비교가 되는 두 대상이 서로 같지 아니하다)'의 잘못.

비 오는 날이면 가리봉동에 가야 한다

"술을 마셨더니 눈으로는 계산이 잘 안 되네요."

임 씨는 분홍 편지지 위에 엎드려 아라비아 숫자를 더하고 빼고, 또는 줄을 긋고 하였다.

그는 빈 술병을 흔들어 겨우 반 잔을 채우고는 서둘러 잔을 비웠다. 임 씨의 머릿속에서 굴러다니고 있을 숫자들에 잔뜩 애를 태우고 있는 스스로가 정말이지 역겨웠다.

"됐습니다, 사장님. 이게 말입니다. 처음엔 파이프가 어디서 새는지 모르니 전체를 뜯을 작정으로 견적을 뽑았지요. 아까도 말씀드렸지만 일이 썩 간단하게 되었다 이 말씀입니다. 그래서 노임에서 4만 원이 빠지고 시멘트도 이게 다 안 들었고, 모래도 그렇고, 에, 쓰레기 치울 용달차도 빠지게 되죠. 방수액도 타일도 반도 못 썼으니 여기서도 요게 빠지고 또……."

임 씨가 볼펜 심으로 쿡쿡 찔러 가며 조목조목 남는 것들을 설명해 갔지만 그의 귀에는 제대로 들리지 않았다. 뭔가 단단히 잘못되었다는 기분, 이게 아닌데, 하는 느낌이 어깨의 뻐근함과 함께 그를 짓누르고 있을 뿐이었다.

"그렇게 해서 모두 7만 원이면 되겠습니다."

선언하듯 임 씨가 분홍 편지지를 아내에게 내밀었다. 놀란 것은 그보다 아내 쪽이 더 심했다. 그녀는 분명 7만 원이란 소리가 믿기지 않는 모양이었다.

"7만 원요? 그럼 옥상은……."

"옥상에 들어간 재료비도 여기에 다 들어 있습니다. 그거야 뭐 몇 푼 되나요."

"그럼 우리가 너무 미안해서……."

아내가 이번에는 호소하는 눈빛으로 그를 쳐다보았다. 할 수 없이 그가 끼어들었다.

"계산을 다시 해 봐요. 처음에는 18만 원이라고 했지 않소?"

"이거 돈을 더 내시겠다 이 말씀입니까? 에이, 사장님도. 제가 어디 공일 해 줬나요. 조목조목 다 계산에 넣었습니다요. 옥상 일한 품값은 지가 써비스로

다가……."

"써비스?"

그는 아연해서 임 씨의 말을 되받았다.

"그럼요. 저도 써비스할 때는 써비스도 하지요."

그는 입을 다물어 버렸다. 뭐라 대꾸할 말이 없었다.

"토끼띠이면서도 사장님이 왜 잘사는가 했더니 역시 그렇구만요. 다른 집에서는 노임 한 푼이라도 더 깎아 보려고 온갖 트집을 다 잡는데 말입니다. 제가요, 이 무식한 노가다가 한 말씀 드리자면요. 앞으로 이 세상 사시려면 그렇게 마음이 물러서는 안 됩니다요. 저는요. 받을 것 다 받은 거니까 이따 겨울 돌아오면 우리 연탄이나 갈아 주세요."

임 씨는 아내가 내민 7만 원을 주머니에 쑤셔 넣고 자리에서 일어섰다.

그는 1층 현관까지 내려가 임 씨를 배웅하기로 했다. 어두워진 계단을 앞서거니 뒤서거니 내려가면서 임 씨는 연장 가방을 몇 번이나 난간에 부딪혔다. 시원한 밤공기가 현관 앞을 나서는 두 사람을 감쌌고 그는 무슨 말로 이 사내를 배웅할 것인가를 궁리해 보았다. 수고했다라는 말도, 고맙다는 말도 이 사내의 그 '써비스'에 대면 너무 초라하지 않을까. 그때 임 씨가 돌연 그의 팔목을 꽉 움켜잡았다.

"사장님요, 기분도 그렇지 않은데 제가 맥주 한잔 살게요. 가십시다."

임 씨는 백열구로 밝혀 놓은 형제슈퍼의 노천 의자를 가리키고 있었다.

"맥주는 내가 사지요."

"아니요. 제가 삽니다."

"좋소. 누가 사든 가 봅시다."

그들은 형제슈퍼의 김 반장에게 맥주

비 오는 날이면 가리봉동에 가야 한다

세 병을 시켰다.

"워따메, 두 분이 어디서 그러코롬 1차를 하셨당가요."

전라도 부안이 고향이라는 김 반장은 기분이 좋았다 하면 진짜 토박이말로 사람을 어르는 재주가 있었다.

"맥주도 좋소만, 임 씨 아저씨 우리 외상값부텀 갚아 주셔야 쓰것당게."

임 씨는 두말없이 외상값 1,300원을 갚아 주고는 기세 좋게 쥐포 세 마리 구워 오라고 이른다.

"사장님요. 뭐 다른 안주도 시키십쇼."

임 씨가 그를 보았다.

"어따, 동갑끼리 사장은 무슨 사장님. 오늘 종일 그 말 듣느라고 혼났어요. 말 놓으십시다."

그가 거품이 넘치는 잔을 내밀며 큰소리를 쳤다. 임 씨가 잠시 아연한 눈길로 그를 바라보았다.

"좋수다. 형씨. 한잔하십시다."

임 씨가 호기를 부리며 소리 나게 잔을 부딪쳤다.

"그렇지. 그렇지. 다 같은 토끼 새끼 주제에 무슨 얼어 죽을 사장이야!"

그의 허세도 임 씨 못지않았으므로 이윽고 두 사람은 주거니 받거니 술잔을 비우기 시작하였다.

"내가 이래 뵈도 자식 농사는 꽤 지었지요."

임 씨는 자신의 아들딸이 네 명이란 것, 큰놈은 국민학교 4학년인데 공부를 썩 잘하고 둘째 딸년은 학교 대표 농구 선수인데 박찬숙 못지않을 재주꾼이라고 자랑했다.

"그놈들 곰국 한 번 못 먹인 게 한이오, 형씨. 내 이번에 가리봉동에 가면 그 녀석 멱살을 휘어잡아야지."

임 씨가 이빨 사이로 침을 찍 뱉었다. 뭐 맛있는 거나 되는 줄 알고 김 반장의 발발이 새끼가 쪼르르 달려왔다.

"가리봉동에 가면 곰국이 나와요?"

임 씨가 따라 주는 잔을 받으면서 그는 온몸을 휘감는 술기운에 문득 머리를 내둘렀다. 아까부터 비 오는 날에는 가리봉동에 간다는 임 씨의 말이 술기운과 더불어 떠올랐다.

"곰국만 나오나. 큰놈 자전거도 나오고 우리 농구 선수 운동화도 나오지요. 마누라 빠마값도 쑥 빠집니다요. 자그마치 80만 원이오, 80만 원. 제기랄. 쉐타 공장 하던 놈한테 1년 내 연탄을 대 줬더니 이놈이 연탄값 떼어먹고 야반도주했어요. 공장이 망했다고 엄살을 까길래, 내 마음인들 좋았겠소. 근데 형씨. 아, 그놈이 가리봉동에 가서 더 크게 공장을 차렸지 뭡니까. 우리네 노가다들, 출신이 다양해서 그런 소식이야 제꺼덕 들어오지, 뭐."

"그럼 받아야지, 암. 받아야 하구말구."

그는 딸꾹질을 시작했다. 임 씨에게 술을 붓는 손도 정처 없이 흔들렸다. 그에 비하면 임 씨의 기세 좋은 입만큼은 아직 든든하다.

"누군 받기 싫어 못 받수. 줘야 받지. 형씨, 돈 있는 놈은 죄다 도둑놈이오. 쫓아가면 지가 먼저 울상이네. 여공들 노임도 밀렸다, 부도가 나서 그거 메우느라 마누라 목걸이까지 팔았다고 지가 먼저 성깔내[47]."

"죽일 놈."

그는 스웨터 공장 사장을 눈앞에 그려 본다. 빤질빤질한 상판에 배는 툭 불거져 나왔겠지.

"그게 작년 일인데 형씨, 올여름에 비가 오죽 많았소. 비만 오면 가리봉동에 갔지요. 비만 오면 갔단 말이오."

"아따, 1년 365일 비 오는 날은 쌔고 쌨는디 머시 그리 걱정이당가요?"

---

47 성깔내다 '성질내다'의 잘못.

김 반장이 맥주를 새로 가져오며 임 씨를 놀려 먹었다.

"시끄러, 임마[48]. 비가 와야 가리봉동에 가지, 비가 와야……."

"해 뜨는 날은 돈 벌어서 좋고. 비 오는 날은 돈 받아서 좋고. 조오타!"

김 반장이 젓가락으로 장단까지 맞추자 임 씨는 김 반장 엉덩이를 철썩 갈긴다.

"형씨, 형씨는 집이 있으니 걱정할 것 없소. 토끼띠면 어쩔 거여. 집이 있는데, 어디 집값이 내리겠소?"

"저런 것도 집 축에 끼나……."

이번엔 또 어떤 까탈을 일으킬 것인지. 시도 때도 없이 돈을 삼키는 허술한 집이라고 대꾸하려다가 임 씨의 말에 가로채여서 그는 입을 다물었다.

"난 말요. 이 토끼띠 사내는 말요, 보증금 150만 원에 월세 3만 원짜리 지하실 방에서 여섯 식구가 살고 있소. 가리봉동 그 새끼는 곧 죽어도 맨션아파트요, 맨션아파트!"

임 씨는 주먹을 흔들며 맨션아파트라고 외쳤는데 그의 귀에는 꼭 맨손아파트 처럼 들렸다.

"돈 받으러 갈 시간도 없다구. 마누라는 마누라대로 벽돌 찍는 공장에 나댕기지. 나는 나대로 이 짓 해서 벌어야지. 그래도 달걀 후라이[49] 한 개 마음 놓고 못 먹는 세상!"

임 씨의 목소리가 거칠어졌다. 술이 너무 과하지 않나 해서 그는 선뜻 임 씨에게 잔을 돌리지 못하고 있었다.

"돌고 돌아서 돈이라고? 돌고 도는 돈 본 놈 있음 나와 보래! 우리 같은 신세는 평생 이 지랄로 끝장이야. 돈? 에이! 개수작 말라고 해."

임 씨가 갑자기 탁자를 내리쳤다. 그 바람에 기우뚱거리던 맥주병이 기어이 바닥으로 나뒹굴면서 요란한 소리를 내었다.

---

48 임마 '인마'의 잘못.
49 후라이 '프라이'의 잘못.

"참고 살다 보면 나중에는……."

"모두 다 소용없는 일이야!"

임 씨의 기세에 눌려 그는 또 말을 맺지 못하고 입을 다물었다. 나중에는 임 씨 역시 맨션아파트에 살게 되고 달걀 후라이쯤은 역겨워서, 곰국은 물배만 채우니 싫어서 갖은 음식 타박에 비 오는 날에는 양주나 찔끔거리며 사는 인생이 될 것이다,라고 말할 수는 없었다. 천 번 만 번 참는다고 해서 이 두터운 벽이, 오를 수 없는 저 꼭대기가 발밑으로 걸어와 주는 게 아님을 모르는 사람이 그 누구인가.

그는 임 씨의 핏발 선 눈을 마주 보지 못하였다. 엉터리 견적으로 주인 속이는 일꾼이라고 종일토록 의심하며 손해 볼까 두려워 궁리를 거듭하던 꼴을 눈치채이지는 않았는지, 아무래도 술기운이 확 달아나 버리는 느낌이었다. 제아무리 탄탄해도 라면 가닥으로 유지되는 사내의 몸뚱이는 술 앞에서 이미 제 기운을 잃고 있음이 분명했다. 임 씨의 몸이 자꾸만 한쪽으로 쏠리는 것을 보면서 그는 점차 술이 깨고 있었다.

"어떤 놈은 몇 억씩 챙겨 먹고 어떤 놈은 한 달 내내 뼈품을 팔아도 20만 원 벌이가 달랑달랑한데. 외제 자가용 타고 다니며 꺼떡거리는 놈, 룸싸롱[50]에서 몇십만 원씩 팁 뿌리는 놈은 무슨 재주로 그리 사는 거야? 죽일 놈들. 죽여! 죽여!"

임 씨의 입에 거품이 물렸다.

"비싼 술 잡숫고 왜 이런당가요, 참으시오. 임 씨 아저씨. 쪼매 참으시오."

김 반장이 냉큼 달려들어 빈 술병과 잔들을 챙겨 갔다. 임 씨는 탁자에 고개를 처박고서 연신 죽여,를 되뇌고 그는 속수무책으로 사내의 빛바랜 얼굴만 쳐다보았다. 아무리 생각해도 저 '죽일 놈들' 속에는 그 자신도 섞여 있는 게 아니냐는, 어쩔 수 없는 괴리감이 사내의 어깨에 손을 대지 못하게 막고 있었다.

---

50 룸싸롱 '룸살롱'의 잘못.

"겨울 돼 봐요. 마누라나 새끼나 왼통 검댕 칠이지. 한 장이라도 더 나르려니까 애새끼까지 끌고 나오게 된단 말요. 형씨, 내가 이런 사람입니다. 처자식들 얼굴에 검댕 칠 묻혀 놓는, 그런 못난 놈이라 이 말입니다……."

임 씨의 등등하던 입술도 마침내 술에 젖는 모양이었다. 말이 제대로 입 밖으로 빠져나오지 못하니까 임 씨는 자꾸 입술을 쥐어뜯었다.

"나 말이오. 이번에 비만 오면 가리봉동에 가서 말이요……."

임 씨가 허전한 눈길로 그를 쳐다보았다. 목소리도 한결 풀기 없이 처져 있다.

"그 자식이 돈만 주면…… 돈만 받으면, 그 돈 받아 가지고 고향으로 갈랍니다."

"고향엘요."

"예. 고향으로 갑니다. 내 고향으로……."

공이 박인 손가락으로 머리칼을 쥐어뜯으며 임 씨는 훌쩍훌쩍 울기 시작했다.

"에이, 이 아저씨는 술만 마셨다 하면 꼭 울고 끝을 보더라. 버릇이라고요. 술버릇."

가게 안에서 내다보고 있던 김 반장이 임 씨에게 머퉁이를 주었다. 그래도 임 씨는 쫓겨난 아이처럼 울음을 그치지 않았고, 그는 오줌이라도 마렵다는 듯이 슬그머니 자리를 떠서 김 반장에게 술값을 치렀다. 돈을 치르고 나니 진짜로 오줌이 마려워서 그는 형제슈퍼 건너편의, 불빛이 닿지 않는 공터로 슬슬 걸어갔다. 그때 어둠 속에서 누군가가 그를 스쳐 지나갔다. 으악. 으악. 손바닥을 탁 치면 기다렸다는 듯이 목을 뚫고 비명처럼, 혹은 탄식처럼 으악 소리가 튀어나왔다. 으악새 할아버지였다. 노인은 그가 일을 다 볼 때까지도 공터 주변을 어슬렁거리면서 연신 괴로운 소리를 뱉어 내었다. 으악 으악.

옷을 추스르며 뒤돌아보니 백열전구 불빛 아래 혼자 동그마니[51] 앉은 임 씨가 아직껏 머리칼을 쥐어뜯으며 취한 몸을 가누지 못하고 있었다. 이름은 모르지만

---

51 동그마니 사람이나 사물이 외따로 오똑하게 있는 모양.

낮익은 동네 사람들이 형제슈퍼를 향해 줄달음쳐 오다가는 그런 임 씨를 발견하고 흘끗흘끗 훔쳐보며 가게로 들어갔다.

밤도 꽤 깊었으리라. 광복절 공휴일도 이제 마감이었다. 가슴이 답답했다. 남은 일은 집으로 돌아가서 나무토막처럼 쓰러져 꿈 없는 잠을 기다리는 것뿐이었다. 하늘엔 별이 총총하고 아마도 내일은 비가 오지 않을 것이었다. 어둠 속을 서성이던 으악새 할아버지도 하늘을 올려다보았는지 손뼉을 탁 치면서 으악, 짧게 울었다.

(1986년)

흐르는 북

최일남

최일남(1932~)

전라북도 전주에서 태어나 서울대학교 국문학과를 졸업했다. 1953년 〈문예〉에 〈쑥 이야기〉가 추천되어 문단에 데뷔했다. 지은 책으로는 소설집 《서울 사람들》 《타령》 《누님의 겨울》, 장편 소설 《거룩한 응답》 《그리고 흔들리는 배》 등이 있다. 〈동아일보〉 논설위원, 〈한겨레신문〉 논설 고문을 역임했다. 〈흐르는 북〉은 인간성을 상실한 현대인의 삶의 가치관을 사실주의적 문체로 소설화한 작품으로 평가받는다.

"나가시게요?"

일당을 주고 불러온 요리 전문의 파출부와 함께, 오렌지빛 고무장갑을 낀 채 잰걸음으로 주방 안을 헤엄쳐 다니던 며느리는, 현관 앞에서 구두를 찾고 있는 민 노인 쪽을 향해 빠르지도 처지지도 않게 말했다. 비스듬히 몸만 돌렸을 뿐, 한눈팔다간 썰고 있는 전복의 두께가 들쭉날쭉하게 될까 봐, 시선을 도마 위에 못질해 두고 입만 달싹거린 셈이었다.

"응, 좀 볼일이 있어서."

70 노인의 해 질 녘 외출에 대해, 그러나 며느리 송 여사는 그 이유를 묻지 않았다. 암호 풀이의 명수들처럼, 아 하면 어 하는 관습에 익숙해진 터여서, 굳이 가는 데는 밝힐 것도 자상하게 수소문할 것도 없는 처지였기 때문이었다. 다만 전혀 감정의 높낮이가 개입되지 않은 예사스러운 격식을 갖추려는 가까스로의 노력이, 피차간[1]에 잠깐 오갔다고 보면 될 일이었다.

"조금만요."

송 여사는 여전히 물기 없는 건조한 어투로, 시아버지를 후딱 묶어 놓은 다음 안방으로 들어갔다. 며느리의 뜻을 아는 민 노인이, 그녀의 뒷모양을 좇던 눈에 잔망스럽게도 웃음을 비죽이 내비치는 순간 하필이면 파출부가 자기를 훔쳐보고 있다는 사실을 깨닫고 얼른 무심한 얼굴로 되돌아갔을 때쯤, 송 여사는 나왔다.

---

1 피차간 양편 서로의 사이.

"이거 가지고 가세요."

고무장갑을 벗은 오른손으로, 며느리는 5,000원짜리 한 장을 건네주었다. 그리고 민 노인의 놀라움이 실린 겸사[2]가 뒤따랐다.

"너무 많아. 아직 남은 돈도 있는데."

"많기는요. 오늘 밤은 나가 계시는 시간이 길 텐데요."

되도록 천천히 돌아오라는 당부를 그런 식으로 휘감는 걸 뻔히 알면서도, 민 노인은 예의 바른 대꾸를 다시 보냈다.

"그래도 그렇지."

"아니에요. 잘 다녀오세요."

"알았다."

민 노인이 주머니에 돈을 받아 넣고 현관문을 밀치고 나서자마자, 안에서는 이내 두 개의 자물쇠를 재깍재깍 잠그는 소리가 들렸다. 저놈의 소리. 민 노인은 어제오늘 겪는 일이 아니면서도, 벽의 한 부분인 양 자기를 축출하고는 숨소리조차 들여보내지 않을 완강한 거부의 몸짓을 보이고 있는 쇠문을 향해, 소리 없이 혀를 끌끌거렸다.

7층에서 바닥으로 내려가는 아파트의 엘리베이터를 혼자 타고 내려가면서야, 민 노인은 넉넉한 마음을 회복했다. 처음엔 혼자 타는 엘리베이터가 어쩐지 이상한 공포감을 몰아오는 것 같아, 동행이 나타날 때까지 엉거주춤하게 기다렸었는데, 길들여지고 보면 혼자 탈 때가 차라리 속 편하게도 느껴졌다. 더구나 지금 모양 알맞게 술을 마실 정도의 돈을 지닌 데다, 단골 포장마차에서 성규 녀석과 만나기로 한 날이 그랬다. 마치 비밀 결사를 하는 사람들의 심정이 그럴까 싶은 두근거림으로, 아침에 녀석의 방에 들어가 시간과 장소를 일러 주었을 때, 그는 석류의 신맛까지를 뿜어내는 하얀 이를 쪼르르 빛내며 웃었다.

---

2 겸사 겸손하게 사양함.

"오늘 밤 손님이 온대죠."

"그렇다나 보더라. 며칠 전부터 늬[3] 애비가 냄새를 풍기더라구."

"할아버지. 이번엔 밖에 나가시지 말고 집에서 버텨 보시지 그래요."

"싫다. 그러다가 저지난[4] 짝 나면 어쩌게."

"잠자코 계시면 되잖아요."

"왜. 나하고 따로 만나는 게 싫으냐."

"무슨 말씀을요. 좋다마다요. 다만 이런 일이 있을 때마다, 할아버지께서 따돌림을 당하는 것이 언짢다 이 말입니다."

"천만에다. 방구석에 처박혀 술에 젖은 혀 꼬부라진 소리나, 돼지 먹따는 노래를 듣고 있느니보다야 훨씬 낫지. 밤 외출을 해도 좋은 당당한 명분이 생긴 데다, 늬 에미가 군자금[5]도 다수 쥐어 줄 것이고. 흐흐."

"히히히. 아무튼 좋습니다. 마침 오늘은 강의가 8교시에도 있거든요. 끝나는 대로 곧바로 달려갈게요. '중역 의자'로 가신댔죠? 그러잖아도 할아버지께 드릴 말씀이 있습니다."

"그래?"

고2짜리 손녀 수경이가 들어오지 않았다면 조부와 손자의 얘기는 조금 더 이어질지 모를 일이었지만, 고것이 킁킁 코를 돌려 대며 무언가를 수소문하는 표정으로 방 안의 두 사람을 살피는 기색이어서, 민 노인은 익숙하게 근엄함을 되찾고는 자기 거처로 돌아왔다. 등 뒤에선 오뉘[6]의 말소리가 들렸다.

"또 무슨 비밀 협상야?"

"요게, 어따 대고 함부로 지껄여."

"나도 다 안다구. 할아버지허구 데이트 약속했지? 못 말려. 잘 어울리는 한 쌍

---

3 늬 '너희'의 방언.
4 저지난 '지지난'의 잘못.
5 군자금 어떤 일을 하는 데 필요한 자금을 비유적으로 이르는 말.
6 오뉘 '오누이'의 준말.

이겠다.”

“히히. 데이트라. 너 말로는 소설도 쓰겠다. 하지만 넘겨짚지 마.”

엘리베이터를 내린 민 노인이 아파트의 출입구를 나오며 얼핏 쳐다본 하늘엔, 계란 반숙을 닮은 해가 아직 걸려 있었다. 초여름, 한낮의 시퍼런 기세에 비해서는 많이 퇴색하고 기가 죽어 있었을망정, 그렇다고 쉽게 물러가지는 않겠다는 오기로 붉은빛마저 머금고 있었다. 그 하늘에서 내려온 눈에 무언가가 걸리적거리는 듯하여 방향을 돌리려는 사이, 잔뜩 때가 낀 것 같은, 아니면 가래가 묻어 있는 게 분명한 소리가 먼저 귀에 꽂혔다.

“영감님, 다저녁때 어딜 가십니까?”

아파트 경비원이었다. 본래 구부정한 어깨를 한껏 오그라뜨린 자세로 턱짓을 해 오는 그에게, 민 노인은 전에 없이 미움을 뿌렸다. 시건방진 녀석. 때때로 자신의 말동무가 되어 주는 게 고마워서, 요새는 제 여편네의 월경이 그치는 바람에, 그나마 세상 사는 맛이 반감되었다는 등의 쓰잘데없는[7] 푸념도 들어 주고, 더러는 소주 한 병에 쥐포 쪼가리 따위를 앵겼더니[8], 요게 나를 막보고 덤비려 든다는 생각을 다시 한번 굳혔다.

앞으로는 이것들하고도 거리를 두어야겠다는 의지를 가다듬은 탓에 자연히 입을 단단히 악문 때문이었을까. 던진 인사의 밑천만 날린 꼴이 되어 다소 머쓱해하는 경비원을 남겨 두고 걸으며, 민 노인은 비로소 시장기를 의식했다. 집 안에 있는 동안 맡은 음식 냄새가, 공복을 더 재촉했다는 걸 뒤늦게 깨달으며 말이다. 그러나 지금부터 가질 자기 시간의 즐거움이, 빈 배를 어떤 쾌적함으로 채워 가고도 있었다. 당초에는 집 안에 낯선 손님이 올 때마다 자리를 비워 주었으면 하는 기미를 보이던 아들 내외에게 증오를 보내기도 했다. 싸가지 없는 것들이

---

7 쓰잘데없다 '쓸데없다'의 방언.
8 앵기다 '안기다'의 방언.

라고 맞대 놓고 욕을 퍼붓는 경우도 적지 않았다. 민 노인의 억하심정[9]이, 손님 오는 날의 외출을 통해 나름대로의 기쁨과 일종의 해방감을 확인하는 것으로 바뀐 건, 그러니까 그날 밤의 사건 이후로 보는 게 옳았다. 아마 그날의 초청객들은 고급 관리인 아들의 고향 친구들이 주축을 이룬 모양이었다. 민 노인에게는 도무지 기억의 가닥조차 거머잡을 수 없는 안면들이었으나, 그중의 몇몇 친구는 일부러 자기 방에까지 찾아와 인사를 했다. 아버지, 저 모르시겠습니까. 경식입니다. 아버님 댁에 닭 서리 하러 들어갔다가 들켜 가지고, 하마터면 뼈도 못 추릴 뻔한 경식이입니다. 아버지. 저는요, 아버지 북 솜씨에 반해 가지고 정읍까지 쫓아갔다가, 삼촌의 멱살에 끌려 되돌아온 춘식입니다. 어른 앞에서 아명을 들먹여서 죄송하오나, 어릴 때는 동춘이라고 불렀지요. 이제 아시겠습니까. 민 노인은 그들이 이제는 밥술이나 먹는 처지여서, 깜냥[10]대로 어린 시절에 매끈매끈한 기름을 처바르려 하고, 그런 심사가 발동하여, 친구 아버지마저도 자기네 기억의 징검다리로 삼으려는 건 모르지는 않았다. 더구나 자신은 북에 미쳐, 고향에 있는 기간보다는 타향을 허우적거린 동안이 길었으므로, 느닷없는 자책감에도 사로잡히면서 대강은 아는 척을 해 주었다. 그러기로 마음만 먹는다면야 누구 못지않게 능란한 연기력을 갖춘 터여서 어색하지 않게 응대해 주었다. 오오라. 인제야 생각난다. 네가 장난꾸러기 동춘이 녀석이구나 식으로. 그러면서 속으로는 스스로를 비웃었다. 어려서 장난꾸러기 아닌 놈이 어디 있겠느냐는, 너무나 상투적이고 속 들여다보이게 과장된 농담의 난비(亂飛)[11] 앞에서, 잠시 민 노인의 가슴엔 빈 바람이 스치기도 하였다. 이 눈치 저 눈치 다 때려잡을 줄 아는 그들은 하지만 되도록 즐거운 경험을 나누어 가지려고만 애쓰는 것인지, 그 말을 듣고도 허허로운 웃음을 높게 날렸다. 일이 터진 건 그다음이었다. 어쩌

---

9 억하심정(抑何心情) 도대체 무슨 심정이냐라는 뜻으로, 무슨 생각으로 그러는지 알 수 없거나 마음속 깊이 맺힌 마음을 이르는 말.
10 깜냥 스스로 일을 헤아림. 또는 헤아릴 수 있는 능력.
11 난비 어지럽게 날아다니거나 분분함.

면 더불어 늙어 간다는 표현이 걸맞을지도 모르겠고 그만큼 세상 물때[垢]가 끼었다면 낀 중늙은이로서의 그들은, 허물없는 친구 집 술상을 받고는 어림없는 논다니[12] 기질을 마구 터뜨렸다. 다른 자리에서라면 앞뒤를 가리고, 말과 행동에 한 자락씩 비닐 차일[13]이라도 치면서, 마지막 예의는 끝끝내 움켜쥐고 있었을지 모를 터인데도, 그날 밤은 안 그랬다. 다짜고짜 서로 부자지[14] 튕기며 놀던 어릴 적 행실들을 까먹으며, 전혀 우습지 않은 소리에도 이놈 저놈이 날개를 달아 붕붕 웃음 다발을 엮어 나갔다. 방 안에서 무료하게 담배만 축내고 있는 민 노인의 귀에 그것은 의미 없는 잡음으로도 들리고, 퀴퀴하면서도 척척 가슴속에 철썩이는 고향의 뜻을 새겨 주기도 했다. 엉뚱하게 일찍 간 마누라 생각이 오락가락한 것도 그때였다. 그들은 그러기로 작정이라도 한 양, 자기들의 동질성을 되일으키는 화제만을 말꼬리 이어 가기 시합하듯, 고리[環]를 이루며 뱅뱅 몰아갔다. 돼지, 오줌통, 누룽지, 깨곰보, 죽사발 등속의 옛날 별명들을 끌어내어 공을 주고받듯이 희롱하는가 하면, 지금은 쉰 살 고개를 바라보며 온몸의 기름이 밭았을 마을 처녀들의 이름을 하나하나 주워섬기면서, 희나리[15]에 불을 당기는, 아니면 헛구역질을 해 대는 사람들의 허망한 몸짓으로, 데굴데굴한 세월 밖으로만 굴러갔다. 호경이, 고것을 비 오는 날 싸릿고개에서 만났을 때 작살을 냈어야 했다든가, 진달래를 따 먹다가 몰래 훔쳐본 아홉 살짜리 정란이의 오줌보가 훗날 생각해 보니 영락없는 멍게 속살의 아름다움이었다는 둥, 가당찮은 후회와 필요 이상의 미화로 얼버무려졌다. 그러고는 흥건한 노래판으로, 느끼한 감정들은 오름세를 향해 치달았다. 그때였다. 차례가 되어 시답잖은 노래를 마친 녀석 하나가 갑자기 긴급 동의라는 걸 내놓았다. 우리끼리만 어울릴 게 아니라 기왕이면 대찬이 부친을 모시고 북소리를 들으면 어떻겠느냐는 제의였다. 이미 손님이 아니

---

12 논다니 웃음과 몸을 파는 여자를 속되게 이르는 말.
13 차일 햇볕을 가리기 위하여 치는 포장.
14 부자지 불알과 자지를 아울러 이르는 말.
15 희나리 채 마르지 아니한 장작.

라 술꾼이 되어 버린 작자들이 그걸 마다할 리 없었다. 그런 좌석이 갖기 마련인 변화에의 욕구도 곁들여진 탓이었겠지, 그들은 모두 박수를 치고 옳소 소리까지 내지른 끝에, 두 녀석이 사자(使者)[16]의 자격으로 민 노인에게 달려왔다. 집주인과 송 여사가 펄펄 뛰며 말렸으나 소용이 없었다. 아버지는 북을 놓은 지 오래이며, 이제는 그런 기력도 없다면서 제지했는데도 그들은 막무가내였다. 민 노인도 물론 거절했다. 북채 잡은 지가 하도 오래되어 제대로 장단을 맞출 수 없을 뿐만 아니라, 자네들 노는 데 훼방만 놓는 꼴이라고 고사했다. 그래도 그들은 듣지 않았다. 나중에는, 저엉 그러시다면 나오셔서 저희들이 올리는 술이라도 한 잔 받으시라고, 우리가 이대로 돌아가면, 어르신네께서 얼마나 섭섭해하시겠느냐는 간청으로 태도를 바꾸었다. 민 노인도 딴은 그렇겠다 싶었고, 그것마저 사양하는 건 도리가 아니라고 믿어 마지못해 몸을 일으켰다. 서너 잔 받아 마신 후 자리를 피할 요량이었다. 하지만 이 잔 저 잔 받아 마시는 사이, 민 노인의 가슴은 서서히 덥혀지고 부풀어 갔다. 마침 북으로 기우는 마음에 불을 붙이는 말도 연거푸 뒤따랐다. 오늘 밤 아버님의 명고(名鼓) 소리를 듣지 않고는, 이 집 대문을 나서지 않겠노라고 같잖은 생떼를 쓰는 녀석도 있었으며, 세상 사람들의 눈이 삐었거나 귀에 땜질을 해도 분수가 있지, 대찬이 아버님 같은 분이 어째서 인간문화재에 끼지 않았는지 알 수 없다고, 엉뚱한 투정을 부리는 친구도 생겼다. 시키지도 않았는데, 민 노인의 방에서 누군가가 북을 들고 나온 건 그럴 무렵이었다. 어쩌면 꾀죄죄하다고밖에는 표현할 길이 없는 그 북 앞에서 손님들은 잠시 숨을 죽이는 낌새였다. 결코 존경이 실린 눈빛은 아닐지라도, 한 사람의 생애가 그 북에 요약되어 있다는 걸 실측(實測)하는 한편으로, 각자가 어린 시절에 겪은, 북가락[17]에 미친 대찬이 아버지와 자기네들의 들은 풍월을 새김질하고 있는지도 모를 일이었다. 여간해서는 북채를 잡으려 하지 않는 민 노인의 결단을

---

16 사자 명령이나 부탁을 받고 심부름하는 사람.
17 북가락 북소리의 고저장단의 조화.

쏘삭거릴[18] 심산이었는지, 또는 어정쩡한 분위기를 해까닥[19] 흩뜨려 놓으려는 심보였는지, 그러자 춘식이라고 자기를 소개했던 친구가 민 노인의 망설임에 쐐기를 박았다. 아버님, 일고수 이명창[20]이라고 하지 않았습니까. 명창의 발가락 근처에도 가지 못한 놈이 감히 명창 흉내를 내서 죄송합니다만, 제가 단가 하나 부르겠습니다. 북은 소리꾼이 있어야 울리는 거니까, 천하의 일고수를 위해 똥명창이 말 울음소리라도 내겠다 이겁니다. 그 말이 끝나자, 그는 앉은 자세로 어깨를 좌우로 흔들며, "아서라 세상사."로 시작되는 〈편시춘(片時春)〉을 줄줄 뽑았다. 민 노인이 북채를 쥐고 뚝딱 장단을 맞춘 건, 노래가 두 대목쯤으로 옮겨 간 때였다. 민 노인이 성규에게 자랑해 마지않던 탱자나무 북채를 쥐기 전, 언뜻 살핀 아들의 표정은 형편없이 이그러져[21] 있었으나, 이제는 그걸 개의할 처지가 못 되었다. 참으로 오랜만에 북을 끼어 보는 맛에 없던 힘이 새록새록 솟아나, 어제의 자기를 내팽개치는 기분으로 빠져들어 갔다. 춘식이의 소리는 다시 〈만고강산〉으로 건너뛰었고, 뚝 딱 둥 둥의 북장단 사이로는 제멋대로의 추임새가 끼어들었다. 모두들 헤어지는 마당에서, 반드시 인사치레만은 아닌 것 같은 그들의 좋은 밤을 보냈다는 말을 듣고, 민 노인도 모처럼의 농담을 날렸다. 춘식이 이 사람아, 자네는 일고수 이명창만 알았지 암고수 숫명창이란 소리는 못 들었구만. 소리와 북은 공생공사(空生空死)이면서도 상생상극(相生相剋)인 거여. 소리가 신통찮으면 북도 그 정도로밖에는 소리를 못 낸다 이 말이지. 자네 때문에 내 북만 망쳤네. 그러자 춘식이는 머리를 긁적이었다. 그러길래 제가 애당초 토를 달지 않았습니까. 실토하자면 제가 소리를 한 건, 명고 소리를 끌어내려는 수작이었지요, 히히. 그는 한낱 장난꾸러기의 입장으로 되돌아가, 그걸 즐거워하고

---

18 쏘삭거리다 가만히 있는 사람을 자꾸 꾀거나 추겨서 마음이 움직이게 하다.
19 해까닥 '회까닥'의 방언.
20 일고수 이명창 판소리에서, 북을 치는 사람이 첫째이고, 소리 잘하는 이는 그다음임을 이르는 말. 아무리 명창이라 해도 고수가 잘해야 실력을 발휘할 수 있다는 뜻이다.
21 이그러지다 '일그러지다'의 잘못.

있는 모양이었다.

　정작 문제가 터진 건 손님들이 돌아가고 난 후였다. 아들은 민 노인을 하얗게 질린 얼굴로 다잡았다. 아버지는 왜 제 체면을 판판이[22] 우그러뜨리냐는 게 항변의 줄거리였다. 그 녀석들은 아버지의 북소리를 꼭 듣고 싶어서 청한 것이 아니라, 그 북을 통해 자기의 면목[23]이나 위치를 빈정대기 위해서 그러는 것임을 왜 모르느냐고, 민 노인의 괜찮은 기분을 구석으로 떠밀어 조각을 내었다. 아들 옆에서 입을 꼭 다물고 있는 며느리는, 차라리 더 많은 힐난을 내쏘고 있음을 민 노인은 모르지 않았다. 아들 내외는 요컨대 아버지가 그냥 보통 노인네로 머물러 있기를 바랐다.

　아버지의 북이 상징하는 아버지의 허랑방탕한[24] 한평생이, 일단은 세련된 입신(立身)으로 평가되는 아들의 내력에 중요한 흠으로 작용한다는 점에서도 그랬다. 하라는 공부는 작파하고[25] 북을 메고 떠돌아다니며 아내와 자식을 모른 체한 민익태, 한때는 아편쟁이로 세상을 구른 민익태, 그러면서도 북을 놓지 않는 그와 아들의 단절은, 따라서 오래 지속될 수밖에 없었다. 더구나 시아버지의 그런 생애와 전적으로 무관한 며느리가, 떼어 버릴 수도 없는 인연으로 맺어지고는 있을지언정, 자기를 올곧게만은 대할 수 없는 형편임을 민 노인은 이해하고 있었다. 심지어 다 늦게 아들네 집을 찾아온 영감을 대하던 마누라의 눈에도, 당장은 증오가 앞섰으니까 더 할 말이 없다. 그래도 할망구가 살아 있던 시절은, 미움과 연민을 골고루 섞어 가면서도 어지간히 바람막이 구실을 해 주어 견디기가 쉬웠는데, 외톨이로 남으면서는 운신[26]하기가 수월찮았다. 그러나 아들이 결정적으로 자기의 날씬한 생활 속에서 아버지를 격리시키고자 하는 까닭

---

22 판판이　번번이. 언제나 항상.
23 면목　남을 대할 만한 체면.
24 허랑방탕하다　언행이 허황하고 착실하지 못하며 주색에 빠져 행실이 추저분하다.
25 작파하다　어떤 계획이나 일을 중도에서 그만두어 버리다.
26 운신　어떤 일이나 행동을 편한 마음으로 자유롭게 함.

은 부담의 차원보다는 아버지를 접함으로써 새삼스럽게 확인하게 되는 자신의 고통과 낭떠러지의 세월을 떠올리기 때문이 아닌가 하였다. 언젠가 아들은 일부러 마신 듯한 술에 몸을 가누지 못하며, 민 노인에게 포악스럽게 퍼부은 적이 있었다. 앞뒤가 잘 이어지지 않으면서도, 토악질하듯 내뱉는 그의 토막말에는, 누르고 다져 온, 비수를 머금은 원망이 차곡차곡 담겨 있었다. 아버지, 왜 돌아오셨습니까. 제가 어머니와 양키 담배를 골라낸 꿀꿀이죽으로 주린 배를 채우고 있을 때, 아버지는 어디서 무얼 하셨습니까. 모리배[27]들의 술자리에서 북 쳐 주고 받은 돈으로 기생 무릎을 베고 있었습니까. 어머니가 콩나물을 길러 번 돈으로, 그리고 제가 신문 배달을 해서 얻은 돈으로 겨우겨우 학교를 다니고 있을 때, 아버지는 또 어디서 무얼 하시고 계셨습니까. 시골의 삼류 극장에서 소리꾼들의 장단을 맞추고 있었습니까. 좋습니다. 다 좋습니다. 아버지가 돈을 못 번다 한들 또는 수족을 못 써 자리보전을 하고 있다 한들 저는 상관하지 않았을 것입니다. 할아버지께서 남겨 주신 재산을 아버지 말씀대로 예술을 한답시고 다 날린 것도 따지지 않겠습니다. 다만 아버지는 우리와 함께 있었으면 됐던 겁니다. 그런데 이게 뭡니까. 아버지 자신도 피눈물 나는 고생이 있었을 테고, 그만큼 할 말도 많으실 줄 압니다. 그럼에도 불구하고, 아버지의 마지막 염치가 우리 모자 앞에 나타나는 걸 주저하게 만들었을 것이라는 점도 이해합니다. 그렇다면, 아버지는 끝끝내 제 앞에 현신[28]하지 말아야 옳았습니다. 그래 가지고, 막말로 어느 날 아버지가 돌아가셨다는 소식을 듣고서야, 어머니는 가슴을 쥐어뜯고 저는 땅을 치며, 왜 아버지는 우리를 찾지 않아 이런 비극을 겪게 하는가 하는 후회와 원망으로 몸부림치도록 만들어야 했습니다. 그런데 아버지는 마침내 나타나셨습니다. 그랬으면 너에게 효도할 기회를 주지 않았느냐고 말씀하시고 싶겠지요. 아닙니다. 그건 안 됩니다. 아니 노력을 해도 잘 안 됩니다. 흥, 그러면 또

---

27 모리배 온갖 수단과 방법으로 자신의 이익만을 꾀하는 사람. 또는 그런 무리.
28 현신 다른 사람에게 자신을 보임.

말씀하시고 싶겠지요. 내 존재가 네 출세를 위해서는 여러 가지로 걸리적거리기 때문이 아니냐고. 맞습니다. 부인하지 않습니다. 제 출신을 아는 사람들 중에는 한량 광대라고는 해도, 필경은 떠돌이 광대에 불과한 민익태 자식치고는 꽤 올라갔다고, 경멸인지 칭찬인지 모를 소리를 하고 다니는 작자도 있습니다. 그것 저것을 모르고, 자수성가한 노력파라며 괄목상대[29]해 주는 사람도 물론 많구요. 그러니까 너는 그와 같은 평판을 유지해 가고자 뿌리를 감추려는 거냐고 또 말씀하시겠지요. 그 짐작도 맞습니다. 민주주의네 평등주의네 하지만, 우리 사회는 오히려 가면 갈수록 가문을 캐는 우스운 풍토니까요. 하지만 분명히 말씀드려서, 제가 아버지와 거리를 두려 하고 계면쩍게 여기는 건, 반드시 그런 이유에서만은 아닙니다. 제 아내가 제 입장보다 한술 더 뜨는 것은, 여자에게 있을 수 있는 심리적 허영이라 치고, 제가 아버지를 마음 깊숙이 받아들일 수 없는 건 바로 저 북 때문입니다."

아들의 긴 푸념과 부대끼는 감정을 목격하고 난 민 노인이 이 대목에서 감당하기 힘든, 모락모락 피어오르는 분노와 허망함을 가까스로 다스리며 "내가 죄인이여."를 되뇐 끝에, 제의했었다. 그러면 저 북을 없애면 될 것 아니냐고. 전혀 마음에도 없는 소리였다. 그런데 아들의 대답은 뜻밖이었다. 아닙니다. 북은 그대로 두어야 합니다. 저 북이 아버지와 제가 얼마만큼 저 자신을 지탱할 수 있는가를 가늠해 보기 위해서도 북은 제자리에 있어야 합니다. 잔인하게 들리실지 모르나, 북을 없앤 이후의 아버지가 허깨비로 사신다 한들, 저에게는 큰 문제가 아닙니다. 오직 부탁드리고 싶은 건, 아버지가 제 앞에서 다시 말하면 우리 가족의 면전에서는 북장이가 아니라는 사실을 알아주셨으면 하는 겁니다. 그냥 아버지로 남아 있으면 됩니다. 그래 가지고, 어느 날인가는 어렸을 적의 제가, 너무나 허기져 눈앞이 가물가물한 가운데서도, 그렇게 간절하게 휘어잡으려고 애썼던

---

29 괄목상대(刮目相對) 눈을 비비고 상대편을 본다는 뜻으로, 남의 학식이나 재주가 놀랄 만큼 부쩍 늚을 이르는 말.

아버지의 모습을 되찾게 해 주시기 바랍니다. 지금은 아닙니다. 설혹 그런 날이 영영 오지 않는대도 도리 없는 일이구요. 그때부터였을 것이다. 민 노인은 집 안에 손님을 모시기로 한 날이면, 슬그머니 자리를 떴다. 다시는 북채를 쥐는 '사건'이 나지 않겠지만, 혹시를 몰라서였고, 아들 내외나 자신도 그런 내력에 길들여져 갔다. 민 노인으로서는 되레 그게 홀가분하기도 했고.

포장마차 '중역 의자'는 조금 이른 시간이어서 그런지, 텅 비어 있었다. 성규도 아직 보이지 않았다. 민 노인이 사장이라고 부르는 주인은 그릇을 챙기다 말고 알은체를 했다.

"회장님 오랜만에 뵙습니다. 그사이 미양(微恙)[30]에라도 걸리셨습니까?"

자기 말대로라면, 훈장질을 하다 그럴 만한 사정이 있어 목이 잘렸다는 그는 앞치마에 손을 닦으며 말보다 웃음을 앞세웠다. 쉰은 넘어 뵈는데도 당자는 아직 40줄이라고 우기며, 파직된 후, 안 해 본 사업이 없었다고 언제나 화제가 걸판졌다[31].

"문자 모르는 놈은 서러워서 못살겠군. 누가 훈장 출신 아니랄까 봐 그러우. 김 사장은 그게 탈야. 사람은 처지가 바뀌면 말도 달라져야 한다구"

"누가 아니랍니까. 민 회장님같이 허물없는 분에게나 던지는 문자지요."

주인은 물어보지도 않고 소주병과 안주 한 접시를 민 노인 앞으로 밀어 놓았다.

"회장을 너무 무시하는군. 홍합 몇 점으로 어떻게 소주 한 병을 다 비우나. 조금 있으면 약속한 술친구 한 사람이 더 올 건데."

"그래요오? 손자 청년. 그 젊은이도 요새는 코빼기도 볼 수 없더군요."

"손자가 되었건 맹자가 되었건, 오늘은 안주 한 접시 더 놓으시오. 돼지갈비를 굽는 게 좋겠소."

---

30 미양 가벼운 병.
31 걸판지다 매우 푸지다. 또는 동작이나 모양이 크고 어수선하다.

"그러지요. 우리야 다다익선으로 많이 팔면 되니까."

민 노인이 술을 두 잔쯤 비웠을 무렵 성규는 포장을 들치고 들어섰다.

"아저씨. 항상 느끼는 건데요. 옥호(屋號)[32]가 중역 의자일 바엔 나무 걸상 대신 안락의자를 갖다 놓으면 좋지 않을까요. 서민 대중들에게 중역이 된 기분을 충족시켜 줄 뿐만 아니라, 장안의 화제가 될 겁니다. 버스를 내려 걸어오는 동안, 섬광처럼 떠오른 아이디어라구요."

녀석은 민 노인에게 일별[33]을 던지고는 자리에 앉기도 전에 한바탕 너스레를 폈다.

"충고는 고마운데 그 생각은 나로서는 구문(舊聞)[34]이야. 처음엔 나도 고물 소파나 회전의자를 마련할까도 했지. 허나 수지 타산[35]이 안 맞아."

"왜요?"

"우선 포장마차의 기본 개념인 기동성을 살리는 데 불편하기 짝이 없고, 손님들의 출입이 신속해야 하는데, 푹신한 맛에 일단 앉았다 하면 엿가락처럼 떠날 줄을 모를 것 아닌가베."

"대신 매상이 오를 것 아닙니까."

"그렇지 않아요. 이 장사는, 택시 기사들이 기본요금에 다소의 우수리[36]가 붙는 거리를 좋아하는 이치와 비슷하거든. 손님의 회전이 빠른 쪽이, 죽치고 앉아 시간을 이죽거리느니보다 장사로서는 훨씬 낫지."

"딴은 그렇기도 하네요."

민 노인은 잔소리 말고 술이나 마시라는 시늉의, 조금은 거친 손놀림으로 성규의 잔에 소주를 콸콸 부었다. 누가 보면 할아버지가 손자의 잔에 술을 따르

---

32 옥호 술집이나 음식점 따위의 이름.
33 일별 한 번 흘낏 봄.
34 구문 이미 들은 소문이나 이야기. 또는 신기할 것 없는 이야기.
35 수지 타산 수입과 지출을 따져 헤아림.
36 우수리 물건값을 제하고 거슬러 받는 잔돈.

는 모양이 이상스럽게 비칠지도 모를 일이었으나, 두 사람의, 적어도 이 포장마차 속의 관계는 그렇지가 않았다. 처음엔 두 손으로 잔을 공손히 감싸 쥐고 몸을 돌려 단숨에 잔을 비우더니 요즈음은 자기 친구와의 술자리 못지않게 예사로운 몸짓으로 잔을 받고 건네었다. 민 노인이 그렇게 습관을 들였기 때문이었다. 이 녀석아, 그렇게 거북해할 양이면, 나나 너나 무슨 술맛이 나겠느냐, 노소동락[37]이란 말도 있는데 할애비와 손자가 술잔을 주거니 받거니 하는 것도 신시대의 풍류라면 풍류 아니겠느냐며 성규를 편하게 해 주었다. 그러면서 그게 예술가를 할애비로 둔 덕이라고 어설픈 희롱으로 성규를 웃겼다. 민 노인은 성규를 무척 좋아했다. 그렇다고 손자가 자기의 평생을 제대로 양해하거나 자기 마음속으로 기꺼이 뛰어들어 올 것을 기대하지는 않았다. 그러기에는, 피차가 제것 외에, 당장의 생활이 그걸 방해하고 있음을 모르지도 않았다. 다만 누가 자기옆에 있어 얘기를 들어 주는 것만으로도 고마운 형편이었는데, 그런 의미에서 성규는 아주 적격이었다. 할아버지한테서는 이조[38] 시대의 노인네에게서나 맡을 수 있음 직한 조선간장의 퀴퀴한 냄새가 난다고 톡톡 쏘기는 할망정, 이쁘기야 수경이란 년이 나았다. 그러다가도 마음이 내키면 할아버지는 왜 오빠만 예뻐하느냐며 알록달록한 사탕 한 움큼으로 아양을 질질 흘릴 때의 수경이는 마치 자기 같은 시들은 호박 덩굴의 끄트머리에 매달린, 앙증맞은 애호박의 싱싱함으로 비쳤다. 그것은 그년 말대로, 조선간장의 갈색과 찝찝함으로만 도배질한 자기 생애의 종장(終章)을, 어떤 때는 흐뭇하게 어떤 때는 또 한 번의 진한 뉘우침으로도 연결시켰다. 그러나 성규는 이쁘다는 것의 다른 측면을 깨우치게 해 주었다. 자기 얘기의 청중 자리를 잘 지켜 주는 것만도 다행스러운데, 그 알량한 얘기를 차곡차곡 쟁이려고, 어린 녀석이 노상 마음을 비워 두는 게 기특했다. 민 노인이 허튼소리를 하다가도, 이래서는 안 되지 하고 스스로 제동을 거는 것도,

---

37 노소동락(老少同樂) 늙은이와 젊은이가 함께 즐김.
38 이조 이씨가 세운 조선이라는 뜻으로, '조선'을 낮춰 이르는 말.

성규가 자기에게 쉽사리 빨려 드는 데 대한 두려움의 확인에 다름 아니었다. 녀석이 탈춤반에 들어간 것도, 알고 보면 민 노인의 영향으로 돌리는 며느리의 흰 눈질에 접한 다음부터는 더욱 그랬다. 그래도 민 노인은 몸에 붙은 끼를 버리기가 힘들었다. 술이 어지간히 들어가면, 왕년의 고향 사람들 손가락질쯤 발길에 툭툭 채이는 돌멩이쯤으로 여기고, 이리저리 싸다니면서 겪은 행적들을 솔솔 풀어먹었다.

"너 지난번에 만난다던 처녀허고는 그 뒤 어떻게 됐냐."

한동안은 입을 봉하고 부지런히 잔만 비우던 민 노인이, 웬만큼 술배가 채워졌다 싶자 먼저 운을 떼었다.

"걔 말이죠. 그저 그래요."

"그게 무슨 뜻이냐. 포기했다는 말로 들린다."

"포기라기보다도, 그동안 제가 딴 일로 바빴거든요."

"그 처녀에 대한 생각을 아주 버린 건 아니란 말이지."

"그런 셈이에요."

"젊은 녀석이 어찌 그리 대답이 시원찮으냐."

"제가 어쨌게요."

"아니면 아니다. 기면 기다. 사내대장부가 맺고 끊는 데가 있어야지."

"에이. 할아버지두. 그전이나 지금이나 그냥 친구로 지낼 뿐인데요 뭐."

"임마."

"네."

"내가 지난번에 일러 준 말 잊지 않았지. 북을 치면서 소리하는 사람에게 책 잡히지 않고 일고수 소리를 들을랴거든, 상대가 아무리 명창이라도 내 무르팍 밑에 그 소리를 꽉 잡아 넣어야 한다고."

"와아. 할아버지의 인생철학 제1조 또 나왔다."

"이 녀석아. 허풍 그만 떨고 잘 들어 둬. 그 이치야말로 세상만사에 다 통하느니라. 남녀 관계도 마찬가지야. 네가 듣기에, 그럼 할아버지는 그 이치에 얼마나 충실했소 이러고 싶겠지. 허나, 나는 바람 풍 할지언정 너는 바람 풍 하라는 게 웃사람[39]의 심사인 게야."

"오늘은 할아버지가 재미없는 얘기만 하신다."

"고리타분하다 이 말이지."

"그게 아니라요. 이치라는 것에 대해서는, 학교나 집 안에서 너무 많이 들었다 이거지요."

"그럼 날더러 실지 문제를 가르치라 이거냐. 시대도 다르거니와, 그런 건 네가 내 선생뻘인데."

민 노인은 언제나 그랬지만, 손자와의 이런 자잘고롬한 티격태격이 괜찮아, 일부러 성규의 화를 돋우는 식으로 몰고 가는 수도 있었다. 꽤 능글맞은 녀석은, 그래도 이리저리 빠져나가되, 할아버지의 아픈 구석을 한 번도 건드리지 않았다. 아버지와 할아버지의 갈등을 속속들이 알고 있으면서도, 한가운데로 덤벼들지는 않고, 끝내 국외자[40]로 맴돌면서도 민 노인의 숨은 후견인 노릇을 제법 잘 해내는, 나이에 걸맞지 않는 지혜도 갖고 있었다.

"그건 그렇구요. 할아버지."

두 번째 손님 셋이, 한꺼번에 포장을 제치고[41] 들어오는 걸 곁눈질로 맞으며 성규는 말소리를 낮췄다.

"부탁이 있어요."

"뭔데."

민 노인은 덤덤하게 받았다.

"다음 주 토요일 오후, 우리 서클 아이들이 봉산 탈춤 발표회를 갖기로 했거

---

39 웃사람 '윗사람'의 방언.
40 국외자 일이 벌어진 테두리에서 벗어나 그 일에 관계가 없는 사람.
41 제치다 '젖히다'의 잘못.

든요. 학교 축제의 하나예요."

"그런데?"

민 노인의 물음에는, 그것과 나와 무슨 상관이냐는 뜻이 포함되어 있었다.

"할아버지께서 북장단을 맡아 주셨으면 하구요."

"뭐라구? 그건 나와 번지수가 달라, 해 본 적도 없구."

"한두 번만 맞춰 보시면 될 건데요."

"연습까지 하고? 아서라. 더구나 늬 애비가 알면 큰일 난다."

"염려 마세요. 저하고 비밀만 지키면 되잖아요. 애들한테도 다 말해 놨구, 지도 교수의 허락도 받았다구요."

"임마. 그건 너희들끼리 해도 되잖아. 나까지 끌어내지 않아도."

"누가 그걸 모르나요. 자리를 더 좀 빛내 보자 이겁니다."

"나는 무대나 안방에만 앉아 봤지, 넓은 마당에서는 북을 쳐 본 경험도 없어."

"그게 그거 아닙니까. 말을 안 꺼냈다면 몰라도, 이제 와서 제 체면도 좀 봐주셔야죠."

"이 녀석들 보게. 애비는 애비대로 내 북 때문에 체면이 깎인다는 판에, 자식은 또 북으로 체면을 세워 달라니 무슨 조홧속인지 어지럽다."

"아버지와 저와는 생각이 다르니까요."

"그 말도 못 알아듣겠다."

"설명하자면 길구요. 이번 일은 꼭 좀 해 주셔야겠습니다. 이런 말씀 드리기는 뭣하지만, 제 딴에는 모처럼 할아버지께서 신바람 내실 기회를 드리자는 의미도 있습니다."

"얼씨구. 이 녀석 봐라."

일단 손자에게 타박을 덮어씌우기는 했을망정, 성규가 말하는 신바람이라는 말이 민 노인의 가슴 복판을 쿡 찌르고 달아났다. 꼭 신명이 솟구쳐서만 북 앞에 앉는 건 아니었다. 뱃가죽 속에 꽉 찔어 있는 북가락이 마침내는 신바람을 일으키는 것인지, 신바람이 예상되는 자리를 얻기만 하면, 드디어 북가락이 저절로 곬[42]을 타고 흐르는 것인지는 자신도 분명치가 않았다. 어느 쪽이 선후라기보다는, 대강은 두 가지가 앞서거니 뒤서거니 찾아오는 것인데, 북만 잡으면 없던 힘이 느닷없이 뼈마디를 간질이는 형태로 나타나는 건 사실이었다. 그렇다 치더라도, 북이 주역도 아닌 생소한 장소에 나간다는 게 꺼림칙했으며, 아이들 노는 데 늙은이가 흰쌀의 뉘[43]처럼 섞인다는 것도 좋은 모양이 아닐 것 같았다. 이런 망설임을 훤히 꿰뚫어 보듯, 성규는 슬슬 민 노인을 구슬렸다. 실실 웃으며.

"단역이라고 생각하시면 안 돼요. 물론 춤이 주이기는 하지만, 할아버지 말씀대로 그 녀석들의 춤을 할아버지의 무릎 밑에 꽉 잡아넣으면 판이 더욱 어울릴 것 아닙니까."

"너 나를 무시했다."

"무슨 말씀이신지 안다구요. 하지만 할아버지의 예술을 모독할 생각은 없습니다. 연출자로서의 제 욕심입니다."

"네가 연출자냐?"

"히히. 부끄럽습니다. 목중[44]의 하나로 나가기도 하구요."

"북만 가지고 장단을 맞추는 건 아니잖니."

"물론이지요. 북 말고도, 장구, 꽹과리, 피리 등 여섯 가지 악기가 동원되지만요, 할아버지가 떡 버티고 앉아, 노상 말씀하시는 강약 약강의 뜻을 잘 터득한 북으로, 그것들을 끌고 가면서 휘어잡을 수도 있습니다."

"나는 남의 북으로는 못 친다."

민 노인은 어느새 성규의 설득에 기울어지고 있는 자신을 발견하곤 이게 아닌데 싶었다. 성규는 그 틈새로 재빨리 비집고 들어왔다. 집 안에 있는 북을 밖

---

42 곬 한쪽으로 트여 나가는 방향이나 길.
43 뉘 쓿은쌀 속에 등겨가 벗겨지지 않은 채로 섞인 벼 알갱이.
44 목중 봉산 탈춤에 등장하는 인물의 하나.

으로 내가는 것도 쉬운 일이 아니라는, 민 노인의 걱정을 곧 간파한 것이다.

"염려 마세요. 제가 누구의 눈에도 띄지 않도록, 감쪽같이 학교로 모셔다 놓겠습니다."

"글쎄다. 잘하는 짓인지 못하는 일인지 모르겠다."

"전 할아버지의 그런 태도가 싫습니다. 사람마다 할 일이 있고, 할아버지의 할 일은 북을 치는 겁니다. 저는 할아버지의 표정인 북이 울릴 자리를 찾지 못하고, 방 안에서 곰팡이가 슬어 가는 걸 볼 때마다 안타깝기 짝이 없다구요. 아시겠어요?"

금방 히히 웃던 것과는 달리, 성규의 눈빛에 차가운 광채가 일었다. 술기운으로 벌겋게 달아오른 볼에는 신선한 취기가 번져 있었다. 민 노인은 녀석의 어깨를, 당장은 별반 의미가 곁들여 있지 않은 손바닥으로 툭 쳤다.

포장마차에 다녀온 이튿날 오후, 동네 영감들과 실없는 잡담을 나누고 돌아온 민 노인은, 자기 방 옷장 위에 비닐로 싸 얹어 두었던 북이 없어진 걸 알았다. 언제 어떻게 가지고 나갔는지 짐작이 가지 않았으나 그렇다고 낭패스러운 기분이 들지 않는 것도 이상하다면 이상했다. 무슨 일이고 간에, 일단 마음을 정하면 재깍재깍 해내는 젊은 놈들의 당돌한 실천력을 어쩌면 부럽게도 느꼈다. 그런 데다 성규는 자기를 다그치는 시간도 빨랐다. 도무지 벙벙한 생각을 이렇게 저렇게 되작거릴 여유마저 주지 않았다. 그다음 날 아침엔, 학교에서 만나자고 제멋대로 통고를 해 온 것이다.

"이건 교통비예요. 진행비라는 게 쬐끔[45] 있거든요. 어렵게 여기지 마시고 바람 쐬는 셈 치고 한번 들러 주세요. 저희들은 매일 손을 맞추어 보지만, 할아버지는 그러실 필요도 없겠고, 분위기나 익혀 주시면 족하겠죠."

성규는 천 원짜리 지폐 몇 장을 쥐어 주었다.

---

45 쬐끔 '쪼끔'의 잘못.

"아니다. 아무리 그렇다 해도 연습 없이는 무대에 서는 법이 아녀. 하물며 내가 북을 멀리한 지가 얼만데."

"같이해 주시면 더욱 좋구요. 참 제가 어저께 북 내갔습니다."

"안다."

"그럼 이따 뵙기로 해요. 애들이 영광이래요. 히히."

돌아서는 손자의 등 뒤에서, 민 노인은 날렵한 수사슴의 냄새를 맡았다.

물어물어 처음 가 본 손자의 대학은 민 노인에게 우선 크고 넓은 것의 시원함을 댓바람에 안겨 주었다. 거기에는 또, 좁은 구석을 맴도는 데만 익숙해진 자를 한꺼번에 위압하고 겁먹게 하는 바람이 불고도 있었다. 그런 세계와는 등지고 살아온 민 노인에게는 한결 그랬다. 서너 명의 친구들과 함께 미리 교문 근처에서 기다리고 있던 성규는 민 노인을 보자 손을 번쩍 들어 보였다. 그의 친구들은 한꺼번에 꾸뻑 절을 하더니 와 주셔서 고맙습니다를 합창했다. 영광이라고 말하는 녀석도 있었다. 연습장이라는 운동장 한구석에는 더 많은 연희[46] 출연자들이 제각각의 몸놀림으로 움직이고 있었다. 그들은 성규를 통해 얘기를 들었는지 하던 것을 멈추고 일제히 인사를 했다. 여학생도 적지 않은 수였다. 조금 떨어진 곳에 가서 성규로부터 대충의 줄거리에 대해 설명을 듣고, 종이에 따로 적은 과장(科場)[47]을 훑어본 민 노인은 자기 역할이 결코 쉬운 일이 아님을 알았다. 성규의 어거지[48] 성화에 밀려온 꼴이기는 해도 가볍게 떠맡고 나선 데 대해 조금은 후회도 되었다. 북을 끼고 둥둥 치면서는 더 그랬다. 그런 한편으로 멀리 내던져 여간해서는 만나지 못할 것으로 여겼던 자기 체온이 듬뿍 스민 옷을 다시 걸쳐 입는 순간의 감동을 맛보기도 했다. 낯선 장면과 마주쳐 다소 어리벙벙하지 않은 건 아니었으나 빽빽 소리를 질러 대며 팔과 다리를 흥겹

---

46 연희 말과 동작으로 여러 사람 앞에서 재주를 부림. 또는 배우가 각본에 따라 사건 등을 관객에게 보여 주는 무대 예술.
47 과장 탈놀이에서 현대극의 막이나 판소리의 마당에 해당하는 말.
48 어거지 '억지'의 잘못.

게 올리고 내려놓는 아이들과 따지고 보면 북가락의 이웃 동네인 꽹과리나 피리 소리에 섞여 팔에 힘을 모아 북을 두드리는 동안, 그런 무색함은 서서히 사라져 갔다. 그래서였을 것이다. 민 노인은 하루 연습만으로는 실력이 부쳐 안 되겠다며 며칠 더 나올 것을 자청했고, 그러자 아이들은 환영의 박수를 쳤다. 연습이 끝나고 막걸리집으로 옮겨 갔을 때도, 아이들은 민 노인을 에워싸고 역시 성규 할아버지의 북소리는 우리 같은 졸개들이 도저히 흉내 낼 수 없는 명인의 경지라고 추켜올렸다. 그것이 입에 발린 칭찬일지라도, 민 노인으로서는 듣기 싫지가 않았다. 잊어버렸던 세월을 되일으켜 주는 말이기도 했다.

"얘들아. 꺼져 가는 떠돌이 북장이 어지럽다. 너무 비행기 태우지 말아라."

민 노인의 겸사에도 아이들은 수그러들지 않았다.

"아닙니다. 벌써 폼이 다른걸요."

"맞아요. 우리가 칠 때는 죽어 있던 북소리가, 꽹과리보다 더 크게 들리더라니까요."

"성규, 이번에 참 욕보았다."

난데없이 성규의 노력을 평가하는 녀석도 있었다. 민 노인은 뜻밖의 장소에서 의외의 술친구들과 어울린 자신의 마음이 외견과는 달리 퍽 편안하다는 느낌도 곱씹었다. 옛날에는 없었던 노인과 젊은이들의 이런 식 담합(談合)이 어디에 연유하고 있는가를 딱히 짚어 볼 수는 없었으되.

두어 번의 연습에 더 참가한 뒤, 본 공연이 열리던 날 새벽에 민 노인은 성규에게 일렀다.

"아무리 단역이라고는 해도, 아무 옷이나 걸치고는 못 나간다. 모시 두루마기를 입지 않고는 북채를 잡을 수 없어."

"물론이지요. 할아버지 옷장에서 꺼내 놓으세요. 제가 따로 가지고 갈게요."

"2시부터라고 했지?"

"네."

"이따 만나자."

일찍 점심을 먹고, 여느 날의 걸음걸이로 집을 나선 민 노인은 나이에 어울리지 않는 설렘으로 흔들렸다. 아직은 눈치를 채지 못한 아들 내외에 대한 심리적 부담보다는 자기가 맡은 일 때문이었다. 수십 명의 아이들이 어우러져 돌아가는 춤판에 영감쟁이 하나가 낀다는 사실이 새삼스럽게 어색하기도 하고 모처럼의 북가락이 그런 모양으로밖에는 선보일 수 없다는 데 대한 엷은 적막감도 씻어 내기 힘들었다. 그러나 젊은 훈김들이 뿜어내는 학교 마당에 서자, 그런 머뭇거림은 가당찮은 것으로 치부되었다. 시간이 되어 옷을 갈아입고 아이들 속에 섞여 원진(圓陣)⁴⁹을 이루고 있는 구경꾼들을 대하자, 그런 생각들은 어디론지 녹아 내렸다. 그 구경꾼들의 눈이 자기에게 쏠리는 것도 자신이 거쳐 온 어느 날의 한 대목으로 치면 그만이었다. 노장(老長)이 나오고 취발이가 등장하는가 하면, 목중들이 춤을 추며 걸쭉한 음담패설 등을 쏟아 놓을 때마다 관중들은 까르르 까르르 웃었다. 민 노인의 북은 요긴한 대목에서 둥둥 울렸다. 째지는 소리를 내는 꽹과리며 장구에 파묻혀 제값을 하지는 못해도, 민 노인에게는 전혀 괘념할 일이 아니었다. 그전에도 그랬던 것처럼, 공연 전에 마신 술기운도 가세하여, 탈바가지들의 손끝과 발목에 한 치의 오차도 없이 그의 북소리는 턱턱 꽂혔다. 그새 입에서는 얼씨구! 소리도 적시에 흘러나왔다. 아무 생각도 없었다. 가락과 소리와 그것을 전체적으로 휩싸는 달작지근한⁵⁰ 장단에 자신을 내맡기고만 있었다.

그날 밤, 민 노인은 근래에 흔치 않은 노곤함으로 깊은 잠을 잤다. 춤판이 끝나고 아이들과 어울려 조금 과음한 까닭도 있을 것이었다. 더 많이는 오랜만에

---

49 원진 둥글게 진을 침. 또는 그런 진.
50 달작지근하다 '달짝지근하다'의 방언. 흡족하여 기분이 좋은 데가 있다.

돌아온 자기 몫을 제대로 해냈다는 느긋함이 꿈도 없는 잠을 거쳐 상큼한 아침을 맞게 했을 것으로 믿었는데 그런 흐뭇함은 오래가지 않았다. 다저녁때가 되어 외출에서 돌아온 며느리는 집 안에 들어서자마자 성규를 찾았고, 그가 안 보이자 민 노인의 방문을 밀쳤다.

"아버님. 어저께 성규 학교에 가셨어요?"

예사로운 말씨와는 달리, 굳어 있는 표정 위로는 낭패의 그늘이 좍 깔려 있었다. 금방 대답을 못 하고 엉거주춤한 형세로 며느리를 올려다보는 민 노인의 면전에서 송 여사의 한숨 섞인 물음이 또 떨어졌다.

"북을 치셨다면서요."

"그랬다. 잘못했니?"

우선은 죄인 다루듯 하는 며느리의 힐문[51]에 부아가 꾸역꾸역 치솟고, 소문이 빠르기도 하다는 놀라움이 그 뒤에 일었다.

"아이들 노는 데 구경 가시는 것까지는 몰라도, 걔들과 같이 어울려서 북 치고 장구 치는 게 나이 자신 어른이 할 일인가요?"

"하면 어때서. 성규가 지성으로 청하길래 응한 것뿐이고, 나는 원래 그런 사람 아니니. 이번에도 내가 늬들 체면 깎았냐."

"아시니 다행이네요."

송 여사는 후닥닥 문을 닫고 나갔다. 일은 그것으로 끝나지 않았다. 며느리는 퇴근한 남편을 붙들고, 밖에 나갔다가 성규와 같은 과 학생인 진숙이 어머니한테서 들었다는 얘기를 전했다. 진숙이 어머니는 민 노인이 가면극에 나왔더라는 귀띔에 잇대어, 성규 어머니는 그렇게 멋있는 시아버지를 두셔서 참 좋겠다며 빈정거리더라는 말도 덧붙였다. 그런데 이상스럽게도 아들은 민 노인에겐 아무런 내색을 하지 않았다. 그냥 덤덤한 낯빛이다가 식구들이 저녁을 마친 후에야

---

51 힐문 트집을 잡아 따져 물음.

돌아온 성규를 사정없이 몰아붙였다.

"너더러 누가 그런 짓 하랬어."

현관에서 신발을 벗고 한 발자국 내딛는 순간, 노기를 한꺼번에 모은 호령이 그를 사로잡았다. 영문을 몰라 아버지와 어머니 쪽으로 눈알을 번갈아 돌리는 성규를 향해, 이번에는 어머니가 차디차게 말했다.

"잘하는 일이다. 할아버지를 끌어내지 않으면 늬네들 춤판은 성사가 안 되니?"

나는 또 뭐라고 하는 식의 가벼운 대응이 성규의 안면에 퍼지면서 입으로는 씩 웃음을 흘렸다.

"너 날 놀리는 거니?"

첫마디와 달리 착 가라앉은 아버지의 음성에는 분에 떠는 사람에게 일쑤 있음 직한, 삭지 않은 가래가 조금 끓었다. 정색을 하고 쳐드는 성규의 눈빛에도 서리가 내린 인상이었다.

"무슨 말씀이세요?"

"지금 웃었잖아."

"웃은 게 잘못이라면 사과할게요. 할아버지를 그런 자리에 모신 건, 그러나 사과할 것이 못 됩니다."

"할아버지까지 동원한 게 잘한 짓이니?"

"동원이란 말이 싫습니다. 누가 누구를 동원한단 말입니까. 또 그 일이 어째서 잘하고 잘못하고로 구별돼야 하는지, 저는 통 이해를 할 수가 없습니다. 그건 잘하고 잘못하고의 인식에서는 벗어나는 일입니다. 누군가가 어떤 일에 합당한 재능을 갖고 있을 때, 한쪽은 그걸 표현할 기회를 주어야 마땅하며, 한쪽은 기꺼이 그 기회에 편승해서, 일이 잘되면 그보다 좋은 일이 어디 있습니까."

"너 이제 보니 참 똑똑하구나. 그래서, 일이 잘됐니?"

"대성공이었습니다."

"할아버지는 기꺼이 응하지 않았을 게다. 네가 유혹했어."

"결과는 마찬가지예요. 저는 그날 할아버지에게서 그걸 확인했습니다."

"너는 할아버지와 나와의 관계에 대해, 특히 내가 취하고 있는 입장에 대단히 불만이지?"

"그럴 것도 없습니다. 아버지의 할아버지에 대한 처지를 이해하면서도 그 논리를 그대로 저와 연결시키고 싶지도 않고, 그럴 필요도 없다고 생각하는 편이에요."

"기특하구나. 그러니까 너만이라도 할아버지에게 화해의 제스처를 보이겠다는 거냐 뭐냐, 지금까지의 네 행동을 보면 그런 추측을 가능케 하더라만."

"그것도 맞지 않는 말이에요. 도대체 할아버지와 저와는 갈등이 있었어야 말이죠. 처음부터 갈등이 없었는데 화해의 제스처를 보이고 말고가 어디 있습니까. 할아버지와의 갈등이 있었다면, 그건 아버지의 몫이지 저와는 상관이 없는 겁니다. 오히려 전 세대끼리의 갈등이 다음 세대에서 쾌적한 만남으로 이어진다면, 그건 환영할 만한 일이고, 그게 또 역사의 의미 아니겠습니까?"

"뭐야. 이놈의 자식. 네가 나를 훈계하는 거얏!"

말이 떨어지기 무섭게, 아버지의 손바닥이 성규의 볼때기를 후려쳤다. 옆에 있던 어머니의 쇳소리가 그의 뺨에 달라붙었다.

"또박또박 말대답하는 것 좀 봐."

"아버지의 마음을 모르는 게 아니에요. 그렇다고 아버지의 생각 속으로만 저를 챙겨 넣으려고 하지 마세요."

성규는 얻어맞은 자리를 어루만지지도 않고, 되레 풀 죽은 목소리가 되었다.

"네가 알긴 뭘 알아. 네가 내 속을 어떻게 알아."

"그런 말씀은 이제 그만 좀 하셨으면 해요. 안팎에서 듣는 그 말에 물릴 지경이거든요. 너는 아직 모른다. 너도 내 나이가 되어 봐라……. 고깝게 듣지 마세요. 그때 가서 그 뜻을 알지언정, 지금부터 제 사고와 행동을 포기하고 싶지는 않습니다. 그런 뜻에서 제가 할아버지를 우리 모임에 초청한 사실을 후회하지 않을뿐더러, 옳았다고 생각합니다. 아버지가 할아버지를 심리적으로 격리시키려 하고, 또 한편으로는 이해하려는 모순을 저도 이해합니다. 노상 이기적인 현실에의 집착이 그걸 누르는 데 대한, 어쩔 수 없는 생활인의 감각까지도 저는 알고 있습니다. 그러나 역설적이고 건방지게 들릴지 모르지만, 제 나이는 또 할아버지의 생애를 이해합니다. 북으로 상징되는 할아버지의 삶을 놓고, 아버지와 제가 감정적으로 갈라서는 걸 비극의 차원에서 파악할 것도 아니라고 봅니다. 할아버지가 자신의 광대 기질에 철저하여 가족을 버린 건 비난받아야 할 일이나, 예술의 이름으로는 용서받을 수 있습니다."

"그래서? 할아버지가 나름대로의 예술을 완성했니?"

아버지의 입가에 냉소가 머물렀다.

"그건 인식하기 나름입니다. 다만 할아버지에게서 북을 뺏는 건 할아버지의 한(恨)을 배가시키고, 생의 마지막 의지를 짓밟는 것에 다름 아니라는 생각만은 갖고 있습니다."

방 안의 민 노인이 천천히 응접실로 나온 건 그때였다. 자기 때문에 성규가 궁지에 몰려 있는 걸 보고만 있을 수 없어서였는데, 아들은 집안의 분란을 더 키우고 싶지 않았던지, 민 노인 쪽엔 시선을 돌리지도 않은 채 성규에게만 소리를 꽥 질렀다.

"건방 그만 떨고 어서 가서 잠이나 자. 다시 그런 짓을 했다간 이 정도로 끝나지 않을 줄 알아."

제 방으로 돌아가던 성규는 민 노인과 눈이 마주치자 재빠른 웃음을 보냈다. 음모꾼끼리의 신호 같았다.

정작 일이 크게 터진 건 그런 일이 있은 지 일주일쯤 후였다.

저녁 준비를 하다 말고, 성규의 친구로 짐작되는 학생의 전화를 받은 송 여사는 대뜸 신음으로도 착각할 만한 의미 불명의 소리를 지르더니 이내 펄쩍펄쩍 뛰었다.

"뭐라구? 우리 성규가 데모하다 잡혀갔다구. 언제 어디서. 지금 어딨어? 이 일을 어쩌지. 이 일을 어떡한다지."

송 여사는 곧바로 남편에게 전화를 걸었고, 만날 장소를 약속하고는 허둥지둥 밖으로 뛰쳐나갔다. 황급히 서두르다 지갑을 안 가지고 갔기 때문에 다시 되돌아왔을 때, 민 노인과 수경이가 자세히 말 좀 해 보라고 매달리는데도, 누구 신경질만 돋우느냐는 투의 외마디 말을 남기고 사납게 문을 닫았다.

"난들 아니. 가 봐야지."

며느리의 자기를 쳐다보던 눈이 사뭇 비뚤어져 있었다고 느낀 민 노인의 가슴에도 갑자기 구멍이 뚫리는 걸 의식했다.

아들 내외는 밤늦도록 돌아오지 않았다. 전화도 걸려 오지 않았다. 민 노인은 수경이를 시켜, 아들이 먹다 남은 양주를 찾아 안주도 없이 조금씩 조금씩 홀짝거렸다. 얼마나 지났을까, 취기가 야금야금 전신으로 번지자, 민 노인은 극히 자연스럽게 북을 껴안고 북채를 잡았다. 뚝 딱 둥 둥. 둥둥둥 뚝딱. 북소리를 듣고 들어온 수경이는, 북 한 번 할아버지의 눈 한 번씩을 교대로 쳐다보고는 그전 모양 궁상맞다는 타박을 하지 않았다. 오히려 다소곳이 민 노인 옆으로 다가앉으며 엉뚱깽뚱한[52] 질문을 했다.

"할아버지 이 북으로 팝송 반주를 하면 어떻게 될까요."

"수경아. 늬 오래비[53]가 붙들려 간 게, 나나 이 북과도 관계가 있겠지."

둥 둥 둥 딱 뚝.

"무슨 상관이 있겠어요. 아니에요. 그보다도 궁금한 게 있어요. 오빠와 저와는 네 살 터울이거든요. 그런데 오빠는 할아버지의 북소리에 푹 빠져 있고, 솔직히 저는 잡음으로만 들려요. 그 차이는 무엇일까요."

---

52 엉뚱깽뚱하다 '엉뚱하다'의 방언.
53 오래비 '오라비(오빠)'의 방언.

"아무래도 그 녀석이 내 역마살을 닮은 것 같아. 역마살과 데모는 어떻게 다를까."

딱 둥둥 뚝.

"할아버지. 지금 무슨 말씀을 하고 계세요. 제 말은 들은 둥 만 둥 하구요."

손녀의 새살거림[54]을 한옆으로 제쳐 놓으며, 민 노인은 눈을 지그시 감고 더 크게 북을 두드렸다.

(1986년)

---

54 새살거리다 샐샐 웃으면서 재미있게 자꾸 지껄이다.

유자소전

이문구

이문구(1941~2003)

충청남도 보령에서 태어나 서라벌예술대학교(현 중앙대학교) 문예창작과를 졸업했다. 김동리 선생의 추천으로 〈현대문학〉에 단편 〈다갈라 불망비〉와 〈백결〉을 발표하며 작품 활동을 시작했다. 소설집 《이 풍진 세상을》《해벽》《관촌수필》《우리 동네》《내 몸은 너무 오래 서 있거나 걸어왔다》, 장편 소설 《장한몽》《산 너머 남촌》《매월당 김시습》 등이 있다. 〈유자소전〉은 물질 만능주의에 빠진 현대인에게 유자와 같은 따뜻한 마음을 가진 사람의 소중함을 보여 주는 작품이라고 평가받는다.

1

한 친구가 있었다.

그냥 보면 그저 그렇고 그런 보통 사람에 불과한 친구였다.

그러나 여느 사람처럼 이 땅에 그런 사람이 있는지 마는지 하게 그럭저럭 살다가 제물에 흐지부지하고 몸을 마친 예사 허릅숭이[1]는 아니었다.

그의 이름은 유재필(兪哉弼)이다. 1941년 홍성군 광천에서 태어나 보령군 대천에 와서 자라고 배웠다. 그리고 그 나머지는 서울에서 살았다. 그는 어려서부터 타고난 총기와 숫기로 또래에서 별쭝맞고[2] 무리에서 두드러진 바가 있어, 비색한 가운과 불우한 환경 속에서도 여러모로 일찍 터득하고 앞서 나아감에 따라 소년 시절은 장히 숙성하고, 청년 시절은 자못 노련하고, 장년에 들어서서는 속절없이 노성하였으니, 무릇 이것이 그가 보통 사람 가운데서도 항상 깨어 있는 삶을 살게 된 바탕이었다.

그의 생애는 풀밭에서 뚜렷하고 쑥밭에서 우뚝하였다.

그는 애초에 심성이 밝고 깔끔하였다. 매사에 생각이 깊고 침착하였으며, 성품이 곧고 굳은 위에 몸소 겪음한[3] 바와 힘써 널리 보고 애써 널리 들은 것을 더하여, 스스로 갖추어진 줏대와 나름껏 이루어진 주견으로 갈피 있는 태도를 흐트리지[4] 아니하였다.

---

1 허릅숭이 일을 실답게 하지 못하는 사람을 낮잡아 이르는 말.
2 별쭝맞다 몹시 별쭝나다(말이나 하는 짓이 아주 별스럽다).
3 겪음하다 '경험하다'의 방언.
4 흐트리다 '흩트리다'의 잘못. 태도, 마음, 옷가지 따위를 바르게 하지 못하다.

그러므로 주변머리 없이 기대거나 자발머리없이[5] 나대어서 남을 폐롭히거나[6] 누를 끼치는 자는 반드시 장마에 물걸레처럼 쳐다보기를 한결같이 하였고, 분수없이 남을 제끼거나[7] 밟고 일어서서 섣불리 무엇인 척하고 으스대는 자는 《삼국지》에서 조조 망하기를 기다리듯 미워하여 매양[8] 속으로 밑줄을 그어 두기에 소홀함이 없었다. 또 모름지기 세상의 일에 알면 아는 대로 힘지게[9] 말하고, 모르면 모르는 대로 숫지게[10] 말하여 마땅한 자리임에도 불구하고 어딘지 떳떳지 못하게 주눅부터 들어서 좌우의 눈치에 딱 부러지게 흑백을 하지 못하는 자가 있으면, 마치 말만 한 딸을 서울 가게 하는 데에 힘입어 그날로 이자 돈을 놓는 매몰스러운 구두쇠를 보듯이 으레 가래침을 멀리 뱉기에 이력이 난 터이었다.

그의 됨됨이는 물론 그것이 전부는 아니었다. 체취는 그윽하고 체온은 따뜻하며 체질이 묵중한 사내였다. 또한 남의 아픔이 자신의 아픔임을 깨달아 아픔을 나누고 눈물을 나누되, 자기가 아는 바 사람 사는 도리에 이르기를 진정으로 바라던 위인이었으니, 짐짓 저 옛말을 빌려서 말한다면 그야말로 때아닌 특립독행(特立獨行)[11]의 돌출이요, 이른바 "세상 사람들의 걱정거리를 그들보다 앞서서 걱정하고, 세상 사람들이 즐거워함을 본 연후에야 즐거움을 누린다[先天下之憂而憂 後天下之樂而樂]."고 말한 선비적인 덕량의 본보기라 하지 않을 수 없는 친구였다.

"이간감? 나 유가여."

그가 내게 전화를 할 때마다 매번 거르지 않던 첫마디였다.

그렇지만 유가는 이미 다른 사람을 이르는 말이었다. 그는 유자(兪子)였다.

---

5 자발머리없이 '자발없이(행동이 가볍고 참을성이 없이)'를 속되게 이르는 말.
6 폐롭다 성가시고 귀찮다.
7 제끼다 '젖히다'의 잘못.
8 매양 매 때마다. 번번이.
9 힘지다 힘이 있다. 또는 힘이 들 만하다.
10 숫지다 순박하고 인정이 두텁다.
11 특립독행 세속에 따르지 않고 스스로 믿는 바를 행함.

2

유자는 직업적인 문필가에 못지않은 뛰어난 어휘 감각으로 이 나라 문단의 제자백가들과 교유를 하면서도 언제나 대화의 선도(鮮度)를 유지했거니와, 그중에서도 보령 지방의 방언 구사에서는 그와 겨룰 만한 사람이 드물다고 해도 과언이 아니었다.

대개 일정한 지역의 방언은 그 유통 구조적인 한계에 따라 자연스럽게 시르죽어서[12] 종당에는 용도 폐기를 면치 못하기가 쉽고, 그로부터 호흡이 끊기고 박제화(剝製化)하여 사전(辭典)에 정리되고 나면 한갓 현장을 잃은 고어나 은퇴어가 되고 말아서, 모처럼 어디에 갔다가 만나더라도 뜨악하고 서먹해지기 마련인 것이었다.

그러나 아무리 잊은 지가 언젠지조차 모르는 귀꿈맞은[13] 방언이라고 해도, 그것이 유자의 입에서 흘러나올 때는 그 말이 지닌 본래의 숨결까지도 고스란히 살아 있어서 생각지도 않은 신선한 느낌마저 덤을 얹는 것이었다. 그만큼 일상적으로 즐겨 사용해 온 탓이었다.

보령 지방의 독특한 방언 가운데 지금도 흔히 쓰이는 것으로 '개갈 안 난다'는 말이 있다. 이것은 요즈음 산하의 국어연구원에서 의례적인 용어부터 정립해 주기를 독려하고 있는 이어령 문화부 장관도 사석에서는 자기도 모르게 곧잘 튀어나오던 방언이기도 한 것이다.

이 '개갈 안 난다'는 말은 보통 '말이' 맺고 끊는 맛이 없다거나, 섞갈리거나[14], 요령부득[15]이다. '뜻이' 가당치 않거나, 막연하거나, 어림도 없다. '일이' 매동그려지지 않거나, 매듭이 나지 않거나, 마무리가 없다. '짓이' 칠칠치 못하거나, 갈피가 없거나, 결과가 예측 불허다, 따위와 비스름한 의미로 쓰이고 있거니와,

---

12 시르죽다 기운을 차리지 못하다.
13 귀꿈맞다 전혀 어울리지 않고 촌스럽다.
14 섞갈리다 갈피를 잡지 못하게 여러 가지가 한데 뒤섞이다.
15 요령부득 말이나 글 따위의 요령을 잡을 수가 없음.

나도 그 어원이 '가결(可決) 안 나다'에 있는지 어떤지는 아직도 모르고 있는 터이다.

한번은 내가 짐짓 해 보는 말로

"대관절 그 개갈 안 난다는 말이 무슨 뜻이라나?"

유자더러 물었더니, 유자 대답하여 가로되

"아 그 개갈 안 난다는 말처럼 개갈 안 나는 말이 워디 있간 됩세[16] 나버러 개갈 안 나게 묻는다나."

하고 사뭇 퉁명을 부리는데, 그러는 그의 표정을 읽으니 말이 난 계제[17]에 아예 어원까지 캐서 적실하게 밝혀 줄 수만 있다면 작히나[18] 좋을까만, 허나 말인즉 원체가 '개갈 안 나는' 말인지라 당최 종잡을 수가 없어서 유감이라는 내색이 역연하였다[19].

재주가 메주인 이런 삼류 작가에게는 유자만큼 소중하고 요긴한 위인도 드물었다. 그는 내 직업에도 여러 가지로 도움이 되었는데, 이를테면 1950년대부터 고향과 멀어진 까닭에 '잊은 지가 언젠지조차 모르는', 그래서 모처럼 한번이나 들어 보더라도 뜨악하고 서먹할 수밖에 없는 궁벽한 방언들을 아주 새삼스럽게, 그것도 그 말이 지닌 본래의 숨결까지도 고스란히 살아 있는 그대로 재생시켜 주면서 '말하는 방언 사전' 노릇을 톡톡히 해 주었던 것도 그중의 하나였다.

그것은 비단 방언만도 아니었다. 그가 사무적으로 왕래하는 각계각층의 전문적인 용어를 비롯하여, 가령 벌면 먹고 놀면 굶는 뜨내기들, 빈손이 큰손이요 꿋발이 맨발인 따라지[20]들, 심지어는 보다 보다 볼 장 다 본 막살이들의 헙헙한[21]

---

16 됩세 '도리어'의 방언.
17 계제 '사다리'라는 뜻으로, 일이 되어 가는 순서나 절차를 비유적으로 이르는 말.
18 작히나 '작히('얼마나'의 뜻으로 희망이나 추측을 나타내는 말)'를 강조하여 이르는 말.
19 역연하다 분명히 알 수 있도록 또렷하다.
20 따라지 보잘것없거나 하찮은 처지에 놓인 사람이나 물건을 속되게 이르는 말.
21 헙헙하다 활발하고 융통성이 있으며 대범하다.

허텅지거리[22]와 종작없는[23] 결말들까지도 나는 거의가 그를 통하여 얻어들었으며, 또 무슨 말이든지 일단은 힘 하나 안 들이고 주워대는[24] 그의 입을 거쳐야만 비로소 제대로 실감이 나고, 나중에 용도를 가름하는 데에도 수나로울[25] 수가 있었던 것이다.

유자는 그가 아니면 안 되는 그 걸쩍한[26] 입담뿐 아니라 그 자신의 모든 것이 바로 신선한 소재이기도 하였다. 한 예를 들면 중진 작가 천승세 씨의 장편 소설 《사계의 후조》도 곧 유자를 모델로 하여 이룩한 작품이었던 것이다.

내가 오래전에 쓴 〈그가 말했듯〉이란 졸작의 주인공도 유자가 모델이었다. 주인공이 일인칭인 이 소설을 본 사람들은, 읍내에 말쉬바위(곡마단)가 들어와서 악사들이 말에 원숭이를 태워 앞세우고 트럼펫 가락도 심란스럽게 가두선전에 나설 때마다 철딱서니 없이 단기(團旗)의 기수가 되어 우쭐거리는 주인공을 나의 과거사로 짐작하고 실소를 금치 못했다는 거였지만, 실은 유자가 그렇게 보낸 소년 시절이야말로 한쪽은 하릴없는 허드레 웃음거리였고, 한쪽은 고연히[27] 웃어넘길 수만도 없는 애틋한 대목이 안팎을 이루고 있었던 것이다.

유자는 6·25 난리 이듬해에 한내(대천)의 구장태로 이사 오면서 대남국민학교에 전학하였다. 그는 전학하고 며칠이 안 되어서부터 스스로 존재를 드러내었다. 아무 데서나 주워대는 그 입담이 밑천이었다. 다른 아이들이 밥 먹을 때 모이를 먹고, 다른 아이들이 죽 먹을 때 여물을 먹었는지, 나이답지 않게 올되고[28] 걸었던 그 입은, 상급생이나 선생님들 앞에서도 놓아먹인 아이처럼 조심성이며 어렴성이라곤 없이 넉살 좋게 능청을 떨어 대었던 것이다.

일테면 여선생님이 쉬는 시간이 교문 밖에 나가서 딴전을 보다가 늦게 들어

22 허텅지거리 상대편을 꼭 집어내어 바로 말하지 아니하고 하는 말을 낮잡아 이르는 말.
23 종작없다 말이나 태도가 똑똑하지 못하여 종잡을 수가 없다.
24 주워대다 생각이나 논리가 없이 제멋대로 이 말 저 말을 하다.
25 수나롭다 무엇을 하는 데에 어려움이 없이 순조롭다.
26 걸쩍하다 '걸쭉하다'의 방언. 말 따위가 매우 푸지고 외설스럽다.
27 고연히 본디부터 그러하게.
28 올되다 나이에 비하여 발육이 빠르거나 철이 빨리 들다.

온 그를 불러 세우고 왜 늦었느냐고 다잡으며 따끔하게 혼내 줄 기미를 보이면,

"1학년짜리 지집애[29]가 오재미[30]루 찜뿌[31]를 허다가 사리마다[32] 끈이 째서 끊어져 흘렀는디, 그냥 보구 말 수가 읎어서 그것 좀 나우 잇어 주다 보니께 이냥 늦었 번졌네유."

하고 '힘 하나 안 들이고' 넌덕스럽게 너스레를 떨며 둘러방치기[33]를 하는 것이다.

그럼 그대로 두었나?

그대로 두었다. 학교에서도 초저녁에 싸가지 없는 아이로 치부하여 매를 들고 성화 대거나, 어머니까지 오너라 가너라 하면서 닦달하느니보다, 숫제 배냇적부터 마치 우진마불경(牛嗔馬不耕)[34]의 원진살이라도 타고난 녀석인 양 내놓아 버리는 것으로써 차라리 속이나 편키를 도모한 셈이었으니, 마침내 교감 선생님의 이름은 몰라도 그의 이름을 모르면 대남학교 아이가 아닌 줄로 여기게끔 명물이 되기에 이르렀다.

명물은 되잖게 입만 되바라졌다고 해서 아무나 되는 것도 아니었다.

그는 보매보다 반죽이 무름하고 너울가지가 좋아 붙임성이 있었고, 싸움 난 집에서 누룽지를 얻어먹을 만큼이나 두름성[35]이 있었으며, 하다못해 엿장수를 상대로 엿치기를 해도 따먹은 엿 토막이 앞에 수북할 정도로 눈썰미와 손속이 뛰어난 터수였다. 나이가 한참이나 위인 중학생들과 예사로 너나들이[36]를 하고, 가는 데마다 시답지 않은 성님[37]과 대가리 굵은 아우가 수두룩했던 것이 다 그와 같은 사실을 증명하던 일이었다.

---

29 지집애 '계집애'의 방언.
30 오재미 '오자미(헝겊 주머니에 콩 따위를 넣고 봉하여서 공 모양으로 만든 것)'의 방언.
31 찜뿌 고무공을 가지고 야구 형식으로 하는 아이들의 놀이.
32 사리마다 '팬티'의 방언.
33 둘러방치다 무엇을 살짝 빼돌리고 그 자리에 다른 것을 대신 넣다.
34 우진마불경 궁합에서 소띠는 말띠를 꺼린다는 말이다.
35 두름성 일을 주선하거나 변통하는 솜씨. 주변성.
36 너나들이 서로 너니 나니 하고 부르며 허물없이 말을 건넴. 또는 그런 사이.
37 성님 '형님'의 방언.

그 천연덕스럽고 숫기 좋던 붙임성은 말쉬바위가 들어올 적마다 맡아 놓고 모갑이(우두머리)를 찾아가서 단기의 기수로 지원하는 데에도 단단히 한몫했을 것은 두말할 나위가 없다.

그는 깃광목이나 무색 인조견 바탕에 '뉴-서울 써커쓰[38]' 따위가 쓰인 깃대를 들고, 그 모양 나던 뒤듬발이[39] 걸음으로 가두선전반을 이끌었다. 바람이라도 있어서 기장 폭이 펄럭거리는 날은 깃대를 가누기는 고사하고 제 몸뚱이조차 고루 잡기에 힘이 부쳐 엎드러질지 곱드러질지 모르게 비칠거리면서 땀으로 미역을 감기 마련이었다. 그는 땀으로 미끈거리며 주책없이 자꾸 벗겨져 주천스럽던[40] 고무신은 일찌감치 벗어서 허리춤에 차기를 잊지 않았지만, 그러나 그러고 까불거리면서 장터를 휘젓는 풍신이 바로 한내 사람들의 좋은 구경거리가 됐던 사실을 알고 있을 까닭이 없었다.

그가 번번이 기를 쓰고 기수가 되고자 안달을 했던 것은, 겨우 무료 봉사에 한해서 무료입장을 보장했던 그 지지한 미끼에 눈이 가린 탓이었다.

하지만 그것도 초엽 여름에 잠깐이었다. 하루는 난리 때 노무자로 갔다 와서 육장 싸전머리에 노박이로 나앉아 지게벌이를 하던 이웃집 논규 아배가 보다 못해 한마디 나무랄 요량으로 핀잔을 하였다.

"이녀리 자슥아 밤나……. 너넌 뭣 땜이 말시바우만 들왔다 허면 그리구 혹해서 사죽[41]을 못 쓰구 댕긴다네?"

그는 서슴없이 대꾸하였다.

"그게 워디 그냥 싸카쓰간유. 사리마다만 입는 지집애덜이 사까다찌[42]를 해쌓는디, 기도 보는 이가 여간 사람이 아닝께 그거래두 해 주구서 봐야 션허지 워

---

38 써커쓰 '서커스'의 잘못.
39 뒤듬발이 '뒤뚱발이(걸음을 뒤뚱거리며 걷는 사람을 낮잡아 이르는 말)'의 방언.
40 주천스럽다 '주체스럽다(처리하기 어려울 만큼 짐스럽고 귀찮은 데가 있다)'의 방언.
41 사죽 '사족'의 잘못.
42 사까다찌 사까닥질. '곤두박질'의 잘못.

치기 그냥 만대유."

대남학교 4학년 때의 대답이었다.

그는 싸전 마당 한복판에 빙 둘러쳐 놓은 포장 어디에 혹 개구멍이라도 없나 하여 우물쭈물 쭈뼛거리면서 이리 기웃 저리 기웃 얼씬거리다가 막대기로 삿대질을 하며 지키는 단원에게 걸리적거리고 성가시다며 지청구를 얻어먹어 풀이 죽은 아이들 앞에서 여봐란듯이 무료입장을 하였다. 그리고 깔아 놓은 멍석 귀퉁이에 옹송그리고 앉아서 이따가 그 쥐 잡아먹은 것 같은 입술의 해반주그레한[43] 계집애가 나와서 재주 부리는 차례를 기다렸다. 그러나 공구경[44]도 속이 든든해야 보이는 것이 있는 법이었다. 여린 삭신에 저보다 서너 길이 넘는 깃대에 시달려 옷이 척척하도록 땀을 흘리며 읍내를 헤맨 터에, 점심 굶고 저녁 걸러 곤할 대로 곤하고 허기진 몸이, 기름독에 빠졌다 나온 사내가 버나(접시돌리기)를 한들 보이고, 쥐 잡아먹은 입술이 통 굴리기를 한들 보일 리가 없었다.

"인마, 어여 집이 가서 자빠져 자."

그는 매양 소스라치면서 눈을 떴다. 깨어 보면 막은 아까 아까 내린 뒤였고, 구경꾼이 두고 간 쓰레기와 썩음썩음한[45] 멍석에 쌓인 답쌔기[46]를 쓸던 단원이 대 빗자루로 등짝을 냅다 갈기는 바람에, 저도 모르게 앉은 채로 곯아떨어져 있다가 그렇게 실없이 혼이 났을 따름이었다.

야간 통행금지 시간이 다 되어 집집이 불을 끄고 찬바람만 휑하던 골목길은 만날 그 앞으로 지나다니는 가겟집들의 굴뚝 모퉁이마다 왜 그렇게도 껄쩍지근하고[47] 떨떠름하니 무서웠는지 몰랐다. 그렇지만 아무리 오금탱이[48]가 저리고 당겨도 뜀박질을 하지 않았다. 졸음이 쏟아져서 반도 넘게 놓친 것도 그

---

43 해반주그레하다 **겉모양이 해말쑥하고 반듯하다.**
44 공구경 **거저 하는 구경.**
45 썩음썩음하다 '거의 썩은 상태이다'라는 뜻의 방언.
46 답쌔기 **사물 따위가 한군데에 많이 모여 있는 것.**
47 껄쩍지근하다 '꺼림칙하다'의 방언. 마음에 걸려서 언짢고 싫은 느낌이 있다.
48 오금탱이 '오금팽이(오금이나, 오금처럼 오목하게 팬 곳을 낮잡아 이르는 말)'의 잘못.

리 억울하지가 않았다. 그는 오히려 캄캄한 오밤중임에도 별을 보고 점을 치는 페르샤[49] 왕자, 어쩌고 하며 그 무렵에 한창 유행하던 노래를 콧소리로 흥얼거렸다. 밤길에 노래를 하면서 가다 보면 무섬증이 훨씬 덜했으니까. 그리고 다음 날도 기수를 맡아서 보다가 못 본 것들을 마저 보게 되려니 하면 다시금 신이 나지 않을 수 없었으니까.

판문점에서 정전 회담이 오락가락하던 무렵에는 싸전 마당에 화면이 홑이불 만 한 '대한 뉴-스'나 '리버티 뉴-스'가 고작이던 한내에도, 난리가 시나브로 꺼끔해진[50] 뒤로는 가끔 가다 활동사진(극영화)도 들어오기 시작하였다. 되게 수리 목지른[51] 변사가 혼자서 열두 가지 소리를 내던 벙어리 영화(무성 영화)가 들어오고, 확성기가 끓탕이어서 차라리 벙어리 영화가 낫던 발성 영화(유성 영화)도 들어오고, 그런가 하면 어쩌다가 천연색 영화까지도 들어오는 것이었다. 말이 천연색이지 영화에서는 어리중천에 해가 쨍쨍한데 화면에서는 영화가 다 끝날 때까지 가랑비가 줄창 쏟아지고, 그러고도 모자라서 바야흐로 볼만한 대목에 이르렀다 싶으면 제멋대로 필름이 톡 하고 끊어졌다가, 앞에 앉은 영감이 독한 파랑새 담배 한 대를 거진 다 태운 뒤에야 아까 그 대목은 훌쩍 건너뛰고 생판 딴 장면이 튀어나오던 서부 활극이 그 주종이었다.

천연색 서부 활극에도 변사가 따랐다.

"아, 저 인디안[52]을 잡아라, 놓치면 영화 끝난다. 그러자 그때 저 인디안을 향하여 마상[53]에 높이 앉아 황야를 달려가는 한 사나이가 있었던 것이였었으니, 자 그는 과연 누구라는 사나이였었던 것이였었더냐, 그렇다. 그 사나이는 바로 우리의 톰이라는 사나이였었던 것이였었던 것이였었다……."

---

49 페르샤 페르시아.
50 꺼끔해지다 '뜸해지다'의 방언.
51 수리목지르다 '쉰 목소리로 소리를 지르다'라는 뜻의 방언.
52 인디안 '인디언'의 잘못.
53 마상 말의 등 위.

목통이 다 닳아 버린 목소리로 '것이였었던 것이였었다'를 즐기던 변사가 그렇게 따라다녔던 것은, 그때까지도 우리나라엔 화면에 자막을 넣는 기술이 없었기 때문이었을 터이었다. 일제 때 지은 농업 창고에서처럼 한동안 가마니때기를 깔고 볼 수밖에 없었던 면 공관[54]조차 아직 생기기 전이었으므로, 장터의 한 골목을 양쪽으로 막은 노천 가설극장에서, 그나마 어중간하여 비라도 오는 날이면 초장에 구경을 품 메는 편이 나을 성싶은데도 본전 생각에 못내 자리를 못 뜬 채, 보면서 젖고 가면서 얼고 해도 별로 흥이 아니었던 시절의 일이었다.

구경이라면 제백사하던[55] 취미에 하물며 활동사진이 들어올 때였겠는가. 유자는 영화가 들어올 때에도 남에 없는 부지런을 떨어서 이른바 샌드위치맨이 되기를 자원하고 나섰다. 앞뒤로 포스터를 붙인 널빤지 거지게[56]를 짊어지고, 일껏 다려 입힌 바짓가랑이가 양잿물에 삶아도 소용이 없도록 휘지르면서, 걸어다니는 광고판 노릇으로 골목골목을 쏘다니기에 숙제 한 번을 제대로 해 간 적이 없는 학생이었던 것이다. 역시 웃느라고 짜장면 한 그릇 먹어 보란 말이 없었던 생고생을 사서 하는 일이었으니, 무료 봉사에 무료입장의 원칙은 개똥 모자 비껴쓰고 사람을 돌려먹는[57] 흥행업자나, 중절모자 제껴 쓰고 기계를 돌려먹는 흥행업자나, 매양 그 사람이 그 사람이었던 모양이었다.

비록 걸어다니는 광고판 노릇이었을망정 무더운 여름철에는 엄벙덤벙하고 덤벙거리다가 더러는 남의 손에 빼앗기는 날도 없지가 않았다. 그가 점심시간이나 보건 시간(체육 시간)에 학교에서 빠져나와 아수꾸리(아이스케키) 통을 메고 돌아다니다가 쇠전 마당 근처에 전을 벌이고 떠드는 약장수 구경에 넋을 놓아 한참씩이나 충그리게[58] 된 결과가 그것이었다.

---

54 면 공관 면에서 공적으로 쓰는 공간.
55 제백사하다 한 가지 일에만 전력하기 위하여 다른 일은 다 제쳐 놓다.
56 거지게 길마 양편에 하나씩 덧대고 짐을 싣는 지게.
57 돌려먹다 다른 사람들을 속이다.
58 충그리다 '지체하다'의 방언.

그래도 영화는 빠뜨리지 않고 구경을 할 수가 있었다. 면 공관에 문지기나 들무새[59]로 있던 상이군인 아저씨의 연애편지 배달원으로 선발되어, 주막 강아지 부엌 드나들 듯이 꺼먹[60] 고무신이 닳창[61]이 되도록 들락거리고 다닌 보람이었다. 성냥 하면 천안 조일표, 고무신 하면 군산 만월표밖에 몰랐던 시절, 그러니까 지금은 우등퉁한 노파가 되어 십중팔구 하염없이 추억이나 되새기고 있을 조미령이 일쑤 새파란 과부로 분장하고 나와서, 밥만 먹고 잠만 자던 촌사람들의 무딘 가슴을 이리 집적 저리 집적하여, 육백[62]을 치면서 조인다고 조여도 국진[63] 열 끗이 목단 열 끗으로밖에만 안 보였던 어수룩하던 시절의 일이었다.

3

내가 유자를 처음 본 것은 중학교에 들어가고 한 달포[64]나 됐나 해서였다.

그날은 첫 시간이 수학 시간이었는데 수학 선생이 결근을 하는 바람에 옆 반하고 합반으로 수업을 하게 되어 있었다. 나는 국민학교에서도 내내 셈본[65]만큼은 50점을 넘어 본 적이 한 번도 없었으므로, 기하고 대수고 간에 수학 시간이라고 하면 으레 지옥도 그런 지옥이 없어 걱정이 태산이었다. 그러니 수학 선생의 결근은 선생의 사정 여하를 떠나서 무슨 경사를 만난 것이나 진배없이 반가워하였고, 그날은 단지 수학 시간을 까먹게 되었다는 사실 하나만으로도 온종일 흐뭇한 기분에 젖어서 지내는 것은 보통이었다.

그런데 그날은 무턱대고 그리 좋아만 하고 있을 형편이 아니었다. 옆 반의 시간표에 맞추어 합반으로 때워야 할 시간이 하필이면 실업 시간이었기 때문이었

---

59 들무새 남의 막일을 힘껏 도움.
60 꺼먹 '검정'의 방언.
61 닳창 '달창(닳거나 해진 밑창)'의 잘못.
62 육백 화투 놀이의 하나로, 얻은 점수가 600점이 될 때까지 겨룬다.
63 국진 국화가 그려져 있는 화투짝.
64 달포 한 달이 조금 넘는 기간.
65 셈본 셈하는 방식. 또는 그것을 적은 책.

다. 실업 선생은 싸낙배기[66]였다. 성질이 벼락인 데다가 툭하면 불러내서 덮어놓고 매질을 해 대는 것이었다.

"어금니 꽉 다물어, 안 그러면 이빨 안 남어나."

실업 선생은 불러낸 아이에게 그렇게 미리 겁을 준 다음, 두 주먹으로 두 볼을 번갈아 가면서 사정없이 처돌리는 것이 장기였다. 손도 여간 맵지가 않았다. 한 대만 맞아도 눈에 불티가 일면서 머리가 휘둘리어 어질어질하였다. 그래서 실업 시간만 되면 죄다 지레 얼겁[67]이 들어서 선생이 수업을 마치고 나갈 때까지는 교실에 실업 선생 외에는 아무도 없었던 것처럼 허망할 뿐 아니라 공기도 끄무러진[68] 날씨처럼 한없이 무거울 뿐이었다.

그날의 그 시간도 예외가 아니었다. 그러잖아도 한 반이 70여 명이나 되어 여유가 없는 교실에, 두 반이 뒤섞이어 둘씩 앉기에도 빠듯한 걸상에 넷씩이나 엉겨 붙으니 앞이고 옆이고 복잡하여 옴나위[69]를 할 수가 없을 지경이었다. 그래도 수업이 시작되자 먼지가 자욱하던 교실이 이내 집 장광[70]처럼 조용해졌다. 누군들 잠음 한마디라도 새어 나갈세라 감히 조심하지 않을 수 있을쏜가.

그런 와중에도 수업이 시작된 지 한 5분쯤 하여 드르륵 하는 문짝 소리도 요란하게 뒷문을 밀고 들어오는 지각생이 있었다. 재빨리 훔쳐보니 키는 중간 키요, 두툼하고 너부데데한 얼굴에 눈은 까닭 없이 작고, 키는 쓸데없이 크막한[71] 옆 반 아이, 지금 이야기하고 있는 그 유자였다.

너는 죽었다……. 나는 그렇게 줄을 치면서 나부터 숨을 죽이고 뻔한 순서를 기다렸다.

"실……. 저놈의 자식은 또 왜 지각이여?"

---

66 싸낙배기 성질이나 말투 따위가 매우 사나운 사람을 비난조로 이르는 말.
67 얼겁 겁에 질려 어리둥절한 상태.
68 끄무러지다 구름이 끼어 날이 점점 흐려지다.
69 옴나위 꼼짝할 만큼의 작은 움직임.
70 장광 '장독대'의 잘못.
71 크막하다 '큼지막하다'의 방언.

실업 선생은 성깔을 있는 대로 얼굴에 모으면서 뻿성[72] 있는 억양으로 물었다. 나는 나더러 물은 것이나 다름없이 숨이 막힐 지경인데 그 아이는 뜻밖에도 전혀 그렇지가 않은 것이었다.

"거시기, 저 교문 앞서 자즌거포집 가이[73]가 워떤 집 수캐허구 꿀붙었는디[74], 여적지 안 떨어져서 늦었슈."

"나불거리지 말구 들어가 앉어."

실업 선생은 불러내어 주먹을 쓰기는커녕 금이빨을 반짝이면서 웃기까지 하는 것이었다. 그가 호랑이 선생에게서도 간단히 면허를 따던 순간이었다.

저 선생님도 왕년에 누구한테 이빨이 안 남아나서 저렇게 금니를 한 것인가, 나는 얼핏 그런 엉뚱한 생각도 들었으나, 그 시간이 다 가도록 내 머릿속을 떠나지 않고 있었던 것은, 저런 천둥벌거숭이[75]가 어떻게 하여 3대 1이나 되었던 경쟁을 이기고 중학교에 들어올 수 있었을까 하는 의문이었다.

나는 그 뒤로도 선생의 출석부가 그의 머리통에 떨어지는 것을 심심치 않게 구경할 수가 있었다. 누구하고 다툰다거나 선생이 발끈하도록 일을 저질러서가 아니었다. 그는 운동 신경이 젬병[76]이어서 아이들과 툭탁거리는 일 따위는 애초에 엄두도 내지 못하던 둔발이었다. 그러므로 출석부가 그의 머리통에서 둔탁한 소리를 냈던 것은, 기껏해서 처녀 선생님을 '우리 아줌니[77]'라고 부른다거나, 교감 선생님을 '꼬깜(곶감)'으로 부르다가 들켰을 때뿐이었다.

호랑이 선생에게서까지 면허를 딴 터였으니 다른 선생님들의 이야기는 하나마나 한 일이다.

그는 정학 한 번 맞아 본 일이 없이 학교를 마쳤다.

---

72 뻿성 갑자기 발칵 일어나는 짜증.
73 가이 '강아지'의 방언.
74 꿀붙다 '교미하다'의 방언.
75 천둥벌거숭이 철없이 두려운 줄 모르고 함부로 덤벙거리거나 날뛰는 사람을 비유적으로 이르는 말.
76 젬병 형편없는 것을 속되게 이르는 말.
77 아줌니 '아주머니'의 방언.

나하고는 물론 가까운 사이가 아니었다. 서로가 시들하게 지낸 것이 오히려 당연한 일이었다. 첫째는 3년 동안에 단 한 번도 같은 반이 되어 본 일이 없었다. 게다가 나는 그 번잡하고 어수선한 아이와 한 반이 되지 않은 것을 늘 다행으로 여기고 있었고, 그는 또 그 나름으로, 지지리 못나 터져서 아무 존재도 없이 한갓 소설책 나부랭이나 들여다보는 것이 일이던 나를 처음부터 쳐주려고 하지 않았던 것이다.

존재라는 말이 나올 때마다 지금도 불현듯 생각나는 일이 있다. 2학년도 다 돼서였다. 하루는 무슨 일인가로 담임 선생의 호출을 받아 교무실에 갔더니, 입학하고부터 줄곧 생물과 미술을 담당하여 일주일에도 너더댓 시간씩이나 교실에 들어왔던 백 모 선생이 내 얼굴과 명찰을 번갈아 가며 쳐다보고 나서, 암만 봐도 처음 보는 아이란 듯이 이러고 묻는 것이었다.

"야, 너는 워느 반 애냐?"

"1반인디유."

"니가 왜 1반여?"

"기유."

"1반에 너 같은 애가 워딨어?"

"있슈."

"원제 전학 왔는디?"

"입학허구버터 여태 댕겼는디유."

"집이 워딘디?"

"대천유."

"그럼 대천국민학교 댕겼게?"

"그렇지유."

"그려? 그런디 왜 그렇게 통 존재가 읎어?"

이태 동안이나 두 과목을 가르친 선생도 못 알아보던 무존재였으니, 그 유명하던 아이가 나 같은 것쯤 안중에도 없었을 것은 열 번 당연한 일이었다.

나는 일제 고사니 기말고사니 하는 것에 한 번도 긴장해 본 적이 없었다. 그리고 시험 기간 직전까지 손에서 놓지 못하던 것이 소설책이었다. 어린것이 소설책을 읽으면 어려서부터 사람 되기 다 틀린 줄로 알고 눈 밖으로 보던 시절의 일이었다.

유자와 나는 중학교 입학으로 만나고 중학교 졸업으로 헤어졌다.

가는 길도 달랐다.

그는 한내에 주저앉아 직업을 생각하고 있었다. 숙부가 주관하여 지어 주는 농사가 있었으니 사는 것이 급해서가 아니었다. 대남학교 3학년 때 점심시간마다 몰래 나가서 아이스케키 통을 메었던 것으로도 알 수 있듯이, 그가 미처 뼈도 여물기 전에 학업보다 직업을 먼저 생각했던 것은 오직 유별난 장난기와 호기심, 그리고 하루도 진드근히 앉아 있지 못하는 왕성한 활동 의지의 작용이었다.

호기심의 첫 대상은 면 공관의 영사기였다. 곡마단의 기수와 걸어 다니는 광고판에서 한 걸음 나아간 것이었다.

그는 면 공관의 영사 기사처럼 부러운 것이 없어서 그 조수가 되기를 자원했다. 역시 무료 봉사였다. 그러나 영사기의 꿈은 끝끝내 이루어지지 않았다. 그때만 해도 영사기가 한번 고장 나면 근방에서는 고칠 데가 없어서 행여 함부로 만질세라 기계 근처에는 얼씬도 못 하게 하였으니, 얼마를 쫓아다녀도 영사기에 대한 요리를 익힐 기회는 도무지 가망성이 없었다. 한내 장날은 여전히 자동차보다 소달구지가 붐벼서 교통이 복잡하던 시절이라 전축은 그만두고 유성기조차 드물었고, 그리하여 명문당 옆댕이에 있는 기쁜소리사를 아무리 주살나게[78] 드나들어도 영사기 비슷한 것은 고사하고 일껏 고쳐 봤자 며칠이 안 돼서 도로

---

78 주살나다 드나드는 것이 매우 잦다.

바글대는 제니스 라디오 따위나 구경하고 말 뿐이었다.

그래도 한 가지 보아 둔 것은 있었다. 노천 가설극장에서나 쓰이던 확성기의 배선 요령이 그것이었다. 하지만 그것은 어디까지나 요령이었지 기술은 아니었다. 그러니 기술 축에도 못 드는 그까짓 것을 장차 무엇에 써먹는단 말인가.

그런데 그런 것만도 아니었다. 꼭 한 군데 필요한 경우가 있었다.

때는 어언간에 자유당이 말기 증상을 보이기 시작하던 때였다. 국회의원 선거가 다가오자 민주당에 대한 탄압이 벌건 대낮에도 버젓이 벌어졌다. 민주당 지구당 위원장 겸 후보의 개인 유세장마다 직업적인 선거꾼이 몰려다니며 확성기 줄부터 끊어 놓고 난장판을 벌였다.

유자는 그럴 때마다 확성기 줄을 손보아 주었다. 쇳덩이나 다름없이 무거운 확성기를 걸머메고 생쥐들도 미끄러워서 꺼려 하던 가가의 함석지붕을 아슬아슬하게 오르내리며 확성기를 설치하는 일도 그가 자청하고 나선 일이었다. 어린 소견에도 여당의 횡포에 반감이 일었던 것이며, 그에 대한 반사 작용으로 야당의 일손을 거들게 된 것이었다.

위원장은 그의 올바른 심성과 용기를 기특하게 여겨 동지로서 대하였다. 전례에 따라 무료 봉사에 무자격 입장이 이루어졌다. 천진난만한 정의감이 미성년 선거 운동원으로 이어진 것이었다.

위원장과 함께 지프를 타고 관내를 누비는 동안에 그 유별난 장난기와 호기심을 다시금 부추기기 시작했다. 선거 운동원들이 비계 한 점에 막걸리 한 사발로 요기를 하면, 그도 덩달아서 비계와 막걸리로 끼니를 에우게 되었다. 같은 또래의 아이들이 겨우 사춘기의 문턱에 이르렀을 무렵 그는 단계를 건너뛰어 성인들의 세계를 넘성거리게[79] 된 것이었다.

---

79 넘성거리다 자꾸 넘어다보다.

지프를 타고 다니다 보니 그의 호기심은 틉틉하고[80] 트릿한[81] 막걸리에만 머물지 않고 자동차 운전으로 옮겨 갔다. 운전은 기술에 속하는 것이었다.

운전수가 되기로 작정하니 이번에는 오던 기회가 달아났다. 선거는 끝나고 위원장은 낙선이었다. 기를 펴 볼 날이 갈수록 멀어지는 것이었다.

4

생기는 것 없이 야당붙이가 되고, 따라다니다 보니 발이 넓어지고, 그렇게 지내고 있으니 씀씀이만 커지고 하여, 날이 좋으면 좋아서 심란하고, 날이 궂으면 궂어서 심란하고 하던 그에게도 드디어 반짝 경기가 슬며시 다가오고 있었다. 반짝 경기의 내용은 4월 혁명의 여덕을 누리는 일이었고, 무료 봉사를 졸업하는 일이었고, 서울 생활을 수습하는 일이었다.

4월 혁명 직후의 총선에서는 위원장의 낙승이었다. 민주당 신파의 참모이자 장면 씨의 측근으로 3선 의원이 된 위원장은, 민주당의 신파가 정부를 맡게 되자 대번에 재무부 장관으로 입각하였다.

그도 위원장의 자택에 입주하였다. 정치 식객으로 주저앉은 것이 아니라 동거인이 된 거였다. 직책은 무엇이었든 오랫동안 움츠렸던 기를 펴 보기 위해서는 당장 있어야 할 것이 대외용 명함이었다. 쓸쓸했던 집의 자제들이 넉넉해지면서 조상들의 무덤치레부터 하여 행세하려 드는 심정으로 명함을 찍어 가지고 다녔다. 직함은 민 의원 의원비서관이었다. 명함은 숫기 좋고, 반죽 좋고, 붙임성 있고, 두름성 있는 외에, 입담과 장난기와 호기심을 겸비했던 그에게 두 발에는 발동기가 되고, 두 팔에는 팔랑개비가 되어 주기에 부족함이 없었다.

명함이 없을 때는 되는 일이 없더니, 명함을 쓰면서부터는 안 되는 일이 없었

---

80 틉틉하다 '텁텁하다(입안이 시원하거나 깨끗하지 못하다)'의 잘못.
81 트릿하다 먹은 음식이 잘 소화되지 아니하며 가슴이 거북하다.

다. 신분은 장관을 겸직한 의원의 자택 동거자에 지나지 않았으나, 활동의 주권은 그 자신에게 있고, 모든 권력은 그 명함으로부터 나왔다.

입대할 나이가 되었으나 생각이 없어서 미루적거렸더니 시나브로 병역 기피자가 되어 있었다. 그래서 제대증을 만들어서 넣고 다녔다. 정치 식객들과 어울리다 보니 대학 졸업장도 필요할 듯하였다. 그래서 대졸 학력을 만들었다. 서울 사대문 안에 있는 명문 대학의 졸업생으로 구색을 갖춘 것이었다.

그랬으나 만든 학력을 활용할 기회는 오지 않았다. 이듬해 5월의 군사 정변이 먼저 들이닥친 것이었다.

집주인이 부정 축재자로 몰려 잡혀갔다.

동거인도 끌려갔다. 그가 안내된 곳은 그 자리에 있는 것들만 쓰더라도 그 한 몸 뼈를 추리기에는 일도 아닐 듯한 방이었다.

수사관은 소지품을 뒤져내어 명함이 나오자 보기보다는 딴판이란 듯이 무슨 명색의 비서였느냐고 눈을 부라렸다.

"저는 가정 비서였는디유."

그가 엉겁결에 둘러댄 말이었다. 수사관은 듣다가 처음 듣는 직종이라 싶은지 구체적인 내용을 다그쳤다. 그는 기중 무난할 성부른 것으로만 주워대었다.

"보일라실도 드나들구, 시장두 왔다 갔다 허구, 마당에 빗자루질두 허구⋯⋯."

그는 털어 봤자 담배 부스러기밖에 나올 것이 없는 몸이기에 그 이상의 닦달을 면할 수가 있었다.

오막살이가 무너져도 아궁이하고 굴뚝은 남는 법인데, 재무부 장관 집이 한 물가 버리니 그에게는 장항선 기찻삯도 근근[82] 하였다.

한내로 돌아왔다.

길은 이제 한군데밖에 없었다.

---

82 근근 어렵사리 겨우.

군대 가는 길이었다.

군대에 가면 숟가락도 놓기 전에 꺼지는 배로 하여 허천들린[83] 듯이 껄떡대던 시대였지만, 그의 병영 생활은 훈련병 시절부터 배를 곯아 본 일이 없었다.

입이 벌어먹인 덕이었다.

논산 훈련소로 가는 길은 먼저 홍성읍에 집결하여 가다 서고 가다 서고 하는 완행열차로 천안까지 올라왔다가 대전으로 꺾어져서 호남선을 갈아타는 노정 탓에, 으레 낮차가 밤차 되고 밤차는 낮차가 되어야 비로소 자리를 털고 일어설 수가 있었다.

그가 홍성에서 자리를 잡은 옆자리에는 중씰한[84] 연배가 주제꼴이 꾀죄죄하면서도 생긴 것보다는 땀내가 한결 덜한 사내가 앉아 있었는데, 그이가 온양에서 내릴 때는 몰랐다가 차가 뜨고 난 뒤에야 허름한 보퉁이 하나를 두고 내린 것이 눈에 띄었다. 만져 보니 먹는 것이 아닌 것 같아 적이 실망스러웠으나, 무슨 책인지는 몰라도 책은 분명한 것이 그나마 다행이었다.

한창 따분하던 판에 돼도 잘됐다 싶어서 보자기를 끌러 보았다. 짐작했던 대로 책은 책인데 두 권이었고, 그것도 다른 책이 아니라 하나는 서울에 있을 때 길바닥에 흔히 널려 있던 당사주책[85]이요, 그보다 약간 얇은 것은 사주 책에 부속처럼 따라다니는 천세력(千歲歷)이었다.

당사주책을 떠들어 보니 국문 해득자[86]면 누구나 육갑을 짚을 수 있게 사주 풀이하는 방법부터 자세히 친절을 베풀고 있었다.

그는 무엇보다도 지루함을 잊어 보려고 사주 책을 붙들었다. 과연 기차가 천안에서 근 한 시간이나 충그리고, 조치원에서 해찰[87] 부리고, 대전에서 늘어지고

하는데도 지루한 줄을 몰랐다. 아니, 눈코 뜰 새 없이 바빴다. 여기저기서 너도 나도 하고 저마다 생년월일시를 주워섬기며 줄을 섰기 때문이었다. 천세력까지 곁들여 있으니 일진 월건 태세를 셈하느라고 왼 손가락에 자주 짚어 댈 필요도 없었다.

일이 엉뚱한 방향으로 번나가기 시작하니 입인들 점잔을 빼고 있을 까닭이 없었다. 물어보는 사람마다 늙고 젊고 없이 말머리는 존댓말로 꺼냈어도 말꼬리는 일부러 반말지거리로 흘렸다. 엉터리가 아니란 것을 강조하는 방법은 그 수밖에 없었으니까.

꿈보다 해몽이라고 했듯이, 수(數)를 보는 술객(術客)[88]은 괘사(卦辭)[89]보다 술수(術數)였고, 술수보다는 말수가 많고 걸쩍해야 물어본 사람도 듣기가 괜찮은 법이었으니, 그는 기차간에서부터 그 수를 일찌감치 터득한 셈이었다. 게다가 '가정 비서'를 하면서 정치 식객들과 노닥거리는 동안에 들은 것이라곤 거의 허랑하고 부황한 소리들뿐이어서, 그것을 이리 갖다 붙이고 저리 갖다 붙이고 하니 금상첨화일밖에.

"이번에 뭐 보는 사람도 하나 들어왔다며?"

훈련소에 입소하자마자 들리는 소리가 그 소리였다. 소문이 한 발짝 앞서서 입소를 한 거였다. 그에게는 신수 대통을 뜻하는 희소식이었다. 다른 입소자들은 이리 채이고 저리 채이며 얼먹어서[90] 갈팡질팡 난리였으나, 그는 득의만면하여 느직하게 뒷짐을 지고 있었다.

그는 그날부터 훈련에 정신없는 신병으로서 바쁜 것이 아니라, 팔자에 없는 동양 철학자로 인정받아 높은 사람들 앞에서 동양 철학을 강의하기에 바빴다. 군사 정변이 일어나고 얼마 아니 된 때여서 장교들은 말할 나위 없고, 장교가 될

---

88 술객 음양, 복서, 점술에 정통한 사람.
89 괘사 점괘를 쉽게 풀어서 써 놓은 글.
90 얼먹다 '언걸먹다'의 준말. 다른 사람 때문에 해를 당하여 골탕을 먹다. 또는 큰 고생을 하다.

가망성이 없는 직업 군인들까지도 심리적인 불안감에 안절부절을 못하던 상황이었음은, 그들이 물어보는 부분만 가지고도 쉽게 미루어 볼 수가 있었다.

중학교에서 단짝까지는 안 갔어도 곧잘 어울려 놀았던 친구 중에 최 모가 있었다. 최는 대학에 진학하였으나 제때에 입영을 했던 관계로 그 무렵에는 이미 훈련소의 조교가 되어 있었다.

최는 제대하여 일변 복학을 하면 그만이었으니 따로 물어볼 것이 없었으나, 소문이 하도 요란하여 에멜무지로[91] 구경이나 한번 해 보자 하는 생각에서 남의 뒤를 따라나서게 되었다.

가서 보니 유자였다. 최는 깜짝 놀랐다. 최는 친구가 신병 생활을 수월히 하는 것이 반가운 한편으로, 결국 언젠가는 들통이 나도 나게 될 것을 생각하면 불안해서 못 볼 지경이었다. 또 그게 아닌 친구가 겁 없이 벌이는 사기 행각을 모르쇠 하고만 있는다는 것도 친구 된 도리가 아니었다. 그렇다고 친구의 본색을 사실대로 밝힐 수도 없었다. 그러기에는 때가 늦은 것이었다.

최는 고심 끝에 한 가지 방도가 있다는 것을 알았다. 자기가 훈련병들의 조교에 머물지 않고 친구의 조수도 겸하는 방법이었다.

그로부터 유자는 높은 사람이 찾을 때마다 조수에게 먼저 달려가서 예비지식을 단단히 쌓은 연후에야 술수에 임하게 되었다.

누구는 부인이 하던 얼마짜리 계가 언제 깨졌고, 누구는 난봉이 나서 논산 읍내에 작은집을 차렸고, 누구는 뒷배를 보아주던 별이 반혁명 세력으로 몰려 군법 재판에 넘어갔고……. 최는 아는 것은 아는 대로, 모르는 것은 다른 조교들에게 알아 들이고 하여, 밑천이 달리지 않게끔 조수 노릇 한번 착실히 하지 않을 수가 없었다.

유자는 조수에게 얻은 정보를 바탕으로 힘 하나 안 들이고 강의를 계속할 수

---

91 에멜무지로 결과를 바라지 아니하고, 헛일하는 셈치고 시험 삼아 하는 모양으로.

가 있었다. 뇌물을 밝힌다는 사람에겐 구설수를 예고하였고, 집안에 우환이 있는 사람에겐 따뜻한 위로를 하였고, 두 집 살림에 시달리거나 좋아지내는 여자로 하여 속을 끓이는 사람에겐 여난을 경고하였다.

"역시 용한데, 쪽집게 같어……."

물어보는 사람마다 백발백중이니 혀를 내두를 수밖에 없었다.

그러나 그의 별명은 족집게가 아니라 도사였다. 유 도사였다.

입소 동기생들의 땡볕에서 낮은 포복이다 높은 포복이다 하고 군살을 빼는 동안, 그는 도사답게 가만히 서 있기만 해도 군살이 찔 것 같은 그늘에 앉아서 졸(卒)을 함부로 죽여 가며 초한전(楚漢戰)으로 실전 훈련을 쌓았고, 궁이 면줄에 몰릴 지경으로 다 된 판을 붙들고 늘어져 빗장을 부르는 흘떼기장기[92]와 보리바둑[93] 주제에 반집짜리 끝내기 패로 시간을 끌면서, 남들이 다들 어려워했던 신병 시절을 유감없이 마쳤다. 병과는 그쪽이 편할 듯해서 헌병을 택하고, 기회가 없어서 못 배웠던 자동차 운전도 도사 시절에 익혔다.

도사라는 애칭은 평생을 두고 따라다녔다. 직업의식이 철저하여 맺고 끊고 맛이 분명한 데다, 기술이건 지식이건 그것이 직업과 관련이 있는 것은 완벽에 가깝도록 익히고 펼치고 했던 특유의 장인 기질에 따른 것이었다.

자동차 운전만 해도 그러하였다. 운전 기술은 '군대 운전'에서 비롯된 것이었으나 그는 그것으로써 평생을 경영하였다.

그는 제대 후에 한내에서 한동안 택시를 몰았으나, 한내도 보령도 그가 기량을 펴기에는 바닥이 너무 좁았다.

그는 서울로 옮겼다. 다시 운전대를 잡았다. 그때나 지금이나 국내의 10대 재벌 그룹에 드는 재벌 그룹 총수의 승용차 운전대였다. 그룹의 총수도 본래는 차량 운전으로 시작하여 운수업체를 일으켰고, 운수업체를 주력 기업으로 하여

---

92 흘떼기장기 뻔히 질 것을 알면서도 안 지려고 떼를 써 가며 끈질기게 두는 장기.
93 보리바둑 법식도 없이 아무렇게나 두는 서투른 바둑을 낮잡아 이르는 말.

그룹을 이룩한 인물이었다. 따라서 웬만한 운전 기술로는 그 앞에서 땅띔도 할 수 없는[94] 처지였다. 총수는 그러나 유자의 운전 기술 내지 장인 기질 앞에서는 아무 말이 없었다.

5

1970년, 내가 지금의 세종문화회관 자리에 있던 예총회관의 문인협회 사무실에서 협회 기관지 〈월간문학〉을 편집하고 있을 어름[95]이었다.

어느 날 난데없이 유자가 불쑥 찾아왔다. 10년도 넘어 된 해후였다. 이산(怡山)의 시처럼 '어디서 무엇이 되어 다시 만나랴.' 했더니, 그는 재벌 그룹 총수의 승용차 운전수가 되고, 나는 글이라고 끄적거려 봤자 누구 하나 알아주는 이가 없는 무명작가가 되어서 다시 만나게 된 것이었다.

그가 잡지를 보다가 우연히 나를 알아보고, 그 잡지사에 전화로 내 소재를 찾는 번거로운 절차를 무릅쓰고 찾아온 데에는 그 나름의 속셈이 한 가지 있었기 때문이었다. 지금은 대학교수의 부인이 된 자기 누이동생을 내게 중매해 봤으면 하고 찾아본 것이었다. 아니, 결혼을 하면 처자를 굶길 놈인지 먹일 놈인지 우선 그것부터 슬쩍 엿보려고 온 것이었다. 그는 해가 바뀌어 그 누이동생을 여의고 난 뒤에야 비로소 그 말을 내게 하였다. 그는 처음 만났던 날 저녁에 내가 말술을 마시고도 양에 안 차 하는 데에 질려서 대번에 가위표를 쳐 버리고 말았다는 것이었다.

한번은 다 본 책이 있으면 달라고 하여 번역판《사기(史記)》를 한 질 주었더니, 그 후부터는 올 때마다 책 탐을 드러내는 것이었다. 잡지사 편집실에서 사시장

---

94 땅띔도 할 수 없다 '땅띔도 못 하다'라는 관용구로, 감히 생각할 엄두도 내지 못한다는 뜻.
95 어름 시간이나 장소나 사건 따위의 일정한 테두리 안. 또는 그 가까이.

철[96] 기증본으로 들어오는 책만 해도 이루 주체를 못하도록 더미로 답쌓이기[97] 마련이었다. 그는 오는 족족 자기 욕심껏 그 책 더미를 헐어 갔다. 장근 17년 동안 밥상머리에서도 책을 놓지 않았던 그의 열정적인 독서 생활이야말로 실은 그렇게 출발한 것이었다.

또 책 때문에 오는 것만도 아니었다. 직장에서 답답한 일이 있으면 터놓고 하소연할 만한 상대로서 나를 택했던 것도 비일비재의 경우에 속하였다.

하루는 어디로 어디로 해서 어디로 좀 와 보라고 하기에 물어물어 찾아갔더니, 귀꿈맞게도[98] 붕어니 메기니 하고 민물고기로만 술상을 보는 후미진 대폿집이었다.

나는 한내를 떠난 이래 처음 대하는 민물고기 요리여서 새삼스럽게도 해감내[99]가 역하고 싫었으나, 그는 흙탕 내도 아니고 시궁 내도 아닌 그 해감내가 문득 그리워져서 부득이 그 집으로 불러냈다는 것이었다.

"허울 좋은 하눌타리지, 수챗구녕[100] 내가 나서 워디 먹겠나, 이까짓 냄새가 뭣이 그리워서 이걸 다 돈 주고 사 먹어, 나 원 참, 취미두 별옴둑가지[101] 같은 취미가 다 있구먼."

내가 사뭇 마뜩잖아 했더니,

"그래두 좀 구적구적[102]헌 디서 사는 고기가 하꾸라이[103]버덤은 맛이 낫어."

하면서 그날사 말고 수그러들 기미를 보이지 않는 것이었다. 그는 자기주장에 완강할 때는 반드시 경험론적인 설득 논리로써 무장이 되어 있는 경우였다.

"무슨 얘기가 있는 모양이구먼."

---

96 사시장철 사철 중 어느 때나 늘.
97 답쌓이다 한군데로 들이덮쳐서 쌓이다. 또는 사람이나 사물 따위가 한꺼번에 몰리다.
98 귀꿈맞다 전혀 어울리지 아니하고 촌스럽다.
99 해감내 바닷물 따위에서 흙과 유기물이 썩어서 생긴 찌꺼기의 냄새.
100 수챗구녕 '수챗구멍'의 방언.
101 별옴둑가지 별옴둑가지소리. 별의별 괴상한 소리.
102 구적구적 '구질구질'의 방언.
103 하꾸라이 '외래'를 뜻하는 일본어 하쿠라이(はくらい)를 이름.

"있다면 있구 읎다면 읎는디, 들어 볼라남?"

그는 이야기를 펼쳐 놓았다.

총수의 자택에 연못이 생긴 것은 그 며칠 전의 일이었다. 뜰 안에다 벽이고 바닥이고 시멘트를 들이부어 만들었으니 연못이라기보다는 수족관이라고 하는 편이 알맞은 시설이었다. 시멘트가 굳어지자 물을 채우고 울긋불긋한 비단잉어들을 풀어놓았다.

비단잉어들은 화려하고 귀티 나는 맵시로 보는 사람마다 탄성을 자아내게 하였으나, 그는 처음부터 흘기눈[104]을 떴다. 비행기를 타고 온 수입 고기라서가 아니었다. 그 회사 직원의 몇 사람 치 월급을 합쳐도 못 미치는 상식 밖의 몸값 때문이었다.

"대관절 월매짜리 고기간디 그려?"

내가 물어보았다.

"마리당 80만 원씩 주구 가져왔댜."

그 회사 직원들의 봉급 수준을 모르기에 내 월급으로 계산을 해 보니, 자그마치 3년 4개월 동안이나 봉투째로 쌓아야 겨우 한 마리 만져 볼까 말까 한 값이었다.

"웬 늠으 잉어가 사람버덤 비싸다나?"

내가 기가 막혀 두런거렸더니

"보통 것은 아닐러먼그려. 뱉어낸메네또(베토벤)라나 뭐라나를 틀어 주면 그 가락대루 따러서 허구, 차에코풀구싶어(차이콥스키)라나 뭐라나를 틀어 주면 또 그 가락대루 따러서 허구, 좌우간 곡을 틀어 주는 대루 못 추는 춤이 읎는 순전 딴따라 고기닝께, 물고기두 꼬랑지 흔들어서 먹구사는 물고기가 있다는 건 이번에 그 집에서 츰 봤구먼."

---

104 흘기눈 '흑보기'의 잘못. 언제나 흘겨보는 사람.

그런데 이 비단잉어들이 어제 새벽에 떼죽음을 한 거였다. 자고 일어나 보니 죄다 허옇게 뒤집어진 채로 떠 있는 것이었다.

총수가 실내화를 꿴 발로 뛰어나왔지만 아무 소용 없는 일이었다.

"어떻게 된 거야?"

한동안 넋 나간 듯이 서 있던 총수가 하고많은 사람 중에 하필이면 유자를 겨냥하며 물은 말이었다.

"글쎄유, 아마 밤새에 고뿔이 들었던개비네유."

유자는 부러 딴청을 하였다.

"뭐야? 물고기가 물에서 감기 들어 죽는 물고기두 봤어?"

총수는 그가 마치 혐의자나 되는 것처럼 화풀이를 하러 드는 것이었다.

그는 비위가 상해서

"그야 팔자가 사나서 이런 후진국에 시집와 살라니께 여라 가지루다 객고[105]가 쌓여서 조시[106]두 안 좋았을 테구……. 그런 디다가 부룻쓰[107]구 지루박[108]이구 가락을 트는 대루 디립다[109] 춰 댔으니께 과로해서 몸살끼두 다소 있었을 테구……. 본래 받들어서 키우는 새끼덜일수록이 다다 탈이 많은 법이니께……."

그는 시멘트의 독성을 충분히 우려내지 않고 고기를 넣은 것이 탈이었으려니 하면서 부러 배참으로 의뭉을 떨었다.

"하는 말마다 저 말 같잖은 소리……. 시끄러 이 사람아."

총수는 말 가운데 어디가 어떻게 듣기 싫었는지 자기 성질을 못 이기며 돌아섰다.

그는 총수가 그랬다고 속상해할 만큼 속이 옹색한 편이 아니었다.

---

105 객고 객지에서 고생을 겪음.
106 조시 조정과 시정을 아울러 이르는 말.
107 부룻쓰 규범 표기는 '블루스'이다.
108 지루박 규범 표기는 '지르박'이다.
109 디립다 '들입다'의 방언.

그렇지만 오늘 아침에 들은 말만은 쉽사리 삭일 수가 없었다.

총수는 오늘도 연못이 텅 빈 것이 못내 아쉬운지 식전마다 하던 정원 산책도 그만두고 연못가로만 맴돌더니

"유 기사, 어제 그 고기들은 다 어떡했나?"

또 그를 지명하며 묻는 것이었다.

그는 아무렇지 않게 대답했다.

"한 마리가 황소 너댓 마리 값이나 나간다는디, 아까워서 그냥 내뻔지기두[110] 거시기허구, 비싼 고기는 맛두 괜찮겄다 싶기두 허구…… 게 비눌을 대강 긁어서 된장끼 좀 허구, 꼬치장[111]두 좀 풀구, 마늘두 서너 통 다져 놓구, 멀국[112]두 좀 있게 지져서 한 고뿌[113]덜씩 했지유."

"뭣이 어쩌구 어째?"

"왜유?"

"왜애유? 이런 잔인무도한 것들 같으니……."

총수는 분기탱천하여 부쩌지[114]를 못하였다. 보아하니 아는 문자는 다 동원하여 호통을 쳤으면 하나 혈압을 생각하여 참는 눈치였다.

"달리 처리헐 방법두 옰잖은감유."

총수의 성깔을 덧드리려고[115] 한 말이 아니었다. 그가 할 수 있는 것이 그 방법 말고는 없었기 때문에 그렇게 뒷동[116]을 달은 거였다.

총수는 우악스럽고 무식하기 짝이 없는 아랫것들하고 다따부따해[117] 봤자 공연히 위신이나 흠이 가고 득 될 것이 없다고 판단했는지, 숨결이 웬만큼 고루

---

110 내뻔지다 '내버리다'의 방언.
111 꼬치장 '고추장'의 방언.
112 멀국 '국물'의 잘못.
113 고뿌 '컵'의 잘못.
114 부쩌지 '안절부절'의 방언.
115 덧드리다 '덧들이다(남을 건드려서 언짢게 하다)'의 잘못.
116 뒷동 일의 뒷부분. 또는 뒤 토막.
117 다따부따하다 '따따부따하다(딱딱한 말씨로 따지고 다투다)'의 잘못.

잡힌 어조로

"그 불쌍한 것들을 저쪽 잔디밭에다 고이 묻어 주지 않고, 그래 그걸 술안주해서 처먹어 버려? 에이……. 에이……. 피두 눈물두 없는 독종들……."

하고 혼잣말처럼 중얼거리면서 들어가 버리는 것이었다.

"그리, 지져 먹어 보니 맛이 워떻타?"

내가 물은 말이었다.

"워떻기는 뭐가 워뗘……. 살이라구 허벅허벅헌 것이, 똑 반반헌 화류곗년 별맛 읐는 거나 비젓허더먼그려[118]."

하고 그는 다시 말을 이었다.

"내가 독종이면 저는 말종인디……. 좌우지간 맛대가리 읐는 서양 물고기 한 사발에 국산 욕을 두 사발이나 먹구 났더니, 지금지금허구[119] 해감내가 나더래두 이런 붕어 지지미[120] 생각이 절루 나길래 예까장 나오라구 했던겨."

총수는 그 뒤로 그를 비롯하여 비단잉어를 나눠 먹었음 직한 대문 경비원이며, 보일러실 화부[121]며, 자녀들 등하교용 승용차 운전수며, 자택에서 근무하는 종업원들에게는 조석으로 눈을 흘기면서도, 비단잉어 회식 사건을 빌미로 인사이동을 단행할 의향까지는 없는 것 같았다.

그는 하루바삐 총수의 승용차 운전석을 떠나고 싶었다. 남들은 그룹 소속 운전수들의 정상(頂上)이나 다름없는 그 자리에 서로 못 앉아서 턱주가리가 떨어지게 올려다보고들 있었지만, 그는 총수가 틀거지[122]만 그럴듯한 보잘것없는 위선자로 비치기 시작하자, 그동안 그런 줄도 모르고 주야로 모셔 온 나날들이 그렇게 욕스러울 수가 없었고, 그런 위선자에게 이렇듯 매인 몸으로 살 수밖에 없

---

118 비젓하다 '비슷하다'의 방언.
119 지금지금하다 음식에 섞인 잔모래나 흙 따위가 거볍게 자꾸 씹히다.
120 지지미 '지짐이'의 잘못.
121 화부 난로 따위에 불을 때거나 조절하는 일을 맡은 사람.
122 틀거지 듬직하고 위엄이 있는 겉모양.

는 구차스러운 삶이 칙살맞고 가련하지 않을 수가 없었다.

그래서 총수가 더 붙들어 두고 싶어도 불쾌하고 괘씸해서 갈아 치울 수밖에 없는 어떤 사단이나 한바탕 퉁그러지기만을[123] 이제나저제나 하고 기다리고 있었다.

그 사달은 생각보다 이르게, 그리고 싱겁게 다가왔다.

그는 그 비단잉어 회식 사건이 있고 두어 달 만에 나타났는데, 그날이 바로 그가 그동안 벼르고 별러 온 그 그룹 소속 운전수들의 정상으로부터 하야를 한 날이었다.

사건의 전말은 다음과 같았다.

총수는 본디 각근하고[124] 신실한 불교 신자였다. 총수의 원당(願堂)만 해도 어디라고 하면 아이들도 이내 짐작할 수 있는 국립 공원 안의 명찰이거니와, 언필칭[125] 민족 문화유산 운운하지만 실은 총수의 사찰(私刹)이라고 해도 과언이 아닐 지경이었다. 오랫동안 물심양면으로 해 온 것이 있었기에 그리된 것이라고 보면, 총수의 신심이 어떠한가를 능히 헤아릴 수 있는 일이었다.

총수는 자택에도 불당을 두고 있었다. 자택의 불당은 저만치 떨어진 후원에 있었다. 정원이 웬만한 국민학교의 운동장보다도 너른 데다 잘 가꾼 정원수가 가득하여 살림집인 본채에서는 잘 보이지도 않은 외진 곳이기도 하였다.

불당은 여느 암자들처럼 불단에 황금색의 등신불을 모시고 있었으나, 불상 주변에는 정화수를 올리는 불기와 향완이 하나씩, 그리고 양쪽에 풍물의 한 가지인 날라리[126]를 거꾸로 세운 듯한 촛대뿐으로, 재벌가의 불당치고는 썩 정갈하고 속박한 편이라고 할 만하였다.

그런 반면에 총수는 불상이나 불단에 먼지 하나라도 앉으면 큰일 나는 줄 알

---

123 퉁그러지다 '붉거지다(어떤 사물이나 현상이 두드러지게 커지거나 갑자기 생겨나다)'의 방언.
124 각근하다 매우 극진하다.
125 언필칭(言必稱) 말을 할 때마다 이르기를.
126 날라리 '태평소'를 달리 이르는 말.

고 청소 한 가지는 하루도 거르는 날이 없도록 엄히 다루고 있었다.

이 불당의 청소를 맡고 있던 것이 유자였다. 총수를 출근시키기 전에는 손이 놀고 있기도 했지만, 그보다도 총수를 모시고 국립 공원에 있는 원당을 자주 왕래하여, 절에서 하는 불교 의식이나 풍속에 대해서도 누구보다 익숙했던 것이 청소를 맡게 된 이유였다.

총수는 어슴새벽[127]에 일어나면서 일변 불당에 참배를 하는 것이 일과의 시작이었다.

유자는 총수가 참배 오기 전에 사닥다리를 오르내리며 불두에서 결과부좌[128]까지 융으로 만든 마른행주로 불상의 먼지를 거두었고, 불단을 훔치고 촛불을 써 놓은 다음 전날 제주도에서 공수해 온 약수로 정화수를 갈아 올리는 것이 일과의 시작이었다.

그날도 그렇게 하고 있었다.

불상의 먼지를 찍어 내려오던 그의 손이 항마촉지(降魔觸地)[129]한 손등에 이르렀는데, 파리똥인지 뭔지 마른행주로는 냉큼 지워지지 않는 것이 있었다.

행주에 물을 축여 오려면 넓은 정원을 가로질러 본채까지 다녀와야 할 텐데, 그렇게 지체하다가는 십중팔구 총수가 나타나기 전에 청소를 마치지 못하기가 쉬웠다. 불단의 정화수를 쓸 수도 없었다. 묵은 정화수는 총수 부인이 손수 식구대로 컵에 나누어 온 가족이 음복하듯이 마시게 하고 있어서 조금이라도 축낼 수가 없는 것이었다.

그가 자기도 모르게 차량을 다루던 버릇으로 툽 하고 마른행주에 침을 뱉아서 막 파리똥을 지우려는 순간이었다.

"야야, 저런 천하에 몹쓸……."

---

127 어슴새벽 조금 어둑하고 희미한 새벽.
128 결과부좌 '결가부좌'의 잘못. 여기서는 '결가부좌상'을 말함.
129 항마촉지 악마를 항복하게 하기 위하여 왼손은 무릎 위에 두고 오른손은 내리어 땅을 가리킴.

돌아다볼 것도 없이 총수의 호통이었다. 총수가 소리 없이 나타나서 청소하는 것을 지켜보고 있었던 것이다.

총수의 호령이 이어지고 있었다.

"너, 너…… 너 오늘부터 내 집에서 당장 나가."

총수가 큰 절마다 정문의 문간에 좌우로 험악하게 서 있는 금강역사(金剛力士)의 눈을 해 가지고 명령하면서도 '내 회사'가 아니라 '내 집'에서 나가라고 한 것은, 거듭 생각해 보아도 대자대비[130]하신 부처님의 굽어살피심이라고 아니할 수가 없었다.

6

그는 여지없이 그날로 좌천되었다. 좌천지는 그룹에 속한 모든 차량의 교통사고를 처리하는 부서였고, 관할 구역은 특별시 전역이었다.

이른바 노선 상무(路線常務)가 된 것이었다.

노선 상무는 또 노상(路上) 상무였다. 다른 것은 몰라도 풍찬노숙[131] 한 가지는 제도적으로 보장이 된 자리였다.

남들은 관례로 보아서 그도 당연히 사표를 던지려니 하고 있었다. 업무의 내용이며, 업무의 난이도(難易度)며, 조직에서의 위상이며가 비교도 할 수 없는 거리로 벌어진 것이 사실이기 때문이었다.

그는 사표를 내지 않았다.

그는 아무 말 없이 새로운 업무를 캐고 익히고 있었다.

그가 그러고 있으니 남들은 창자도 없는 인간으로 여기는 눈치였다. 그를 쳐다보는 연민 어린 눈길이 그것이었다.

---

130 대자대비 넓고 커서 끝이 없는 부처와 보살의 자비.
131 풍찬노숙(風餐露宿) 바람을 먹고 이슬에 잠잔다는 뜻으로, 객지에서 많은 고생을 겪음을 이르는 말.

그는 비록 총수의 측근에서 그야말로 하루 식전에 원악도(遠惡島)[132]와 다름없는 말단 부서의 현장 실무자로 유배된 셈이었지만, 공사석을 막론하고 한마디의 불평도 입에 올리지 않았다. 적어도 위선자의 몸을 모시고 다니는 것보다는 떳떳하며, 아울러서 속도 그만큼 편할 터이라고 자위하고 있었다.

새로 맡은 자리가 험악한 자리임을 설명하기에는 실로 긴 말이 필요치 않았다.

노선 상무에게는 차량의 운행 노선이 여러 갈래인 만큼이나 거래처가 많았다. 대강만 꼽아 보더라도 우선 사고 현장에 뛰어온 교통순경을 첫 거래처로 하여, 경찰서와 검찰청과 법원이 있고, 변호사가 있었다. 노선을 달리하여 병원의 응급실이 있고, 입원실이 있고, 원무실이 있고, 또한 보험 회사가 있었다. 그리고 또 다른 노선에는 병원의 영안실과 장의사와 공원묘지와 화장터가 있었다. 그러나 어떤 기관보다도 상대하기가 까다로운 것은 피해자 측에서 선임한 변호사가 아니라 피해자 당사자 내지는 그 유가족들이었다.

노선 상무의 업무는 사고 차량이 속한 단위 회사 사장 및 그룹의 총수를 대리하여, 교통사고로 빚어진 모든 복잡하고 사나운 일에 사무적으로, 법률적으로, 경제적으로, 사회적으로, 나아가서 인간적으로 임하는 일이요, 헌신적으로 뒤치다꺼리를 하는 일이요, 후유증이 일지 않도록 깔끔하게 마무리를 하는 일이었다.

그러나 그 '모든 복잡하고 사나운 일'의 처리는 앞에 말한 여러 갈래 노선의 거래처를 상식적으로, 논리적으로, 과학적으로, 법률적으로, 경제적으로, 현실적으로, 인간적으로 일단은 이기는 것을 기본으로 하지 않으면 안 되는 것이었다.

그는 그러나 그 모든 거래처와 그렇게 겨루어서 이기더라도 이긴 것 자체에만 뜻이 있어 하고 만족할 위인이 아니었다. 그 스스로가 그것을 용납하지 않았

---

132 원악도 서울에서 멀리 떨어져 있고 살기가 어려운 섬.

다. 이기되 양심적으로 이겨야 하고 정서적으로도 이겨야만 하였다.

그가 인간적으로, 양심적으로, 정서적으로 이기는 일은 그리 어려운 일이 아니었다. 사필귀정[133]의 원칙과 진실에 대한 신뢰에 흔들림이 없는 이상은 어려운 일이 아니었다.

그는 자신의 양심과 정서를 바탕으로 하고 거래처의 인성(人性)을 짝으로 삼아 주어진 소임을 다하고자 노력하였다. 그는 가해자(총수 혹은 그룹의 동료 운전수)에게나 피해자에게나 부정한 승리, 부당한 패배가 있을 수 없도록 하는 일이 자신의 진정한 역할이라고 스스로 다짐하기를 변함없이 하고 있었다.

그러나 소신을 관철하기 위해서는 남다른 수고와 오해를 감수하지 않으면 아니 되었다.

사고 현장에 나가서 원인 유발의 동기와 환경을 과학적으로 증명하기 위해서는 정직한 실험과 논리의 개발에 부지런하지 않으면 아니 되었다. 그런 까닭에 법의학에 대하여, 인체 생리학에 대하여, 정신 신경과에 대하여, 심리학에 대하여, 보험법에 대하여, 도로 교통법에 대하여, 도로 관리법이니, 교통 관리법이니, 무슨 시행령이니, 무슨 지침이니 조례니 하는 것들에 대하여, 무엇 한 가지도 설익거나 어설프거나 소홀히 해서는 아니 되었다.

그는 남다른 노력으로 그것을 극복하였다. 아니 통달하였다. 도사였다.

그는 소설에 도움이 되도록 하고자 이 만년 수리 문맹(數理文盲)인 나에게 회프만식 계산법[134]을 비롯하여 보험금 계산법에 이르기까지 자신의 실무 경험과 선례, 판례, 사례를 들어 가며 사건별로 누누이 강의를 되풀이하였으나, 일개 백면서생[135]에 불과한 나에게는 이렇다 할 도움이 된 적이 별로 없었다.

나는 그가 줄줄 외워 대는 법령이나 조문 해석이 하도 복잡하여, 대개는 듣는

---

133 사필귀정(事必歸正) 모든 일은 반드시 바른길로 돌아감.
134 회프만식 계산법 호프만식 계산법. 기한이 아직 되지 않은 채권의 현재 가액(價額)을 계산하는 방법의 하나.
135 백면서생 한갓 글만 읽고 세상일에는 전혀 경험이 없는 사람.

도중에 앞에서 말한 것들을 말해 준 순서대로 잊어 가다가, 그가 결론에 다다른 연후에야 겨우 결과가 어떻게 되었다는 말꼬리 부분에만 건성으로 고개를 끄덕이며, 그가 보기보다도 훨씬 악바리란 사실만을 번번이 재확인하고 말았을 뿐이었다.

그는 깎아서 말하자면 보기 드문 악바리였다. 하지만 가해자나 피해자 편으로는 오히려 인간미가 넘치는 든든한 해결사였고, 그를 세상에서 다시없는 악바리로 치부함 직한 곳은 오직 한 군데, 즉 자동차 보험 회사뿐이었던 것이다.

그는 피해자나 피해 가족에게 공정한 보상이 되도록 애쓰면서도, 가령 사건 브로커 따위가 뛰어들어 총수의 사회적인 위치를 기화[136]로 사망자의 장례를 거부하고 버티거나, 시체를 볼모 잡아 시위하며 터무니없는 요구를 하는 경우에는 단호하게 대처하였다.

그런 경우에도 물론 법에 묻기 전에 설득을 먼저 하였다.

"이봐요, 돌아가신 양반이 돈 타 먹으려고 돌아가신 건 아니잖소, 시신두 부르는 게 값인 중 아슈? 물건이던감? 시방 무슨 흥정을 허구 있는겨, 여기 식인종 읎어, 산 사람은 월급이나 품삯이 챘다(올랐다) 하렸다(내렸다) 허니께 혹 상품이 될는지 몰라두 시신은 상품이 아닌규."

그런 와중에도 피해 가족의 대개는 사건이 마무리된 뒤에 그에게 사의[137]를 표하는 것이 예사였다. 환자에 대한 잦은 문병과 신속한 치료 조치, 사망자가 난 사건에는 넉넉한 부의와 정중한 조문, 장지까지 따라가서 장례를 거드는 보기 드문 성의와 적극적인 보상 절차 이행, 그리고 한 푼이라도 더 보태어 주려고 보험 회사와 밀고 당기는 지능 대결 등을 통하여 그의 진면목을 발견한 사람은, 비록 악연으로 만난 사이일망정 그 나름의 감동이 없을 수가 없었던 것이다.

---

136 기화 뜻밖의 이익을 얻을 수 있는 물건. 또는 그런 기회.
137 사의(謝意) 감사하게 여기는 뜻.

그리하여 사건을 끝내면서 그들에게 진심 어린 치하와 더불어 따끈한 차라도 한 잔 대접받게 되면, 그는 그 일로 인하여 누적된 피로가 씻은 듯이 가시면서 자신의 소임에 대한 새로운 인식과 함께 보람마저 느끼는 것이었다.

뒷맛이 씁쓸했던 일도 없지는 않았다. 사망자가 생전에 변변치 못했던가 싶은 사례가 그러하였다.

사고 발생의 요인이 복합적으로 뒤엉켜서 본의 아니게 해결이 지연되는 사건도 적지 않았다.

사건을 들고 법정으로 가거나, 보험 회사에서 제기한 이의에 분쟁의 소지가 있어도 자연히 시일을 끌었다.

사망자의 부인이 젊으면 더욱 그러하였다. 부인의 뒤에 친정 오라비를 자처하는 자가 따라다니면서, 부인에게 잘 보이려고 생색이 날 일을 찾게 되면 열에 일고여덟이 그렇게 되는 것이었다.

그가 보기에는 그런 친정 오라비에는 두 가지 종류가 있었다. 망자의 사십구재 이전부터 모습을 나타내는 친정 오라비는, 망자가 살아 있어서부터 그녀와 서로 네 거니 내 거니 해 온 사이였고, 사십구재라도 지나가고 나서 끌고 다니는 친정 오라비는, 유흥가에서 만난 직업적인 제비족이 분명하였다.

그는 사건 처리를 하면서도, 신통찮던 남편에게서 속 시원히 해방되고, 예정에 없었던 목돈을 쥐게 되고, 사내를 새로 만나서 딴 세상이 있었음을 발견한 젊은 과부의 그 의기양양한 모습을 볼 때처럼 맥살[138]이 풀리고 마음이 언짢을 때가 없었던 것이다.

그는 그럴수록 이 공사 간을 분명히 하여 일을 매듭지었다.

그런데 그런 여자일수록 사건이 해결된 뒤 그에 대한 사의 표시가 차 한 잔 정도로는 크게 결례라고 생각하는 축이 많은 편이었다. 여러 말 할 것 없이 몸으

---

138 맥살 '맥'의 잘못.

로 때우겠다는 거였다.

그에게는 정해진 대답이 있었다.

"드으런 년."

그렇게 한마디로 자리를 박차 버리는 것이었다.

그가 괴로워하는 것은 비단 피해자 쪽의 사정만도 아니었다.

사고를 낸 운전수가 당황하여 숨어 버리거나 구속이 되어도 마찬가지로 안됐고 안타까운 것이었다.

그는 운전자의 운전 윤리에 누구보다도 반듯하였다. 그러므로 운행 중에 때 아닌 곳에서 과속으로 앞지르기를 하거나, 옆에서 끼어들어 진로 방해를 하거나, 차선을 함부로 넘나들거나, 신호등이 바뀌기 전부터 앞으로 나가지 않는다고 뒤에서 경적을 울려 대거나, 운전 상식이나 도로 질서에 도전하는 자를 보면, 매양 혼잣말처럼 중얼거리기를 잊지 않았다.

"츤헌 늠……. 저건 아마 즤 증조할애비는 상전덜 뫼시구 가마꾼 노릇 허구, 할애비는 고등계 형사 뫼시는 인력거꾼 노릇 허구, 애비는 양조장 허는 자유당 의원 밑에서 막걸리 자즌거나 끓었던 집안 자식일겨, 질바닥[139]서 까부는 것덜두 다 계통이 있는 법이니께."

그가 다루는 사건도 태반이 가해자의 운전 윤리 마비증이 자아낸 것이었다. 그렇지만 가해자가 그룹 내의 동료 운전수라 하여 팔이 들이굽는다는 식의 적당주의를 취한 적은 거의 없었다.

다만 사건 처리에 필요한 서류를 갖추기 위해 신상 기록 대장에 있는 주소를 찾아가 보면 일쑤 비탈진 산꼭대기에 더뎅이 진 무허가 주택에서 근근이 셋방 살이를 하는 축이 많았고, 더욱이 인건비를 줄이느라고 임시로 쓰던 스페어 운전수들이 사는 꼴이 말이 아닐 때는, 그 운전자의 자질 여부를 떠나서 현실적인

---

139 질바닥 '길바닥'의 방언.

딱한 사정에 괴로워하지 않을 수가 없었던 것이다.

스페어 운전수는 대체로 벌이가 시답지 않아 결혼도 못 한 채 늙고 병든 홀어미와 단칸 셋방을 살고 있거나, 여편네가 집을 나가 버려 어린것들만 있는 경우가 적지 않았고, 들여다보면 방구석에 먹던 봉짓쌀이 남은 대신 연탄이 떨어지고, 연탄이 있으면 쌀이 없거나 밀가루 포대가 비어 있어, 한심해서 들여다볼 수가 없고 심란해서 돌아설 수가 없는 집이 허다한 것이었다.

그는 결국 주머니를 털었다. 스페어 운전수의 사고에는 업무 추진비 명색도 차례가 가지 않아 자신의 용돈을 털게 되는 것이었다. 식구가 단출하면 쌀을 한 말 팔아 주고, 식구가 많은 집은 밀가루를 두 포대 팔아 주고, 그리고 연탄을 100장씩 들여놓아 주는 것이 그가 용돈에서 여툴[140] 수 있는 한계였다.

그가 쌀가게에서 쌀이나 밀가루를 배달하고, 연탄 가게에서 연탄 100장을 지게로 져 올려 비에 안 젖게 쌓아 주기를 마칠 때까지 그 집을 떠나지 않았다. 그리고 그 집을 나와서 골목을 빠져나오다 보면 늘 무엇인가를 빠뜨리고 오는 것처럼 개운치가 않았다.

그는 비탈길을 다 내려와서야 그것이 무엇이라는 것을 깨닫곤 하였다. 산동네 초입의 반찬 가게를 보고서야 아까 그 집의 부엌에 간장밖에 없었던 것이 뒤늦게 떠오른 것이었다.

그러면 다시 주머니를 뒤졌다.

그가 반찬 가게에서 집어 드는 것은 만날 얼간하여[141] 엮어 놓은 새끼 굴비 두름이었다. 바다와 연하여 사는 탓에 밥상에 비린 것이 없으면 먹어도 먹은 것 같지 않아 하는 대천 사람의 속성이 그런 데서까지도 드티었던 것이다.

도로 산비탈을 기어올라 가서 굴비 두름을 개 안 닿게 고양이 안 닿게 야무지게 내달아 주면서

---

140 여투다 돈이나 물건을 아껴 쓰고 나머지를 모아 두다.
141 얼간하다 소금을 약간 뿌려서 조금 절이다.

"뷕¹⁴²에 제우¹⁴³ 지랑¹⁴⁴뱍이 옰으니 뱁이구 수제비구 건건이가 있으야 넘어가지유. 탄불에 궈 자시던지 뱁솥에 쪄 자시던지 하면, 생긴 건 오죽잖어두 뇌인네 입맛에 그냥저냥 자셔 볼 만헐규."

쌀이나 연탄을 들여 줄 때는 회사에서 으레 그렇게 돌봐 주는 것이거니 하고 멀건 눈으로 쳐다만 보던 노파도, 그렇게 반찬거리까지 챙겨 주는 자상함에는 그가 골목을 빠져나갈 때까지 눈시울을 적시고 있는 것이 보통이었다.

7

그가 노선 상무로 나간 초기에는 피해자 가족들에게 속절없이 봉변을 당하기가 바빴다.

사망자가 난 사고에서는 더욱 그러하였다. 운전수가 연행되어 조사를 받고 있거나 아예 달아나 버려서 분풀이를 하고 싶어도 상대가 없어서 앙앙불락하던¹⁴⁵ 차에, 사고를 낸 회사에서 사고 처리반이 나왔다고 하면 대개는 옳거니, 때 맞추어 잘 만났다 하고 떼거리로 달려들어 덮어놓고 먹살을 잡으며 주먹부터 휘두르고 보는 것이 예사였다. 나중에는 사람을 잘못 알고 실수했노라고 사과하고, 일을 처리하는 데도 싹싹하고 상냥하게 협조하는 위인일수록 처음에는 흥분을 가누지 못해 사납게 부르대고 날뛰는 편이었다.

"야, 너, 흥부는 놀부같이 잘사는 형이라도 있어서 매품을 팔고 살았다지만 너는 뭐냐, 뭐여, 못하는 운전수를 동료라구 둔 값에 매품이나 팔며 살거라, 그 거여? 너야말루 군사 정변이 나서 구 정권의 거물 비서 자격으루 끌려가서두

---

142 뷕 '아궁이'의 방언. 또는 '부엌'의 준말.
143 제우 '겨우'의 방언.
144 지랑 '간장'의 방언.
145 앙앙불락하다 매우 마음에 차지 아니하거나 야속하게 여겨 즐거워하지 아니하다.

볼텡이[146] 한 대 안 줘백히고 니 발루 걸어 나온 물건인디 말여, 그런디 이제 와서 냄[147]의 영안실이나 찌웃그리메 장삼이사헌티 놈짜 소리 듣는 것두 과만해서 주먹질에 자빠지구 발길질에 엎어지구 허니, 니가 그러구 댕긴다구 상무 전무가 아까징끼[148]값을 물어 주데, 사장 회장이 떨어져 밟힌 단추값을 보태 주데? 사대부 가문을 자랑허시던 할아버지가 너버러 이냥[149] 냄의 아랫도리루만 돌며 살라구 가르치셨네, 동경 유학 출신의 아버지가 동네북으로 공매나 맞구 살라구 널 나 놓셨네? 너두 처자가 있는 뮘[150]이 이게 뭐라네? 뭐여? 니 신세두 참……."

그는 봉변을 당하고 나면 자기를 저만치 떼어 놓고 바라보며 그런 허희탄식[151]으로 시간 가는 줄을 몰랐다.

세상사란 대저 궁즉통[152]인지라, 곰곰이 생각해 보니 사나운 일은 그저 예방이 제일이었다.

그가 찾아낸 예방책은 그가 먼저 선수를 쳐서 저쪽의 예봉[153]을 피하자는 것이었다.

그는 실천을 하였다.

사망자의 빈소가 있는 병원의 영안실에 가면 처음부터 신분을 밝히지 않았다. 그는 빈소의 형식이 불교 색인지 기독교 색인지도 살피지 않았다. 우선 고인의 영정에 절부터 재래종으로 하고 꿇어앉아, 손수건으로 눈자위를 눌러 가며 눈시울을 훔쳤다. 눈물 같은 건 비칠 생각도 않던 눈도 그렇게 거듭 귀찮게 하면 진짜로 눈물이 있었던 것처럼 보이기가 쉬웠다. 또 그렇게 흉물을 떨며 눌러 있

---

146 볼텡이 '볼따구니'의 방언.
147 냄 '남'의 방언.
148 아까징끼(赤チンキ) 흔히 '빨간약'이라 불리던 소독약의 일본식 표현.
149 이냥 이러한 모습으로 줄곧.
150 뮘 '몸'의 방언.
151 허희탄식 한숨을 지으며 탄식함.
152 궁즉통 궁하면 통한다.
153 예봉 날카롭게 공격하는 기세.

으면 상가의 친인척 중에서 나잇살이나 된 사람이 다가와 어깨를 다정히 흔들며 달래기도 했다. 일은 어차피 당한 일인데 애통해한들 무슨 소용이 있겠느냐, 그만 마음을 가라앉히고 저리 가서 술이나 한잔하라는 것이었다.

"에이 쥑일 늠덜……. 암만 운전질이나 해 처먹구 사는 막된 것덜이래두 그렇지, 워쩌자구 이런 짓을 허는겨, 이에 쥑일 늠덜……."

천연스럽게 운전수를 나무라며 두툼하게 장만해 간 부의를 하고 물러나면, 아까 어깨를 흔들어 달래던 사람이 술상으로 안내를 하였고, 또 대개는 그 사람이 마주 앉아 술을 권하는 것이었다.

서로 잔을 건네고 담뱃불을 나누고 하면서 서너 순배[154]쯤 하고 나면 궁금한 쪽은 그쪽이라

"실렙니다만, 망인하고는 어떻게 되시는지……."

하고 신분을 먼저 묻는 것이었다.

그는 그제야 앉음새를 고치면서 정중하게 명함을 내밀었다.

이왕에 손님 대접으로 술까지 권커니 잣커니 해 온 사이인데 새삼스럽게 술상을 걷어차며 대거리를 하러 든다면 이미 경위가 아닌 거였다. 비록 성질이 불 같은 사람이라 하더라도 때를 놓친 것이었다.

그뿐 아니라 사고 처리반이 나왔다는 말에 가만두지 않을 작정으로 눈을 홉 뜨며 다가오는 이가 있으면, 중간에 서서 볼썽사나운 일이 일어나지 않게 하는 책임 의식이 들기도 하는 모양이었다. 그러므로 그가 빈소에서 물리적인 대우를 면치 못했던 것은 노선 상무 초기의 얼마 동안에 지나지 않았던 것이다.

빈소에 드나들다 보면 망자의 가족 가운데 담이 들거나 풍기가 있어서 몸을 제대로 추스르지 못하는 노인이 많았다. 그런 사람을 보아 주려고 침놓는 법을 배웠다.

---

154 순배 술자리에서 술잔을 차례로 돌림. 또는 그 술잔의 분량을 세는 단위.

그는 돌팔이 침쟁이였지만 침통을 항상 몸에 지니고 다녔다.

장지에 따라다니다 보니 묏자리가 좋으니 나쁘니 하고 상제나 친척들 간에 불퉁거리고, 좌향이 옳으니 그르니 하고 공원묘지 산역꾼[155]들과 불화하여 장례를 정중하게 치르지 못하는 집도 많았다. 그래서 그럴 때 쓰려고 책을 구해 들여 풍수지리를 배우고, 쇠(나침반)를 장만하여 좌향을 정해 주기도 하였다.

그럴 때는 훈련소 신병 시절에 써먹었던 입담도 한몫 거들었다.

풍수를 배우는 과정에서 지하의 수맥에 대한 이치도 배워 둘 필요가 있었다. 상도동 성당인지 노량진 성당인지 버드나뭇가지로 수맥을 짚는 데에 권위인 신부님을 찾아다니며 수맥을 배우고, 그러는 동안에 천주교에 입문하여 세례를 받기도 하였다.

그러고 보면 그의 총수는 사람을 보는 눈이 있었고 사람을 부리는 꾀가 있었다.

총수는 유자의 능력을 높이 사서 곧 과장으로 올려 주었다. 그러나 그 이상의 승진은 불허하였다.

유자는 10년이 가도 과장이었다. 그가 자리를 옮기면 누가 그 자리에 가더라도 그만한 능력을 보이지 못하리라는 것을 총수는 익히 알고 있었던 것이다.

유자는 총수에게 자신의 상한선이 과장으로 굳어진 이유를 물었다.

총수는 오로지 신원 조회 탓이라고 말했다.

유자는 구태여 운수 회사에서까지 연좌제를 받는 까닭에 대하여 구구하게 묻지 않았다. 항공 사업도 겸하고 있었기 때문이었다.

유자는 총수를 원망하지 않았다.

선거 때마다 연좌제 폐지를 공약으로 내걸었다가 정권이 보장되면 언제 그랬느냐 해 온 정권 담당자에 대해서도 원망하지 않았다.

---

155 산역꾼 시체를 묻고 뫼를 만들거나 이장하는 일을 직업으로 하는 사람.

연좌제에 관해서도 불원천 불우인(不怨天不尤人)[156]의 자세가 기본이었다. 하물며 소신껏 살다가 일찍이 처형당한 부친을 원망할 터이겠는가.

그는 부친의 제사를 모실 때마다 지방을 썼다. 그러나 현고 학생 운운하는 통속적인 지방은 한 번도 써 본 적이 없었다.

반드시 이렇게 썼다.

현고 남조선 노동당 홍성군당위원장 신위.

일가의 아낙 한 사람이 제삿날 일을 거들어 주러 왔다가 그 지방을 보고 물었다.

"얼라, 워째 이 댁 지방은 저냥 질대유?"

유자가 대답하였다.

"예, 약간 길게 되어 있슈."

유자는 그러면서 비시시 웃었다.

고독한 웃음이었다.

그는 고독하고 고단한 삶을 살면서도 그것을 내색하지 않았다.

술과 독서와 그리고 남에 대한 봉사의 즐거움으로써 시름을 잊고 애달픔을 삭였다.

문인들과의 폭넓은 교유도 일말의 위안이 됐을는지 몰랐다.

그가 사랑하는 문인, 그를 사랑하는 문인이 많았다. 자주 어울렸던 문인으로 이호철, 고은, 천승세, 신경림, 박용수, 염재만, 김주영 제씨[157]는 그가 성님으로 모신 문인이었다. 동년배인 한승원, 손춘익, 조태일, 안석강, 박태순, 양성우 제

---

156 불원천 불우인 고난이나 역경을 만나더라도 하늘이나 다른 사람을 원망하지 않고 제 분수를 지켜 자기 발전과 향상을 꾀함.
157 제씨 여러 사람을 높여 이르는 말.

씨는 친구로서 지낸 문인이었고, 강순식, 송기원, 이시영, 이진행, 채광석, 김성동, 임재걸, 정규화, 홍일선, 김사인 제씨는 그가 아우님으로 부르던 문인이었다. 김지하 씨가 오랜만에 출옥해 있을 때는 원주까지 찾아가서 보았고, 김성동 씨는 고향 후배라 하여 항상 애틋한 눈길을 주었다.

원로 작가 유승규, 천승세 씨가 교통사고를 입으니 자기 일처럼 뛰어다니고, 우리 집 아이가 교통사고를 당했을 때도 그가 해결사 노릇을 해 주었다.

어디를 가나 교통순경이 먼저 경례를 붙이고, 경찰서마다 말이 통하는 이가 있어서 즉결 재판감을 훈방[158]으로 깎는 데에도 그가 아니고는 어려운 일이었다.

어느 병원을 가더라도 너나들이를 하고 지내는 의사가 있고 원무실장이 있었다.

그로 인하여 여러 문인이 의료 혜택을 입었으니, 그가 입원한 인사를 한번 위문하고 가면 그날부터 의사나 간호사나 한 번 들여다볼 것도 두 번 세 번씩 들여다보기 마련이었다. 말 한마디로 특진이 이루어지고 치료비가 예외로 깎였다.

문인들과 관계된 일이라면 언제나 소매를 걷어붙였다.

내가 대표 명색으로 있던 실천문학사에서 집들이를 겸하여 고사를 지내던 날이었다.

문인과 기자 들로 발 디딜 곳이 없는 가운데 대표의 책상 위에 시루와 돼지 머리가 올려졌다. 사원들부터 차례로 절을 하였다. 무당이 없으니 대표부터 차례로 꿇어앉아 희망 사항을 신고하고 두 손을 비비라는 농담이 사방에서 빗발치고 있었다.

그러나 숫기 없는 내가 나서서 그럴 터인가, 대중 앞에 나서기를 꺼려 하는 송기원 주간이 나설 터인가. 독실한 가톨릭 신자인 이석표 상무가 그러기를 할 것인가, 꼬장꼬장한 성품의 이해찬 편집장이 그러기를 할 것인가.

---

158 훈방 '훈계 방면(일상생활에서 가벼운 죄를 범한 사람을 훈계하여 놓아줌)'의 준말.

손님들은 손님이라서 잠잖게[159] 서 있고, 사원들은 손님을 따라서 남의 집에 온 사람들처럼 막연하게 서 있을 뿐이었다.

그럴 때 소매를 걷어붙이고 나서는 것이 유자였다.

"……그저 관재수 좀 옳게 해 주시고, 내는 책마다 베스트셀러가 돼서 돈두 좀 벌게 해 주시구, 또 이 회사 대표 되는 늠 술 좀 작작 처먹게두 해 주시고……"

그는 두 손을 싹싹 빌어 가며 걸찍한[160] 비라리[161]를 대행하는 것이었다.

그로부터 서너 해가 지나서 펴낸 도종환 시인의 시집 《접시꽃 당신》이 시집 출판 사상 세계적인 기록을 세우며 100만 부 이상의 초베스트셀러가 됐던 것도, 혹 유자의 비라리에 감응이 있어서였는지 모를 일이었다.

1987년이 되었다.

갑자기 다가온 그의 만년이었다.

그는 어느 개인 종합 병원의 원무실장으로 일하고 있었다.

그가 자기가 일하는 병원보다 큰 대학 부속 병원에 불쑥 입원을 했던 것은 이해 봄이었다.

가 보니 나처럼 아무것도 모르는 눈으로 보기에도 족보가 있는 병이 아닌가 싶은 증세였다.

그는 며칠 있다가 일터에 복귀했다. 걱정할 만한 병이 아니라 하여 퇴원했다는 것이었다. 나는 긴가민가하였으나 그 자신이 현직 종합 병원 원무실장이기에 자기의 병쯤은 제대로 다스릴 수 있으려니 하는 생각도 아울러 하고 있었다.

여름에 6·29 선언이 있었다.

전국의 노동자들이 들고 일어났다. 서울에서도 노동자들의 가두시위가 파상적으로 일어났다.

---

159 잠잖다 몸가짐이 의젓하고 예절이 바르다.
160 걸찍하다 규범 표기는 '걸쭉하다'이다.
161 비라리 구수한 말을 하여 가며 남에게 무엇을 청하는 일.

어느 날, 그가 있는 병원에 남녀 노동자들이 떼 지어 몰려들었다. 모두가 다친 사람들이었고 중상자도 여러 명이나 되었다.

장기간의 치료가 필요한 중상자의 입원 조치 여부는 입원실의 배정권을 쥐고 있는 원무실장이 결재할 사항이었다.

알아보니 복직을 요구하며 가두시위를 하다가 최루탄 작전에 쫓겨 어느 건물로 피해 들어갔던 노동자들이, 뒤쫓는 추격에 갈 곳이 없어 뛰어내리다가 중상을 입었다는 것이었다.

그는 즉시 입원 조치를 지시하였다.

병원장이 가만히 있을 리가 없었다. 원장은 사회면에 중간 크기의 기사로 다루어진 신문을 들이대며, 아무것도 없는 환자들이 무슨 수로 치료비를 대겠는가, 노사 분규로 해고된 사람들이니 회사에서 부담하겠는가, 뛰어내리다가 다친 사람들이니 정부에서 보상을 하겠는가, 원장이 종주먹을 대듯이 따지는 것도 당연한 일이었다.

그는 병원은 환자를 위하여 있는 것이란 말로써 대답을 대신하였다.

"책임지시오."

"책임지지요."

원장과의 언쟁은 그런 약속을 담보로 하여 끝났다.

환자들의 회복은 빨랐다.

완치된 환자가 늘어 갔다. 다만 치료비가 없어서 인질로 있는 환자도 적지 않았다.

그가 책임지기로 한 일이 박두한[162] 것이었다.

그는 책임지는 방법을 알고 있었다.

어차피 그 한 가지 방법밖에는 없었으니까.

---

162 박두하다 기일이나 시기가 가까이 닥쳐오다.

당직 의사와 당직 간호원만 나오는 일요일을 택하여 환자들을 모두 탈출시켰다. 그리고 이튿날 아침에 사표를 냈다. 딱한 사람들에게 베푼 마지막 선물이었다.

실업자가 되어 집에 있으니 주춤했던 병마가 다시 기승을 부렸다. 주춤했던 것이 아니라 환자들을 탈출시킬 때까지 긴장의 연속이어서 자신의 몸은 돌아볼 경황이 없었던 것이다.

그를 만날 때마다 몸은 나날이 허물어지고 있는 것이 눈에 보였다. 걸음걸이도 걷는 것이 아니라 다리를 끌고 다니는 형국이었다. 승용차가 있어서 그나마 외출이 가능한 것 같았다.

그런 상태임에도 남의 딱한 일이라면 외면할 줄을 몰랐다.

날이 밝기도 전부터 전화가 오고 있었다. 새벽에 오는 전화치고 좋은 소식은 없었다. 나는 불길한 예감을 떨치지 못한 채 전화를 받았다.

뜻밖에도 젊은 평론가 채광석 씨의 불행을 알리는 전화였다. 교통사고였다.

전화를 놓고 담배 한 대를 피우고 나니 다시 전화가 왔다. 채 씨의 문인장 장례위원회에서 유자에게 도움을 청하는 내용이었다.

유자는 그 몸을 하고도 일을 맞아서 뛰어다녔다.

내가 치산위원회에 배속되자 그는 쇠를 챙겨 가지고 나왔다.

채 씨의 문인장 영결식이 있던 날 아침에 유자는 나와 함께 묘지로 차를 몰았다.

장지는 공원묘지의 꼭대기여서 길이 몹시 가파른 데다 장마에 패이고 무너져서 거칠기가 짝이 없었다. 산에서 쓸 장례 용품을 싣고 뒤따라온 차들은 반도 오르지 못해서 시동이 꺼졌다.

유자가 나섰다. 뒤로 미끄러지기만 하던 차들을 모두 끌어올렸다. 30대의 젊은 운전수들이 유자의 노련한 운전 솜씨에 탄성을 지르고 있었다.

영결식을 마치고 온 조객들이 산을 뒤덮고 있었다.

조객들이 열이면 열 소리로 참견을 해 대니 산역꾼들도 그들 나름의 성질과

버릇이 있어서 뻔버듬하게[163] 나왔다. 그러자 유자가 한번 쇠를 놓자 아무 일도 없었다.

유자는 산역을 마치고 내려오다가 비석 공장에 들렀다. 거기서도 먼저 알아보고 인사를 하는 석수가 있었다. 보령에서 올라온 석수였다. 유자는 비석값을 깎았다. 석수는 깎자는 대로 깎아 주었다.

채 씨의 모배를 계약해 주고 귀로에 올랐다. 이시영 씨와 정상묵 씨가 동행이었다. 정 씨는 양수리의 강가에서 채소 농장을 하고 있었다. 무공해 유기 농업을 주창해 온 농민 운동가였다.

정 씨의 농장에 들러 정 씨가 담은 딸기술을 한 잔씩 했다.

유자와 내가 함께 나눈 마지막 잔이었다.

지금은 영광 함평 보궐 선거를 통해 국회의원으로 일하는 이수인 교수가 유자의 마지막 특진을 주선해 주었다. 내 위장병을 고쳐 준 신일병원 원장 지영일 박사의 특진이었다.

유자는 지 박사의 노련한 표정 관리에 속아 태연하게 병원을 나섰다.

나도 내내 속고 싶었다. 그래서 일주일이 지나도록 지 박사에게 전화를 하지 않았다.

일주일이 넘도록 전화가 없자 병원에서 먼저 진실을 알려 왔다. 간암. 여명 3개월.

남은 기간의 투병 생활에 대해서는 차마 쓸 수가 없다.

다만 한승원, 조태일, 양성우, 정규화 씨 등이 문병하던 모습, 특히 직장암을 세 축이나 수술하고도 재발하여 자신의 여명도 얼마 남지 않았던 작가 강순식 씨가 유자의 병상을 부여잡고 하늘을 부르며 기도해 주던 모습, 대천에서 국민학교, 중학교 동창들이 버스를 몰고 와서 문병하던 모습, 그리고 유자가 혼수상

---

163 뻔버듬하다 '벋버듬하다(사이가 틀려 버성기다)'의 잘못.

태에 빠진 것을 보고 "이건 혼수가 아니야, 저승 잠이야." 하고 오열하던 천승세 씨의 모습이나 오래도록 간직하고 싶을 뿐이다.

유자의 빈소에서 그의 죽마고우들이 모여 그의 개구쟁이 시절에 대해서 이야기하고 있었다.

문인들이 줄을 잇고 있었다. 그가 성님으로 모시고, 혹은 친구로서 놀고, 혹은 아우님으로 부르면서 어울렸던 문단의 원로, 문단의 중진, 문단의 신예들이었다.

그리고 달포가량 지나서 시인 이시영 씨가 유자를 읊은 시 한 편이 경향신문사에서 발행하는 〈월간경향〉지에 발표되었다. 제목은 '유재필 씨'였다.

유재필 씨

비가 구죽죽[164]이 내린 날, 유재필 씨의 시신은 영구차에 실려 답십리 삼성병원 영안실을 떠났습니다. 그 뒤를 호상[165] 이문구 씨가 따랐습니다. 번뜩이는 익살과 놀라운 재기로 수많은 사람들의 소설 속 주인공이 되었지만 자신은 이 지상에 한 편의 소설도 시도 남기지 않은 채 새파란 아내와 자식들을 남기고 갔습니다.

오늘은 또한 벗 채광석의 100일 탈상 날이기도 합니다. 바로 100일 전 오늘 유재필 씨는 채광석 장례의 지관이 되어 이 산 저 산을 뒤지며 터를 잡고 돌집에 내려와서는 '시인 채광석의 묘'라고 새긴 돌값을 깎았습니다. 돌값을 깎고 내려와선 양수리 한강 변에서 장어를 사 먹었던가요. 햇빛에 그을은 새까만 얼굴과 단단한 어깨, 넘치는 재담에서 우리는 그의 죽음을 상상도 못 했습니다. 왜냐하면 그의 길지 않은 생애의 대부분의 직업이 죽은 자의 시신을 처리하는 사고 처리반 주

---

164 구죽죽 '구질구질'의 방언.
165 호상 장례에 참석하여 상여 뒤를 따라가는 것이나 장례 때 상여 뒤를 따르는 사람. 또는 초상 치르는 데에 관한 온갖 일을 책임지고 맡아 보살피는 사람.

임이었으니까요. 죽음은 어쩌면 그와 가장 친숙한 길동무였습니다. 그러나 그의 죽음이 왜 이렇게 자연스럽지 않은지요. 그는 우리들을 잠시 놀라게 하려고 이웃 마실에 간 것만 같습니다.

오늘은 100일 전에 세상을 떠난 광석이와 그를 묻고 돌을 세운 유재필 씨가 한강 변의 이 산 저 산에서 만나는 날입니다. "잘 있었나?" "예, 형님 어서 오십시오. 제가 이곳에 좀 먼저 온 죄로 터를 닦아 놨습니다. 야, 얘들아 인사드려라, 재필이 성님이다. 소설가 이문구 씨 친구." "이문구 씨가 누구요?" "야 씨팔 놈들아, 저 세상에 그런 소설가가 있어!" 유재필 씨는 아직 아무 말이 없습니다. 남들이 묻힐 자리를 찾기 위해 수차례 오갔지만 아직은 좀 서먹한 산천과 무엇보다도 세상에 두고 온 가족들에 대한 슬픔이 뼈끝에 시려 오기 때문입니다. 그리고 문구는 잘 갔는지, 그 자식은 내가 없으면 어려운 일 당했을 때 뉘를 찾을지도 궁금하여 안심이 안 됩니다. "형님, 제 교통사고 건 맡아 처리하시느라고 수고 많으셨다메요. 저번 사십구 재 때 내려가서 가족들이 얘기하는 것 들었습니다. 술도 한잔 못 받아 드리고……." 그러나 유재필 씨는 아직 말이 없습니다. 저세상에 비가 내리는지 누운 자리가 좀 꿉꿉합니다. 그리고 강물 소리가 시원히 들리지 않는 것이 마음에 걸립니다.

이 산문시는 이시영 씨의 세 번째 시집 《길은 멀다 친구여》(실천문학사, 1988)에도 실렸다.

내가 두서없이 늘어놓느라고 못다 한 이야기가 이 시 속에 절제된 언어로 잘 함축되어 있다.

찬비를 맞으며 돌아섰던 그의 무덤을 나는 그 뒤로 한 번도 찾아보지 않았다. 있을 수 없는 일이었다.

그러나 나는 지금도 그를 찾아갈 수가 없다. 내가 가면 그 다정한 음성으로 "야, 너두 그 고생 그만허구 나랑 있자야, 덥두 않구 춥두 않구, 여기두 있을 만혀……."

하며 내 손을 꼭 붙들 것만 같아서.

이제 찬한다.

유명이 갈렸건만 아직도 그대를 찾음이여

오롯이 더불어 살은 진한 삶이었음이네.

수필이 되고 소설이 되고 시가 되어 남음이여

그 정신 아름답고 향기로웠음이네.

아아 40 중반에 만년이 되었음이여

남보다 앞서 살고 앞서 떠났음이로다.

붓을 놓으며 다시금 눈물 젖음이여

그립고 기리는 마음 가이없어라[166].

(1991년)

---

166 가이없다 '가없다(끝이 없다)'의 잘못.

소음 공해

오정희

오정희(1947~)

서울에서 태어나 1970년 서라벌예술대학교 문예창작과를 졸업했다. 1968년 〈중앙일보〉 신춘문예에 〈완구점 여인〉이 당선되어 등단했으며 이상문학상, 동인문학상, 동서문학상 등을 받았다. 또한 독일에서 번역 출간된 《새》로 독일의 주요 문학상 중 하나인 리베라투르상을 받았다. 작품으로 소설집 《불의 강》《유년의 뜰》, 장편 소설 《새》, 동화집 《송이야, 문을 열면 아침이란다》 등이 있다. 〈소음 공해〉는 위층의 소음 때문에 발생한 이웃 간의 갈등을 다룬 소설로, 더불어 사는 삶과 이웃에 대한 진정한 사랑의 의미에 대하여 묻고 있는 작품이다.

．
．

집에 돌아오자마자 뜨거운 물로 샤워를 하고 실내복으로 갈아입었다. 목요일, 심신 장애자 시설에서 자원봉사자로 일하는 날은 몸이 젖은 솜처럼 피곤하고 무거웠다. 그래도 뇌성마비나 선천적 기능 장애로 사지가 뒤틀리고 정신마저 온전치 못한 아이들을 씻기고 함께 놀이를 하고 휠체어를 밀어 산책을 시키는 등 시중을 들다 보면 나를 요구하는 곳에서 시간과 힘을 내어 일한다는 뿌듯함이 느껴졌다. 고등학생인 두 아들은 아침에 도시락을 두 개씩 싸 들고 가서 밤 11시나 되어야 올 것이고 남편은 3박 4일의 출장 중이니 저물어도 서둘 일이 없었다. 더욱이 나는 한나절 심신이 지치게 일을 한 뒤라 당당히 휴식을 즐길 권리가 있다. 아이들은 머리가 커져 치마폭에 감기거나 귀찮게 치대는 일이 없이 "다녀왔습니다." 한마디로 문 닫고 제 방에 들어앉기 마련이지만 가족들이 집에 있을 때는 아무리 거실이나 방에 혼자 있어도 혼자 있다는 기분을 갖기 어려웠다. 사방 문 열린 방에서 두 손 모두어[1] 쥐고 전전긍긍 24시간 대기하고 있는 형국이었다. 거실 탁자의 갓등을 켜고 커피를 진하게 끓여 마시며 슈베르트의 〈아르페지오네 소나타〉를 틀었다. 첼로의 감미로운 선율이 흐르고 나는 어슴푸레하고 아득한 공간, 먼 옛날로 돌아가는 듯한 기분에 잠겨 들었다. 몽상과 시와 꿈과 불투명한 미래가 약간은 불안하게, 그러나 기대와 신비한 예감으로 존재하던 시절, 내가 이러한 모습으로 살아가리라는 것은 상상할 수도 없었던 시절로.

사람이 단돈 몇 푼 잃는 것은 금세 알아도 본질적인 것을 잃어 가는 것에는

---

1 모두다 '모으다'의 방언.

무감각하다던가? 눈을 감고 하염없이 소나타의 음률에 따라 흐르던 나는 그 감미롭고 슬픔에 찬 흐름을 압도하며 끼어든 불청객에 사납게 눈을 치떴다. 드르륵 드르륵 드르륵, 무거운 수레를 끄는 듯 둔탁한 그 소리는 중년 여자의 부질없는 회한과 감상을 비웃듯 천장 위에서 쉼 없이 들려왔다. 10분, 20분. 초침까지 헤아리며 천장을 노려보다가 나는 신경질적으로 전축을 껐다. 그 사실적이고 무지한 소리에 피아노와 첼로의 멜로디는 이미 소음에 지나지 않았다. 하루 이틀의 일이 아니었다. 위층 주인이 바뀐 이래 한 달 전부터 나는 그 정체 모를 소리에 밤낮없이 시달려 왔다. 진공청소기 소리인가, 운동 기구를 들여놓았나, 가내 공장을 차렸나. 식구들마다 온갖 추측을 해 보았으나 도시 알 수 없는 일이었다. 도깨비가 사나 봐요, 롤러스케이트를 타는 도깨비. 아들 녀석이 처음에는 머리에 뿔을 만들어 보이며 히히덕거렸으나 자정 넘도록 들려오는 그 소리에 드디어 짜증을 내기 시작했다. 좀체 남의 험구[2]를 하지 않는 남편도 한 지붕 아래 함께 못 살 사람들이군, 하는 말로 공동생활의 기본적인 수칙을 모르는 이웃을 나무랐다. 일주일을 참다가 나는 인터폰을 들었다. 인터폰으로 직접 위층을 부르거나 면대하지 않고 경비원을 통해 이쪽 의사를 전달하는 간접적인 방법을 택한 것은 상대방과 자신에 대한 품위와 예절을 지키기 위해서였던 것이다. 나는 자주 경비실에 전화를 걸어, 한밤중 조심성 없이 화장실 물을 내리는 옆집이나 때 없이 두들겨 대는 피아노 소리, 자정 넘어서까지 조명등 쳐들고 비디오 찍어 가며 고래고래 악을 써 삼동네[3] 잠을 깨우는 함진아비[4]의 행태 따위가 얼마나 무교양하고 몰상식한 짓인가 등등을 일깨워 주었다. 그러고는 소음 공해와 공동생활의 수칙에 대해 주의를 줄 것을, 선의의 피해자들을 대변해서 강력하게 요구하곤 했었다. 직접 대놓고 말한 것은 아래층 여자의 경우뿐이었다. 부부 싸움

---

2 험구(險口) 남의 흠을 들추어 헐뜯거나 험상궂은 욕을 함. 또는 그 욕.
3 삼동네 양옆과 앞에 이웃하여 있는 가까운 동네.
4 함진아비 혼인 때에, 신랑 집에서 신부 집에 보내는 함을 지고 가는 사람.

을 그만두게 하라고 경비실에 부탁할 수는 없는 것이 아닌가. 남편이 오퍼상[5]을 한다는 것, 돈과 여자 문제로 부부 싸움이 잦다는 것은 부엌 옆 다용도실의 홈통을 통해 들려온 소리 때문에 알게 된 일이었다. 홈통은 마이크처럼 성능이 좋았다. 부엌에서 일을 할라치면 남자를 향해 퍼붓는 여자의 앙칼진 소리들을 싫어도 들을 수밖에 없었다. 엘리베이터에 단둘이 타게 되었을 때 나는 여자에게, 부엌이나 다용도실에선 남이 알면 거북할 얘기는 안 하는 게 좋다고 조용히 말했다. 여자가 자꾸 남편의 자존심을 건드리고 약점을 잡아 몰아 대면 남자는 더욱 밖으로 돌기 마련이라고, 알고도 모르는 체 속아 주기도 하는 게 좋을 때도 있는 법이라는 충고를 덧붙인 것은 나이 많은 인생 선배로서의 친절이었다. 여자는 차갑게 굳은 얼굴로 명심하겠노라고 말했지만 다음부터는 인사는커녕 마주치면 괴물을 보듯 아예 고개를 돌려 버리곤 했다.

위층의 소리는 멈추지 않았다. 드르륵거리는 소리에 머리카락 올이 진저리를 치며 곤두서는 것 같았다. 철없고 상식 없는 요즘 젊은 엄마들이 아이들에게 집 안에서 자전거나 스케이트보드 따위를 타게도 한다는데 아무래도 그런 것 같았다. 인터폰의 수화기를 들자, 경비원의 응답이 들렸다. 내 목소리를 알아채자마자 길게 말꼬리를 늘이며 지레 짚었다. 귀찮고 성가셔하는 표정이 눈앞에 역력히 떠올랐다.

"위층이 또 시끄럽습니까? 조용히 해 달라고 말씀드릴까요?"

잠시 후 인터폰이 울렸다.

"충분히 주의하고 있으니 염려 마시랍니다."

경비원의 전갈이었다. 염려 마시라고? 다분히 도전적인 저의가 느껴지는 전언이었다. 게다가 드륵 드륵 소리는 여전하지 않은가. 이젠 한판 싸워 보자는 얘긴가. 나는 인터폰을 들어 다짜고짜 909호를 바꿔 달라고 말했다. 신호음이 서

---

5 오퍼상 무역 거래에서 매도인과 매수인 사이의 거래 조건을 조정하는 일. 또는 그 일을 전문으로 하는 업자.

너 차례 울린 후에야 신경질적인 젊은 여자의 응답이 들렸다.

"아래층인데요. 댁이 그런 식으로 말할 건 없잖아요? 나도 참을 만큼 참았다구요. 공동 주택에는 지켜야 할 규칙들이 있잖아요. 난 그 소리 때문에 병이 날 지경이에요."

"여보세요. 난 날아다니는 나비나 파리가 아니에요. 내 집에서 맘대로 움직이지도 못하나요? 해도 너무하시네요. 이틀거리로 전화를 해 대시니 저도 피가 마르는 것 같아요. 절더러 어쩌라는 거예요?"

"하여튼 아래층 사람 고통도 생각하시고 주의해 주세요."

나는 거칠게 수화기를 내려놓았다. 뻔뻔스럽긴. 이젠 순 배짱이잖아. 소리 내어 욕설을 퍼부어도 화가 가라앉지 않았다. 그렇다고 언제까지 경비원을 사이에 두고 '하랍신다.' '하신다더라.' 하며 신경전을 펼 수도 없는 일이었다. 화가 날수록 침착하고 부드럽게 처신해야 한다는 것은 나이가 가르친 지혜였다. 지난겨울 선물로 받은, 아직 쓰지 않은 실내용 슬리퍼에 생각이 미친 것은 스스로도 신통했다. 선물도 무기가 되는 법, 발소리를 죽이는 푹신한 슬리퍼를 선물함으로써 소리를 죽이라는 메시지와 함께 소리로 인해 고통받는 내 심정을 간접적으로 나타낼 수 있으리라. 사려 깊고 양식[6] 있는 이웃으로서 공동생활의 규범에 대해 조곤조곤 타이르리라.

위층으로 올라가 벨을 눌렀다. 안쪽에서 누구세요, 묻는 소리가 들리고도 10분 가까이 지나 문이 열렸다. '이웃사촌이라는데 아직 인사도 없이…….' 등등 준비했던 인사말과 함께 포장한 슬리퍼를 내밀려던 나는 첫마디를 뗄 겨를도 없이 우두망찰했다[7]. 좁은 현관을 꽉 채우며 휠체어에 앉은 젊은 여자가 달갑잖은 표정으로 나를 올려다보았다.

"안 그래도 바퀴를 갈아 볼 작정이었어요. 소리가 좀 덜 나는 것으로요. 어쨌

---

6 양식(良識) 뛰어난 식견이나 건전한 판단.
7 우두망찰하다 정신이 얼떨떨하여 어찌할 바를 모르다.

든 죄송해요. 도와주는 아줌마가 지금 안 계셔서 차 대접할 형편도 안 되네요."

여자의 텅 빈, 허전한 하반신을 덮은 화사한 빛깔의 담요와 휠체어에서 황급히 시선을 떼며 나는 할 말을 잃은 채 슬리퍼 든 손을 등 뒤로 감추었다.

(1993년)

그 여자네 집

박완서

박완서(1931~2011)

경기도 개풍에서 태어나 숙명여고를 졸업하고 1950년 서울대
학교 국문학과에 입학했으나 6·25 전쟁으로 학업을 중단했다.
1970년 마흔의 나이에 《나목》으로 〈여성동아〉 장편 소설 공모
에 당선되어 작가로 활동하게 되었다. 한국 사회의 풍속을 세밀
하게 그려 낸 빛나는 작품들로 많은 독자들에게 사랑을 받고 있
다. 한국문학작가상, 이상문학상, 현대문학상, 대산문학상 등을
수상했다. 〈그 여자네 집〉은 개인의 비극적인 인생을 통해서 민
족 전체가 공유하고 있는 비극을 그려 냈다는 평가를 받는다.

   •

   •

지난여름 작가 회의에서 북한 동포 돕기 시 낭송회를 한 적이 있다. 시인들만 참여하는 줄 알았더니 각계 원로들도 자기가 평소 애송하던 시를 낭송하는 순서가 있다고, 나한테도 시를 한 편 낭송해 달라고 했다. 내가 원로 소리를 듣게 된 것이 당혹스러웠지만, 북한 돕기라는 데 핑계를 둘러대고 빠질 만큼 빤질빤질하지는 못했나 보다. 하겠다고 했다. 그러나 거역할 수 없는 명분보다 더 중요한 것은 낭송하고 싶은 시가 있었다는 게 아니었을까. 그 무렵 나는 김용택의 〈그 여자네 집〉이라는 시에 사로잡혀 있었다. 김용택은 내가 좋아하는 시인 중에 한 사람일 뿐 가장 좋아하는 시인이라고는 말 못 하겠다. 마찬가지로 〈그 여자네 집〉이 그의 많은 시 중 빼어난 시에 속하는지 아닌지도 잘 모르겠다. 〈그 여자네 집〉은 다음과 같다.

가을이면 은행나무 은행잎이 노랗게 물드는 집

해가 저무는 날 먼 데서도 내 눈에 가장 먼저 뜨이는 집

생각하면 그리웁고

바라보면 정다운 집

어디 갔다가 늦게 집에 가는 밤이면

불빛이, 따뜻한 불빛이 검은 산속에 살아 있는 집

그 불빛 아래 앉아 수를 놓으며 앉아 있을

그 여자의 까만 머릿결과 어깨를 생각만 해도

손길이 따뜻해져 오는 집

살구꽃이 피는 집

봄이면 살구꽃이 하얗게 피었다가

꽃잎이 하얗게 담 너머까지 날리는 집

살구꽃 떨어지는 살구나무 아래로

물을 길어 오는 그 여자 물동이 속에

꽃잎이 떨어지면 꽃잎이 일으킨 물결처럼 가 닿고

싶은 집

샛노란 은행잎이 지고 나면

그 여자

아버지와 그 여자

큰오빠가

지붕에 올라가

하루 종일 노랗게 지붕을 이는 집

노란 집

어쩌다가 열린 대문 사이로 그 여자네 집 마당이 보이고

그 여자가 마당을 왔다 갔다 하며

무슨 일이 있는지 무슨 말인가 잘 알아들을 수 없는 말소리와

옷자락이 언뜻언뜻 보이면

그 마당에 들어가서 나도 그 일에 참여하고 싶은 집

마당에 햇살이 노란 집

저녁 연기가 곧게 올라가는 집

뒤안에 감이 붉게 익은 집

참새 떼가 지저귀는 집

눈 오는 집

아침 눈이 하얗게 처마 끝을 지나

마당에 내리고

그 여자가 몸을 웅숭그리고

아직 쓸지 않은 마당을 지나

뒤안으로 김치를 내러 가다가 "하따, 눈이 참말로 이쁘게도 온다이이." 하며

눈이 가득 내리는 하늘을 바라보다가

속눈썹에 걸린 눈을 털며

김칫독을 열 때

하얀 눈송이들이 김칫독 안으로

내리는 집

김칫독에 엎드린 그 여자의 등허리에

하얀 눈송이들이 하얗게 하얗게 내리는 집

내가 목화송이 같은 눈이 되어 내리고 싶은 집

밤을 새워, 몇 밤을 새워 눈이 내리고

아무도 오가는 이 없는 늦은 밤

그 여자의 방에서만 따뜻한 불빛이 새어 나오면

발자국을 숨기며 그 여자네 집 마당을 지나 그 여자의 방 앞

뜰방에 서서 그 여자의 눈 맞은 신을 보며

머리에, 어깨에 쌓인 눈을 털고

가만히, 내리는 눈송이들도 들리지 않는 목소리로

가만가만히 그 여자를 부르고 싶은 집

그

여

자

네 집

어느 날인가

그 어느 날인가 못밥[1]을 머리에 이고 가다가 나와 딱

마주쳤을 때

"어머나." 깜짝 놀라며 뚝 멈추어 서서 두 눈을 똥그랗게 뜨고

나를 쳐다보며 반가움을 하나도 감추지 않고

환하게, 들판에 고봉으로 담아 놓은 쌀밥같이,

화아안하게 하얀 이를 다 드러내며 웃던 그

여자 함박꽃 같던 그

여자

그 여자가 꽃 같은 열아홉 살까지 살던 집

우리 동네 바로 윗동네 가운데 고샅 첫 집

내가 밖에서 집으로 갈 때

차에서 내리면 제일 먼저 눈길이 가는 집

그 집 앞을 다 지나도록 그 여자 모습이 보이지 않으면

저절로 발걸음이 느려지는 그 여자네 집

지금은 아, 지금은 이 세상에 없는 그 집

내 마음속에 지어진 집

눈 감으면 살구꽃이 바람에 하얗게 날리는 집

눈 내리고, 아, 눈이, 살구나무 실가지 사이로

---

1 못밥 모내기를 하다가 들에서 먹는 밥.

목화송이 같은 눈이 사흘이나

내리던 집

그 여자네 집

언제나 그 어느 때나 내 마음이 먼저

가

있던 집

그

여자네

집

생각하면, 생각하면 생. 각. 을. 하. 면……

　내가 〈녹색평론〉에서 그 시를 처음 읽고 깜짝 놀란 것은, 이건 바로 우리 고향 마을과 곱단이와 만득이 이야기다 싶었기 때문이다. 지금은 칠순이 훨씬 넘은 장만득 씨는 아직도 문학청년 기질을 가지고 있다. 불과 몇 년 전까지만 해도 신춘문예 철만 되면 가슴이 울렁거린다고 했다. 가슴만 울렁거린 게 아니라 응모도 해 봤으리라고 나는 넘겨짚고 있다. 그 울렁거림이 얼마나 참을 수 없는 울렁거림이라는 걸 알고 있기 때문이다. 만일 그 시가 김용택이라는 유명한 시인의 시가 아니라 처음 들어 보는 시인의 시였다면 나는 장만득 씨가 가명으로 등단을 했으리란 걸 의심치 않았을 것이다. 나는 그 시를 읽고 또 읽었다. 처음에 희미했던 영상이 마치 약물에 담근 인화지처럼 점점 선명해졌다. 숨어 있던 수줍은 아름다움까지 낱낱이 드러나자 나는 마침내 그리움과 슬픔으로 저린 마음을 주체할 수가 없어서 혼자서 느릿느릿 포도주 한 병을 비웠다.

　곱단이는 범강장달이[2] 같은 아들을 내리 넷이나 둔 집의 막내딸이자 고명

---

2 범강장달이 키가 크고 우락부락하게 생긴 사람을 가리키는 말. '범강'과 '장달'은 중국의 《삼국지연의》에 나오는 인물로서, 그들의 대장인 장비를 죽였다.

딸[3]이었다. 부지런한 농사꾼 아버지와 착실한 아들들은 가을이면 우리 마을에서 제일 먼저 이엉을 이었다. 다섯 장정이 휘딱 해치울 일이건만 제일 먼저 곱단이네 지붕에 올라앉아 부산을 떠는 건 만득이였다. 만득이는 우리 동네의 유일한 읍내 중학생이라 품앗이 일에서는 저절로 제외되곤 했건만 곱단이네가 일손이 모자라는 집도 아닌데 제일 먼저 달려들곤 했다. 곱단이 작은오빠하고 만득이는 친구 사이였다. 그래도 마을 사람들은 만득이가 곱단이네 집 일이라면 발 벗고 나서고 싶어 하는 게 친구네 집이라서가 아니라 그 여자, 곱단이네 집이기 때문이라는 걸 알고 있었다. 부엌에서 더운 점심을 짓느라 연기가 곧게 올라가는 따뜻한 가을날, 곱단이네 지붕에 제일 먼저 뛰어올라 깃발처럼 으스대는 만득이를 보고 동네 노인들은 제 색시가 고우면 처갓집 말뚝에도 절을 한다더니만, 하고 혀를 찼지만 그건 곧 만득이가 곱단이 신랑이 되리라는 걸 온 동네가 다 공공연하게 인정하고 있다는 증거였다.

둘 사이는 그들보다 어린 우리 또래들 사이에서도 선망의 대상이었다. 우리들은 그들 사이를 연애를 건다고 말하면서 야릇하게 마음 설레곤 했다. 40년대의 보수적인 시골 마을에서도 젊은 남녀가 부모 몰래 사랑을 나누는 일이 아주 없었던 건 아니었나 보다. 누가 누구하고 바람이 났다든가, 눈이 맞았다든가, 심지어는 배가 맞았다는 소문까지 날 적이 있었다. 그건 부모가 얼굴을 못 들고 다닐 만한 스캔들이었고, 그 뒤끝도 거의 다 너절하거나 께적지근한 것이었다.

곱단이와 만득이가 좋아하는 것을 바람났다고 말하지 않고 연애 건다고 말한 것은 그런 스캔들과 차별 짓고 싶은 마음에서였을 것이다. 마을 사람들로서는 일종의 애정이요 동경이었다. 남자들은 서당에서 한문 공부를 하고 여자들은 어깨너머로 언문을 읽고 이해할 수 있을 정도로 까막눈은 면했다 하나 읍에서 20여 리나 떨어진 이 마을에서 신식 학교 교육은 아직 먼 풍문이었다. 그러나 기회만

---

3 고명딸 아들 많은 집의 외딸.

닿으면 자식에게만은 시켜 보고 싶은 거였다. 연애에 대해서도 비슷한 생각을 가졌던 것 같다. 도시에서 배운 사람들이 하는 개화된 풍속에 대한 거역할 수 없는 호기심을 가지고 있었다. 젊은 사람들 사이에서뿐만 아니라 사사건건 트집 잡기 좋아하는 노인네들한테까지 그들의 연애는 일찌거니 인정받은 거나 다름없었다. 왜냐하면 그들이 미처 연정을 느끼기 전부터, 두 남녀가 짝이 된다면 얼마나 보기 좋은 한 쌍이 될까 눈을 가느스름히 뜨고 상상하는 것만으로 즐거워한 게 노인들이었기 때문이다. 만득이네나 곱단이네나 1년 계량하기에⁴ 모자라지도 넘치지도 않을 만한 토지를 가진 자작농이었고 인품이 후하여 어려운 사람 살필 줄 아는 집안이었다. 만득이는 위로 누나들만 있고, 곱단이는 오빠들만 있어서, 두 집안 모두 기다리던 귀한 아들딸이었다. 제집에서 귀하게 여기는 자식은 남들도 한 번 볼 거 두 번 보면서 덕담을 아끼지 않는 법이다. 그들 또한 그러하였다.

곱단이는 시골 아이답지 않게 살갗이 희고, 맑은 눈에 속눈썹이 길었다. 나는 그녀의 속눈썹이 얼마나 길었는지 표현할 말을 몰랐었는데 김용택의 시 중에서 마침내 가장 알맞은 말을 찾아냈다. 함박눈이 내려앉아서 쉴 만큼 길었다. 함박눈은 녹아 이슬방울이 되고 촉촉이 젖은 눈썹이 그녀의 검은 눈동자에 그늘을 드리우면, 목석의 애간장이라도 녹일 듯 애틋한 표정이 되곤 했다. 만득이는 총명하여 하나를 가르치면 열을 알았고 생김새 또한 관옥⁵ 같았다. 촌구석에서는 보기 드문 인물들이었다. 만득이가 개천에서 난 용이라면 곱단이는 진흙탕에 핀 연꽃이었다. 누가 먼저랄 것도 없이 둘이 장차 신랑 각시가 되면 얼마나 어여쁜 한 쌍이 될까 하는 소리가 저절로 나왔다. 이구동성으로 두 사람의 천생연분을 점친 것이다. 양가의 처지 또한 서로 기울지도 넘치지도 않았고 어른들은 소박하고 정직하여 남들이 사윗감 며느릿감으로 점찍어 준 아이들을 어려서부터 눈여겨보며 아름답고 늠름하게 자라는 걸 서로 기특해하며 귀여워하였다. 곱단이

---

4 계량하다 한 해에 추수한 곡식으로 다음 해 추수할 때까지 양식을 이어 가다.
5 관옥 남자의 아름다운 얼굴을 비유적으로 이르는 말.

와 만득이는 우리 마을의 화초요 꿈이었다. 그러나 한두 번이라도 중매를 서 본 사람은 알 것이다. 남 보기에 하늘이 정해 준 배필처럼 어울리는 한 쌍이 있어 그들을 맺어 주는 것에 거의 소명 의식 같은 걸 느끼고 중매에 나서지만 본인은 의외로 냉담한 경우가 많다는 것을. 남자와 여자가 서로 연정을 느끼는 건 신의 장난질처럼 인간의 계획 밖의 일이다. 남이 나서서 잘되기를 꾀하거나 도와주려고 하면 되레 어깃장을 놓는 속성까지 있는 것 같다.

그러나 만득이와 곱단이는 마을 사람들의 꿈을 배반하지 않았다. 곱단이가 만득이만 보면 유난히 부끄럼을 타기 시작한 게 그 증거였다. 곱단이가 만득이 때문에 방구리를 깨뜨린 일은 두고두고 동네 사람들의 입초시[6]에 오르내렸다. 윗말 아랫말 합쳐야 20여 호밖에 안 되는 작은 마을이라 우물이 하나밖에 없었다. 물 긷는 일은 전적으로 아낙네들 몫이었고, 물동이를 이고도 동이를 손으로 잡는 법 없이 두 손을 자유롭게 놀리며, 고개도 이리저리 돌려 볼 것 다 보고 다닐 수 있어야 비로소 살림에 관록이 붙은 주부였다. 계집애들은 엄마들의 그런 솜씨에 감탄의 눈길을 보내는 한편, 언젠가는 자기들도 그런 최고의 경지에 도달하지 않으면 안 된다는 압박감을 가졌음 직하다. 계집애들은 어려서부터 물동이를 이고 싶어 했다. 아이들도 능히 일 수 있는 작은 물동이를 방구리라고 했다. 방구리는 실용보다는 딸애들의 놀이 기구에 가까워서 깨뜨리기도 잘 했다. 계집애를 얕볼 때, 쬐끄만 계집애란 말 대신 방구리만 한 계집애로 통하는 게 우리 마을이었다.

곱단이는 귀한 딸이고 올케가 둘씩이나 있어서 물동이 같은 거 안 이어도 됐건만 자기 몫의 방구리는 가지고 있었고, 동무들이 하는 건 다 해 보고 싶은 나이였다. 그러나 머리에 인 방구리 손잡이를 양손으로 움켜잡지 않고는 한 발짝도 못 떼는 초보였다. 그렇게 방구리로 물을 길어 가는데 저만치서 만득이가 오는 게 보였다. 만득이는 방구리를 들어 주려고 급히 달려오고 그걸 본 곱

---

6 입초시 '입방아'의 방언.

단이는 에구머니나, 흘러내린 치맛말기를 치켜올리려고 급히 방구리 손잡이를 놓아 버린 것이다. 방구리가 깨진 건 말할 것도 없다. 곱단이가 열너덧 살 가슴이 살구씨만큼 부풀어 올랐을 무렵이었다. 저고리를 짧게 입고 치맛말기로 가슴을 동일 때라 임질[7]을 할 때면 겨드랑과 가슴이 드러나게 돼 있었다. 그 무렵의 우리 고장의 풍습으로는 젊은 여자들도 거기에 대한 수치감이 별로 없었다. 임을 이고 가는 엄마의 뒤에 업힌 아이가 겨드랑이 밑으로 엄마의 앞가슴을 더듬거나 끌어당겨 빨기까지 하는 모습도 흔히 볼 수 있었다. 가슴에 대한 수치심도 일종의 문화 현상이 아닐까. 그 시절엔 엄마의 젖가슴은 아이들의 밥그릇 정도로 여겼던 반면 배꼽을 드러내는 건 수치스럽게 여겼다. 처녀는 좀 달랐겠지만 그런 풍토에서 방구리를 깨뜨리면서까지 가슴을 가리고 싶어 했던 것은 예사로운 일이 아니었다.

우리 마을에서 만득이가 제일 먼저 읍내 중학교로 진학하자 곱단이는 아버지를 졸라 10리 밖에 새로 생긴 소학교 분교에 입학했다. 방구리 사건이 있고 나서였다. 분교를 간이 학교라고 불렀고 입학하는 데는 연령 제한 같은 것도 없었다. 남학생 중에는 아이 아범도 있을 정도였다. 중학교도 마찬가지였나 보다. 만득이도 소학교만 나오고 나서 몇 년 집에서 농사를 거들다가 서울로 시집간 큰누나가 신식 교육의 필요성을 역설해서 상급 학교에 가게 됐으니 늦공부인 셈이었다.

간이 학교는 우리 마을에서 읍으로 가는 도중에 있는 긴내골이라는 50여 호가 넘는, 인근에서는 가장 큰 마을에 있었다. 고개를 두 번 넘고 시냇물을 한 번 건너야 했다. 만득이와 곱단이가 등하굣길을 자연스럽게 같이했을 것은 말할 것도 없다. 겉으로 보기에 두 사람이 유별나 보이지는 않았다. 늘 곱단이가 한참 뒤져서 걷고 만득이는 휘적휘적 앞서가다가 기다려 주곤 했다. 부부가 같이 외출을 해도 나란히 걷지를 못하고 아내가 한참 뒤에서 걷는 걸 예절처럼 알던 시

---

7 임질 물건 따위를 머리에 이는 일.

대였다. 곱단이보다 갈 길이 곱절이 되는 만득이가 갑갑한 곱단이의 걸음걸이를 참지 못하고 휭하니 먼저 가 버릴 적도 있었다.

들을 적시는 개울물이 도처에 그물망처럼 펴져 있는, 물이 흔한 고장이었지만 다리를 통해 건너야 하는 긴내골의 시냇물은 유난히 아름다웠다. 물은 깊지 않았지만 골이 깊어서 길에서 수면까지 비스듬히 가파른 둔덕에는 잔다란 들꽃들이 봄 여름 가을 내 쉼 없이 피었다 지곤 했고, 흰 자갈과 잔모래와 꽃 그림자 사이를 무리 지어 유영하는 물고기들과 장난치듯 부서지는 잔물결은 수정처럼 투명했다. 그 시냇물에는 흙다리가 놓여 있었다. 양쪽 둔덕을 두 개의 기둥목으로 가로질러 놓고 그 사이를 새끼줄이나 칡넝쿨 같은 것으로 엮고는 진흙으로 빤빤하게 싸 바른 흙다리는 마치 오솔길의 연속처럼 편안했다. 그러나 비가 많이 오거나 봄의 해토[8] 무렵엔 흙다리 곳곳에 구멍이 뚫리기도 하고 미끌거리기도 했다. 그런 불편은 잠깐, 곧 누군가의 손길로 감쪽같이 보수가 되긴 했지만 문제는 장마 중이거나 미처 보수를 하기 전이었다. 특히 계집애들은 구멍 난 흙다리 건너기를 무서워했다. 차라리 둔덕을 내려가 신발 벗고 점벙점벙 강물로 들어가는 게 안심스러웠다. 물이 불어 봤댔자 허리 정도밖에 안 찼지만 그럴 때는 앞서서 작대기로 물의 깊이를 알려 주고 계집애들을 인도하는 게 남학생들의 중요한 사내 구실이었다. 그러나 만득이는 곱단이가 사내 녀석들하고 치마를 배꼽 위까지 걷어 올리고 속바지를 적셔 가며 물을 건너는 것을 참을 수 없어 했다. 등굣길은 물론 하굣길까지 어떻게든 시간을 맞춰 지키고 있다가 구멍 뚫린 흙다리 위로 건너게 해 주었다. 흙다리를 건너면서 곱단이가 얼마나 무섬을 타고, 앙탈을 하고, 그러면 만득이는 그걸 다 받아 주며 다독거리느라 길지도 않은 흙다리 위에서 둘이 몇 번씩이나 서로 얼싸안는다는 소문이 자자하게 퍼지곤 했다. 그러나 구 닥다리 노인들도 그런 소문을 망신스러워하지 않고 귀엽게 여겼다. 둘은 어차피

---

8 해토 얼었던 땅이 녹음.

혼인할 테고 둘이 서로 좋아하는 것은 아름다운 한 쌍의 새가 부리를 비비는 것처럼 예쁘게만 보였다. 흙다리가 아니라 연애 다리라는 소리도 악의라곤 없었다.

중학교 상급반으로 오르면서 만득이는 문학에 눈을 뜨게 된 것 같다. 한동안 그는 《懊惱의 舞蹈》[9]라는 시집을 책가방에 넣지 않고 옆구리에 끼고 다닌 적이 있는데 그게 그렇게 멋있어 보일 수가 없었다. 학교 문턱에도 못 가 본 이도 남자들은 한문을 다 읽을 줄 알았다. 서당이 마을 사내애들의 의무 교육 기관처럼 돼 있었다. '오뇌의 무도'라고 붙여서 읽을 수는 있어도 그게 무슨 뜻인지 확 오는 게 아니었다. 글자는 한자건만 그 낱말이 불러일으키는 이미지는 이국적이고 하이칼라한 것이었다. 어디서 흘러들어 온 말인지 하이칼라란 말이 우리 마을 젊은이들 사이에서 한창 유행할 때였다. 어딘지 이국적이고 약간 겉멋 들어 보이는 건 뭐든지 하이칼라라고 했다.

마을 젊은이들 사이에 춘원[10] 바람을 일으킨 것도 만득이었다. 《흙》《단종애사》《무정》 같은 춘원의 책들이 젊은이들 사이를 돌며 나달나달해질 때까지 읽혔다. 책은 나달나달해졌지만 거기에 한번 맛 들인 청년들의 눈빛은 별처럼 빛났다. 그러나 곧 춘원이 창씨개명에 앞장서고 청년들을 전쟁터로 내모는 연설을 했다는 말을 퍼뜨려, 청년들을 실의에 빠뜨리고, 헷갈리게 만든 것도 만득이었다. 그가 마을 청년들의 정신의 맥을 쥐었다 폈다 한다고 해도 과언이 아니었다. 2차 세계 대전이 말기에 접어들면서 마을의 형편도 날로 어려워지고 있었지만 젊은이들의 정신의 기갈은 그보다 더 심각하였기 때문에 먹혀들기도 그만큼 쉬웠다. 만득이가 퍼뜨린 책 때문에 마음이 통하게 된 젊은이들이 모여서 문학 얘기도 하고 세상 돌아가는 일에 울분을 토로하기도 하는 모임이 자연히 형성됐는데, 거기서도 중심인물은 물론 만득이었다. 그러나 만득이는 고작 만학의 중

---

9 《懊惱의 舞蹈》 김억의 번역 시집 《오뇌의 무도》. 베를렌, 구르몽, 사맹, 예이츠, 보들레르 등 서유럽 유명 시인들의 시를 수록한 우리나라 최초의 근대적 시집으로 1921년에 간행됨.
10 춘원(春園) 한국 최초의 근대 장편 소설 《무정》을 쓴 소설가 이광수의 호.

학생이었다. 식민지 청년의 의식 있는 모임이라기보다는 만득이의 지적 허영심을 충족시키는 장이었다. 그는 가끔 자기가 쓴 시를 비장한 어조로 읽어 주곤 했는데 그중 곱단이가 눈물이 글썽할 정도로 좋아한 시가 나중에 알고 보니 임화[11]의 시 뒷부분이었다.

오늘도 연기는
구름보다 높고,
누구이고 청년이 몇,
너무나 좁은 하늘을
넓은 희망의 눈동자 속 깊이
호수처럼 담으리라.
벌리는 팔이 아무리 좁아도,
오오! 하늘보다 너른 나의 바다.

이런 시였는데 팔을 벌리고 오오 하늘보다 너른 나의 바다, 할 때는 어찌나 격정적으로 목메어 부르는지 곱단이는 그때마다 만득이를 더 넓은 세상으로 내놓아야 할 것 같아 가슴이 떨린다고 했다.

곱단이는 나에게 가끔 만득이가 보낸 편지를 보여 줄 적이 있었다. 누가 보여 달랜 것도 아닌데 보여 주는 게 계면쩍었던지 혼자 보기 아까워서……라는 말을 덧붙이곤 하였다. 연애편지를 혼자 보기 아까워한다는 건 실상 말이 안 되는 소리다. 그건 보여 줘도 무관한 담백한 편지라는 뜻도 되지만, 곱단이 보기에 그럴듯한 문학적 표현을 자랑하고 싶어서이기도 했을 것이다. 그중 아직도 생각나는 것은 곱단이네 울타리 밑의 꽈리나무를 '꼬마 파수꾼들이 초롱불을 빨갛게

---

11 임화(林和) 시인이자 문학 평론가로, 본문에 인용된 시는 임화의 시 〈하늘〉의 일부임.

켜 들고 서 있는 것 같다.'고 표현한 것이었다. 당시 우리 동네 집들은 거의 다 개나리로 뒤란울타리를 치고 살았다. 그리고 뉘 집이나 울타리 밑에서 꽈리가 자생했다. 봄에서 여름에 걸쳐서는 거기에 꽈리나무가 있다는 것도 모를 정도로 전혀 눈에 안 띄는 잡초나 다름없었다. 꽈리가 거기 있다는 걸 알게 되는 건 풀숲이 누렇게 생기를 잃고 난 후였다. 익은 꽈리는 단풍보다 고왔고, 아닌 게 아니라 초롱처럼 앙증맞았다. 그러나 그맘때면 붉게 물든 감잎도 더 고운 감한테 자리를 내주고, 들에서는 고추가 다홍빛으로 물들 때였다. 꽈리란 심심한 계집애들이 더러 입안에서 뽀드득대는 것 외엔 아무짝에도 쓸모없는 하찮은 잡초에 불과했다. 우리 집 울타리 밑에도 꽈리가 여기저기 자라고 있었다. 그렇게 흔해 빠진 꽈리 중 곱단이네 꽈리만이 초롱에 불 켜 든 꼬마 파수꾼이 된 것이다. 만득이는 어쩌면 그리움에 겨워 곱단이네 울타리 밑으로 개구멍을 내려다 말고 발갛게 초롱불을 켜 든 꼬마 파수꾼 때문에 이성을 찾은 거나 아닐까. 그렇지 않고서야 그 흔해 빠진 꽈리 중에서 곱단이네 꽈리만을 그렇게 특별한 꽈리로 만들 수는 없는 일이었다.

우리 마을엔 꽈리뿐 아니라 살구나무도 흔했다. 살구나무가 없는 집이 없었다. 여북해야[12] 마을 이름도 행촌리(杏村里)[13]였겠는가. 봄에 살구나무는 개나리와 함께 온 동네를 꽃 대궐처럼 화려하게 꾸며 주었지만, 열매는 시금털털한 개살구였다. 약에 쓰려고 약간의 씨를 갈무리하는 집이 있긴 해도 열매는 아이들도 잘 안 먹어서 떨어진 자리에서 썩어 갔다. 아름다운 마을이었다. 살구꽃이 흐드러지게 필 무렵엔 자운영과 오랑캐꽃이 들판과 둔덕을 뒤덮었다. 자운영은 고루 질펀하게 피고, 오랑캐꽃은 소복소복 무리를 지어 가며 다문다문 피었다. 살구가 흙에 스며 거름이 될 무렵엔 분분히 지는 찔레꽃이 외진 길을 달밤처럼 숨 가쁘고 그윽하게 만들었다.

---

12 여북하다 정도가 심하거나 상황이 좋지 않다.
13 행촌리 살구나무 마을.

〈그 여자네 집〉을 읽으면서 문득 돌이켜 보니, 행촌리의 그 흔한 살구나무 중에서도 곱단이네 살구나무는 특별났던 것 같다. 다 같은 초가집 중에서도 만득이에겐 곱단이네 지붕이 유난히 샛노랬던 것처럼, 그 흔해 빠진 꽈리나무 중에서 곱단이네 꽈리나무만이 특별났던 것처럼. 곱단이네는 행촌리 윗말 첫 집이었다. 뒷동산에서 흘러내린 개울물이 곱단이네를 휘돌아 아랫마을로 흐르면서 만득이네 문전옥답[14] 논배미를 지나게 돼 있었다. 곱단이네 살구나무는 곱단이 아버지가 딸과 딸의 동무들을 위해 튼튼한 그네를 매 줄 정도로 큰 나무였다. 만득이는 아마 개울물이 하얗게 하얗게 실어 나르는 살구꽃을 연애편지를 펼쳐 보듯 울렁거리는 가슴으로 바라보았을 것이다.

1945년 봄에도 행촌리에 살구꽃 피고, 꽈리꽃, 오랑캐꽃, 자운영이 피었을까. 그럴 리 없건만 괜히 안 피고 말았을 것 같다. 그 꽃들이 피어나기 전에 만득이와 곱단이의 연애도 끝나고 말았을까. 만학이었던 만득이는 읍내의 4년제 중학교를 졸업하자마자 징병[15]으로 끌려 나갔다. 며칠간의 여유는 있었고 양가에서는 그사이에 혼사를 치르려고 했다. 연애 못 걸어 본 총각도 씨라도 남기려고 서둘러 혼처를 구해 혼사를 치르는 일이 흔할 때였다. 더군다나 만득이는 외아들이었고 사주단자는 건네지 않았어도 서로 연애 건다는 걸 온 동네가 다 아는 각싯감이 있었다. 그러나 그는 한사코 혼사 치르기를 거부했다. 그건 그의 사랑법이었을 것이다. 남들이 다 안 알아줘도 곱단이한테만은 그의 사랑법을 이해시키려고, 잔설[16]이 아직 남아 있는 이른 봄의 으스름달밤을 새벽닭이 울 때까지 곱단이를 끌고 다녔다고 한다. 곱단이가 그의 제안에 마음으로부터 승복했는지 아닌지는 알 길이 없다. 그러나 끌고 다니지를 않고 어디 방앗간 같은 데서 밤을 지냈다고 해도 만득이의 손길이 곱단이의 젖가슴도 범하지 못하였으리라는 걸

---

14 문전옥답(門前沃畓) 집 가까이에 있는 기름진 논.
15 징병(徵兵) 국가가 법으로 병역 의무자를 모아 군 복무를 시키는 것. 여기서는 일본이 조선 청년들을 강제로 일본군에 편입시키는 것을 말함.
16 잔설 녹다 남은 눈.

곱단이의 부모도, 마을 사람들도 믿었다. 그런 시대였다. 순결한 시대였는지, 바보 같은 시대였는지는 모르지만 그때 우리가 존중한 법도란 그런 거였다.

만득이네 대문에 일본 깃대와 출정 군인의 집이라는 깃발이 만장처럼 처량히 휘날리고, 그 집 사랑에서 며칠씩 술판이 벌어져도 밀주 단속에도 안 걸리고…… 그렇게 그까짓 열흘 눈 깜박할 새 지나가 만득이는 마침내 입영을 하게 되었다. 만득이가 꼭 살아 돌아올 테니 기다리라고 곱단이를 설득하기는 어렵지 않았을 것이다. 곱단이가 딴 데 시집갈 아이도 아니거니와 식구들 역시 딴데 시집보낼 엄두라도 낼 사람들이 아니었으므로. 설득에 그렇게 오랜 시간이 걸린 것은, 그럴 것이면 왜 혼사를 치르고 나서 떠나면 안 되냐는 곱단이의 지당한 생각 때문이었을 것이다. 곱단이는 이름처럼 마음씨도 비단결 같은 처녀였지만, 옳다고 생각하는 걸 굽힐 만큼 호락호락하진 않았으니까. 사위스러워서[17] 아무도 입에 올리진 않았지만 마을 사람들은 만득이가 사지(死地)로 가고 있다는 걸 알기 때문에 곱단이를 과부 안 만들려는 그의 깊은 마음을 내심 여간 대견히 여기는 게 아니었다. 만득이와 곱단이는 요샛말로 하면 마을의 마스코트라고나 할까. 둘 다 행복해지지 않으면 재앙이라도 내릴 것처럼 지켜 주고 싶어 했고, 만득이의 처사는 그런 소박한 인심에도 거슬리지 않는 최선의 것이었다.

만득이가 떠난 후에도 마을 청년들은 앞서거니 뒤서거니 징병이나 징용[18]으로 끌려가 마을에 남자라고는 중늙은이 이상만 남게 되었다. 곱단이 오빠들도 도시로 나가 공장에 취직한 셋째 오빠와 부모님을 모시는 큰오빠 빼고, 두 오빠가 징용으로 나가 아들 부잣집이 허룩해졌다[19]. 장정만 데려가는 게 아니라 양식 공출도 극악해져 그 풍요하던 마을도 앞으로 넘길 보릿고개 걱정이 태산 같았

---

17 사위스럽다 마음에 불길한 느낌이 들고 꺼림칙하다.
18 징용(徵用) 전쟁 또는 그에 준하는 비상사태에 국가가 강제적으로 국민을 불러 모아 일정한 노동을 시키는 것. 여기서는 일본이 조선 청년들을 끌고 가 각종 공사판, 공장 등에서 일하도록 시키는 것을 말함.
19 허룩하다 줄거나 없어져 적다.

다. 궂은 날 부침질만 해도 서로 나누느라 한 채반은 부쳐야 했던 인심도 스스로 금 가기 시작할 무렵이었다. 아주 나쁜 소식이 염병보다 더 흉흉하고 걷잡을 수 없게 온 동네를 휩쓸었다. 전에도 여자 정신대에 대해서 아주 모르고 있었던 것은 아니다. 일본 본토나 남양 군도[20]에 가서 일하고 싶은 처녀들은 지원하면 보내 주고 나중에 집에 송금도 할 수 있다는 면사무소의 공문이 한바탕 돈 후였지만 그럴 생각이 있는 집은 한 집도 없었고, 설마 돈벌이를 강제로 보내리라고는 아무도 짐작을 못 했다. 그러나 들려오는 소문은 그게 아니어서 몇 사람씩 배당을 받은 면사무소 노무과 서기들과 순사들이 과년한 딸 가진 집을 위협도 하고 다짜고짜 끌어가는 일까지 있다고 했다. 설마설마하는 사이에 더 나쁜 일이 생겼다. 그것은 같은 면 내에서 생긴 일이기 때문에 소문이 아니라 실제 상황이었다. 동구 밖에서 감춰 놓은 곡식을 뒤지려고 나타난 면 서기와 순사를 보고 정신대를 뽑으러 오는 줄 지레짐작을 한 부모가 딸애를 헛간 짚더미 속에 숨겼다고 했다. 공출 독려반들은 날카로운 창이 달린 장대로 곡식을 숨겨 두었음 직한 곳이면 닥치는 대로 찔러 보는 게 상례[21]였다. 헛간에 짚가리로 창을 들이대는 것과 그 부모네들이 안 된다고 비명을 지른 것은 거의 동시였다. 창끝에 처녀의 살점이 묻어 나왔다고도 하고, 꿰진 창자가 묻어 나왔다고도 하고, 처녀는 그 자리에서 죽었다고도 하고, 피를 많이 흘리면서 달구지로 읍내 병원으로 실려 갔는데 죽었는지 살았는지 모른다고도 했다. 아무튼 그 소문의 파문은 온 면내의 딸 가진 집을 주야로 가위눌리게 했다. 끔찍한 일이었다.

도시에서 군수 공장에 다니는 곱단이 오빠가 종아리에 각반을 차고 징 달린 구두를 신은 중년 남자를 데리고 내려왔다. 신의주에 있는 중요한 공사판에서 측량 기사로 있는, 한 번 장가갔던 남자라고 했다. 곱단이 부모로부터 그 흉흉한 소문을 듣고 급하게 구해 온 곱단이 신랑감이었다. 첫 장가든 부인이 10년이 가

---

20 남양 군도(南洋群島) 태평양 적도 부근에 흩어져 있는 여러 섬.
21 상례 보통 있는 일.

깝도록 아이를 못 낳아 내치고 새장가를 든다는 그는 곱단이의 그 고운 얼굴보다는 별로 크지 않은 엉덩이만 유심히 보면서, 글쎄, 아이를 잘 낳을 수 있을까? 연방 고개를 갸우뚱, 그닥 탐탁지 않아 했다고 한다. 그러나 워낙 총각이 씨가 마른 시대였다. 게다가 지금 그 늙은 신랑감이 하고 있는 일은 군사적인 중요한 일이라 징용은 저절로 면제된다고 한다. 곱단이네는 그 고운 딸을 번갯불에 콩 구워 먹듯이 재취 자리로 보내 버렸다.

곱단이가 어떤 심정으로 그 혼사에 응했는지는 알 길이 없다. 피를 보면 멀쩡한 사람도 정신이 회까닥해진다고 하지 않는가. 피 묻은 소문도 마찬가지였다. 곱단이네 식구뿐 아니라 마을 사람들도 이성을 잃고 말았다. 만득이와 곱단이의 연애를 어여삐 여기고 스스로 증인이 된 마을 어른들도 이제 곱단이를 위해 할 수 있는 일은 그녀를 일본군한테 내주지 않는 일뿐이었다. 더군다나 곱단이 어머니는 피가 무서워 닭 모가지 하나 못 비트는 착하디착한 위인이었다. 그러니 그 피 묻은 소문에 살이 떨려 우두망찰했을 것이다. 곱단이는 만득이와의 언약을 저버리고 딴 데로 시집을 가느니 차라리 죽고 싶었을 것이다. 그러나 그녀도 스스로 제 목숨을 끊을 만큼 모질지는 못했다. 죽은 것과 마찬가지로 넋을 놓아 버리는 게 고작이었을 것이다. 곱단이네서 혼사를 치르고 사흘 만에 신랑을 따라 집을 떠나는 곱단이는 사자(死者)를 분단장해 놓은 것처럼 섬뜩하니 표정이라곤 없었다.

멀고 먼 신의주로 시집가 첫 근친[22]도 오기 전에 광복을 맞았다. 그녀는 열아홉에 떠난 지붕 노란 집에 다시 돌아오지 못했다. 우리 고장은 아슬아슬하게 삼팔선 이남이 되어 북조선의 신의주와는 길이 막히고 말았다. 만득이는 살아서 돌아왔다. 그 이듬해 봄 만득이는 같은 행촌리 처녀인 순애와 혼사를 치렀다. 순애는 투덕투덕 복 있게 생긴 처녀였지만 곱단이에겐 댈 것도 아니었다. 혼삿날

---

22 근친 시집간 딸이 친정에 가서 부모를 뵘.

마을 풍속대로 신랑을 거꾸로 매달았는데 군대나 징용 갔다가 심성이 거칠 대로 거칠어져 돌아온 청년들이 어찌나 호되게 신랑 발바닥을 때렸던지 만득이가 엉엉 울었다고 한다. 만득이 또한 군대 가서 고초를 겪을 만큼 겪었는데 그까짓 장난삼아 치는 매를 못 견디어 울었을까? 울고 싶어, 실컷 울고 싶어 울었을 것 같다. 이렇게 만득이의 일거수일투족을 곱단이와 연관 지어 생각하고 싶은 게 아직도 두 사람의 어여쁜 사랑을 못 잊어 하는 마을 사람들의 심정이었으니, 그리로 시집간 순애의 마음도 그리 편치는 않았을 것이다. 그러나 두 사람은 마을 사람들이 금실을 확인해 볼 겨를도 없이 곧 서울로 세간을 냈다. 외아들이었지만 서울 누나가 동생의 일자리를 구해 놓고 데려갔다.

6·25 동란 후 삼팔선 대신 그어진 휴전선은 행촌리를 휴전선 이북 땅으로 만들어 놓았다. 그동안 서로 만나지는 못했어도 귀향길에 만득이가 순애하고 곧잘 산다는 소식 정도는 들을 수 있었는데 그나마 못 듣게 되었다. 6·25 때 죽지 않았으면 같은 서울 하늘 밑 어디메 살아 있겠거니, 문득문득 생각이 나던 것도 잠시 만득이는 내 기억 속에서 아주 사라져 버렸다. 서울살이라는 게 촌수 닿는 친척도 결혼 청첩장이나 부고나 받아야 마지못해 챙길 정도로, 이해관계가 닿지 않는 인간관계는 지딱지딱 잊게 되어 있었다.

만득이를 서울에서 다시 만난 지는 채 10년도 안 된다. 지금은 돌아가셨지만 그때까지는 생존해 계시던 삼촌이 우리 고향 군민회에 가 보고 싶다고 하셔서 모시고 간 자리에서였다. 실향민들이 마음을 달래려는 자리가 흔히 그렇듯이 노인네들 천지였다. 매년 열리는 군민회라지만 삼촌처럼 처음 간 분은 서로 알아보는 데도 한참 시간이 걸렸다. 알아보는 걸 도와주려는 주최 측의 배려로 면 단위로 나눠서 자리를 잡았고, 우리끼리 다시 리 단위로 무리를 만들었다. 행촌리는 나하고 삼촌하고 낯모르는 노부부 네 사람밖에 없었다. 그 이듬해 돌아가신 삼촌은 그때도 이미 여든 가까운 연세셔서 고향의 흙냄새 대신 고향 사람 체취라도 맡고 싶은 마음에 느닷없이 군민회 나들이를 하고 싶어 한 것 같다. 죽을 날이 가까우면 안 하던 짓을 하게 되는 걸 자손들은 가벼운 망령[23] 정도로 취급했다. 오죽해야 조카가 모시고 가게 되었을까. 행촌리 노신사도 삼촌을 알아보는 것 같지 않았다. 그냥 어른 대접으로 행촌리 살던 아무개라고 공손하게 인사를 했지만 나는 별로 귀담아듣지 않아 못 알아들었다. 나중에 그가 나에게 명함을 주며 인사를 청하지 않았으면 아마 끝까지 못 알아보았을 것이다. 무슨 전업사 대표 장만득으로 되어 있는 명함을 보고 나서야 뭔가 이상해서 다시 한번 쳐다보니, 젊은 날의 그가 어디 숨어 있다가 고개를 내밀 듯이 분명하게 떠올랐다. 몸집도 별로 불지 않고 얼굴도 잘 늙지 않은 동안이었다. 나하고 그는 그닥 친한 사이가 아니었다. 그는 곱단이 것이었으므로 당시의 우리 또래들은 다들 그를 소 닭 보듯 하는 걸 예절로 알았다. 그건 장만득 씨도 마찬가지였을 것이다. 그는 워낙 마을에서 유명했지만, 유명 인사가 팬을 알아보란 법은 없다. 나는 그에게 하나도 안 변했다고 말하고 나서 쑥스럽게 웃었다. 한참 동안 못 알아본 주제에 그건 말도 안 되는 소리였기 때문이다.

순애를 떠올리는 건 더욱 불가능했다. 이 유복하고 금실 좋아 보이는 노부부 중 한쪽이 순애인지도 자신이 없었다. 오히려 순애 쪽에서 나에게 알은척을 하며 하나도 안 변했다고 해 줘서 순애려니 했다. 나는 그때 학교 다닌답시고 학교도 안 다니는 집에서 바느질이나 배우는 나보다 나이 많은 애들하고 동무한 적이 없었다. 만득이하고 순애는 보기 좋은 부부였다. 그냥 헤어지기는 섭섭하여 서로 전화번호를 교환했는데 뜻밖에도 순애가 자주 전화를 해서 점심도 같이 하고 쇼핑도 같이 하는 교분[24]이 이어졌다. 그 여자는 장만득 씨가 아직도 곱단이를 못 잊고 있다는 이야기를 하소연했다.

아우님, 다들 나더러 팔자 좋다고 하지만 나 같은 빛 좋은 개살구도 없다우. 아우님이니까 얘기야. 딴 사람들한테 아무리 얘기해 봤댔자 나만 이상한 사람

---

23 망령(妄靈) 늙거나 정신이 흐려 말이나 행동이 정상을 벗어난 상태.
24 교분 서로 사귄 정.

되지 누가 내 속을 알겠수. 돈 잘 벌고 생전 외도라곤 모르고, 애들한테 잘하고, 나한테도 죄지은 것 없이 죽는 시늉도 하라면 하는 그런 남편이 어디 있냐고들 하지만, 아마 나처럼 지독한 시앗[25]을 보고 사는 년도 없을 거유. 곱단이 년이 내 남편한테 찰싹 붙어 있다는 것을 번연히 알면서도 머리채를 잡을 수가 있나, 망신을 줄 수가 있나, 미칠 노릇이라우. 그래도 내가 아우님을 만났게 망정이지, 그렇지 않았으면

이 억울한 사정을 누구한테 말이라도 할 수가 있겠수. 그 영감 지금도 글쎄 그년한테 연애편지를 쓴다니까요. 설마라고? 나도 처음엔 설마 했지. 지도 쑥스러운지 시를 쓴다고 합디다. 내가 몰래 훔쳐봤더니 뭐 '그대 어깨에 살구꽃 내리네.' 아니면 '살구꽃은 해마다 피는데, 우리 님은 왜 한 번 가고 다시 아니 오시나.' 이따위가 연애편지지 그래 시란 말이유. 그뿐인 줄 알아요? 우리가 작년에 중국 여행을 갔을 적에도 얼마나 내 오장을 뒤집었다구요. 속 모르고 따라간 나도 배알 빠진 년이지만. 백두산 구경하고 나서, 단동인가 어디서 배 타고 북한 땅 가까이까지 가 보는 압록강 유람선 관광이라는 걸 했는데, 정말 저쪽 북한 땅 강가에 놀이 나온 아이들까지 보이게 배가 가까이 가니까, 나도 마음이 좀 이상해집디다. 그냥 뱃놀이를 편하게 즐기는 건 다 중국 사람들이고, 표정이 심각하게 굳어지는 건 다들 남한 사람들이더라구요. 그 정도는 당연한 거지. 근데 우리 영감은 별안간 뱃전에다 고개를 떨구고 소리 내어 엉엉 울지를 않겠수. 머리가 허연 늙은이가 온몸을 들먹이면서. 분단의 슬픔이라구? 아이구, 그게 아니라 거기서 보이는 땅이 신의주였어요. 곱단이 년 사는 데가 닿을 듯 닿을 듯, 닿지는 않으니까 미치겠는 거지 뭐. 당장 강으로 밀어 처넣고 싶더라구요. 헤엄쳐서 어서

---

25 시앗 남편이 부인 외에 데리고 사는 여자. 첩.

그년한테 가라구요. 그뿐인 줄 알아요. 여기서 돈 잘 벌고 사업 잘하다가 느닷없이 아이들은 여기서 키우고 싶지 않다면서 미국으로 이민을 가잔 적이 다 있었다니까요. 지나 내나 영어 한마디 못 하는 주제에 이민을 가자는 속셈이 뭐였겠수? 뻔하지. 미국 시민권을 얻으면 북한을 마음대로 드나든다면서요. 내가 그 꼬임에 넘어갈 성싶어요. 가려면 혼자 가라구, 가서 그년 데려다 잘 살아 보라고 했더니 나를 정신병자 취급하면서 주저앉습디다. 아이들한테는 끔찍한 양반이니까요. 실상 그거 하나 믿고 여태껏 서러운 세상 견딘 거죠.

간추리면 대강 그런 얘기였다. 아닌 게 아니라 그런 얘기는 곱단이와 만득이가 연애 걸던 시절을 아는 사람 아니면 도저히 먹혀들 것 같지 않은 이야기였다. 그러나 그 여자 레퍼토리는 그 몇 가지의 에피소드에 국한되어 있었다. 아직도 만득이가 곱단이 생각만 한다는 증거를 더는 대지 못했고, 나도 비슷한 얘기를 하도 여러 번 반복해 들으니까 넌더리가 나면서 그 여자보다는 장만득 씨가 불쌍해질 무렵 그 여자의 부음을 듣게 되었다. 장만득 씨가 상처를 한 것이다. 고혈압으로 몇 년째 약을 복용하고 있었다는데, 돌연 쓰러진 후 의식을 회복하지 못한 채 사흘 만에 숨을 거두었다고 했다. 문상을 가서 그 여자의 영정 사진을 보고 섬뜩했다. 20대 후반으로밖에 안 보이는 사진이었다. 요샌 영정 사진도 너무 늙은 것은 보기 싫다고, 아주 늙기 전에 찍어 놓는다고는 하지만 칠순의 남편이 눈물을 떨구고 있는 앞에 20대의 사진은 너무했다 싶었다. 자식들이 문상객들의 그런 눈치를 채고, 어머니는 평소에도 나 죽거든 늙어 빠진 영정 쓰지 말라고 부탁하시더니, 돌아가신 후 보니까 손수 마련해 놓으신 영정 사진이 있더라고 했다. 나는 나도 모르게 그 여자의 젊었을 적과 곱단이의 젊었을 적을 머릿속으로 비교하고 있었다. 델 것도 아니었다. 내 상상 속에서 곱단이는 더욱 요요해지고, 그 여자는 젊다는 것 외엔 흔한 얼굴 그대로였다. 그리고 그제야 그 여자가 불쌍해졌다. 아아, 저 여자는 일생 얼마나 지독한 연적(戀敵)과 더불어 산 것일까. 생전 늙지도, 금도 가지 않는 연적이란 얼마나 견디기 어려운 적이었을까.

그 여자가 죽고 나서 내가 만득이를 따로 만날 일이 있을 리 없었다.

그를 우연히 만난 것은 그가 상처하고 나서도 이삼 년 후 엉뚱하게도 정신대 할머니를 돕기 위한 모임에서였다. 뜻밖이었지만, 생전의 그의 아내로부터 귀에 못이 박이게 주입된 선입관이 있는지라 그가 그 모임에 나타난 것도 곱단이하고 연결 지어서 생각되는 걸 어쩔 수가 없었다. 모임이 끝난 후 그가 보이지 않자 나는 마치 범인을 뒤쫓듯이 허겁지겁 행사장을 빠져나와 저만치 어깨를 축 늘어뜨리고 걸어가는 그를 불러 세웠다. 그리고 다짜고짜 따지듯이 재취 장가를 들었느냐고 물었다. 그는 아니라고 말하고 나서 앞으로도 할 생각이 없다고, 묻지도 않은 말까지 덧붙이는 것이었다.

왜요? 곱단이를 못 잊어서요? 여긴 왜 왔어요? 정신대에 그렇게 한이 맺혔어요? 고작 한 여자 때문에. 정신대만 아니었으면 둘이 혼인했을 텐데 하구요? 참 대단하십니다.

내 퍼붓는 말에 그는 대답 대신 앞장서서 근처 찻집으로 갔다. 그 나이에 아직도 싱그러움이 남아 있는 노인을 나는 마치 순애의 넋이 씐 것처럼 꼬부장한 마음으로 바라다보았다. 그가 나직나직 말했다.

내가 곱단이를 아직도 잊지 못한다는 건 순전히 우리 집사람이 지어낸 생각이에요. 난 지금 곱단이 얼굴도 생각이 안 나요. 우리 집사람이 줄기차게 이르집어 주지 않았으면 아마 곱단이 이름도 잊어버렸을 거예요. 내가 곱단이를 그리워했다면 그건 아마 누구에게나 있을 수 있는 젊은 날에 대한 아련한 향수였겠지요. 아름다운 내 고향에서 보낸 젊은 날을 문득문득 그리워하는 것도 죄가 되나요. 내가 유람선상에서 운 것도 저게 정말 북한 땅일까? 남의 나라에서 바라보니 이렇게 지척인데 내 나라에선 왜 그렇게 멀었을까? 그게 서럽고 부끄러워 나도 모르게 눈물이 복받친 거지, 거기가 신의주라는 건 별로 중요하지 않았어요. 오늘 여기 오게 된 것도, 글쎄요, 내가 한 짓도 내가 설명할 수 있을 것 같지 않지만…… 아마 얼마 전 우연히 일본 잡지에서 정신대 문제를 애써 대수롭게 여기지 않으려는 일본 사람들의 생각을 읽고 분통이 터진 것과 관계가 있겠죠. 강제였다는 증거가 있느냐? 수적으로 한국에서 너무 부풀려 말한다. 뭐 이런 투였어요. 범죄 의식이 전혀 없더군요. 그걸 참을 수가 없었어요. 비록 곱단이의 얼굴은 생각나지 않지만 나는 지금도 생생하게 느낄 수가 있어요. 곱단이가 딴 데로 시집가면서 느꼈을 분하고 억울하고 절망적인 심정을요. 나는 정신대 할머니처럼 직접 당한 사람들의 원한에다 그것을 면한 사람들의 한까지 보태고 싶었어요. 당한 사람이나 면한 사람이나 똑같이 그 제국주의적 폭력의 희생자였다고 생각해요. 면하긴 했지만 면하기 위해 어떻게들 했나요? 강도의 폭력을 피하기 위해 얼떨결에 10층에서 뛰어내려 죽었다고 강도는 죄가 없고 자살이 되나요? 삼천리강산 방방곡곡에서 사랑의 기쁨, 그 향기로운 숨결을 모조리 질식시켜 버리니 그 천인공노할 범죄를 잊어버린다면 우리는 사람도 아니죠. 당한 자의 한에다가 면한 자의 분노까지 보태고 싶은 내 마음 알겠어요? 장만득 씨의 눈에 눈물이 그렁해졌다.

(1997년)

눈사람 속의 검은 항아리

김소진

김소진 (1963~1997)

강원도 철원에서 태어나, 서울대학교 영문학과를 졸업했다. 1991년 〈경향신문〉 신춘문예에 단편 소설 〈쥐잡기〉가 당선되어 작품 활동을 시작했다. 단편 〈쥐잡기〉 〈자전거 도둑〉에서는 아버지에 대한 기억과 그리움을 형상화했고, 장편 《장석조네 사람들》에서는 유년 시절의 추억과 함께 소박한 하층민이 겪는 삶의 애환을 다루었다. 〈눈사람 속의 검은 항아리〉는 소중한 옛 기억의 장소가 재개발로 인해 씁쓸하게 사라져 가는 모습을 그린 작품이다.

내가 겸사겸사 미아리 셋집엘 한번 다녀오겠다는 말을 꺼내자 이번에는 어머니가 펄쩍 뛰었다. 그깟 돈 3만 원 은행 온라인으로 부쳐 버리면 그만 아니냐는 거였다.

"그 집 남자가 요즘은 문짝 샤씨[1] 달러 다니는 모양이더라. 낮에 가 봤자 코빼기도 구경하기 어려워서. 그 예전에 요한네 집에 세 살던 오종종한[2] 해자 엄마 있지? 웃음이 헤퍼서 남자한테 그저 얻어맞고 살던 그 여자 얼굴을 꼭 닮은 그 집 여편네도 뭘 하러 쏘다니는지 갈 때마다 아이들만 둘이서 집을 지키고 있더라구."

"그 집 전화번호 있어요?"

"저기 가방 찾아보면 나오긴 나올 텐데. 늙은이 혼자 있는 듯하니깐 아주 만만히 보고 능갈[3]을 치는 데 이골이 났더라구. 두 젊은 양주[4]가 안팎으로 말이야. 여깄다. 9, 1, 4에…… 아유 침침해."

3만 원은 입동 무렵에 연탄에서 기름형으로 바꿔 설치한 셋집 보일러가 기습 한파에 얼었다며 손을 보려 하니 보내 달라고 셋집 사내가 기별한 것이었다.

"이 추위에 보일러가 아예 서 버렸대요?"

"그런 건 아니고 온수 통이 얼어서 따신 물을 못 받아서 쓴다는데 원. 지 입으로도 그러더구먼. 보일러 놓을 때 보니 그 온수 통께가 허전해서 온 사람들한

테 뭘로 좀 덮어야 하는 거 아니냐구 했다는 거야. 근데 요즘 같은 세상에 일 더 하기 좋아하는 이가 어딨니? 그러니깐 그 사람들이 아이구 그냥 괜찮다고 그러면서 쓱싹 바르고 시브저기[5] 가더니 그 동티[6]가 났다는 거지 뭐. 자기도 남의 집 문짝서껀 주무르러 다니는 사람이면 눈썰미가 있어서 그런 것쯤은 기술자들이 안 해 줘도 스스로 알아서 재활용도 안 되는 그 흔한 누더기 짜배기라도 덮어 놔야지 그게 뭐야. 자기 집 아니라고 데면데면[7]하고서는 그것 얼어붙어 따신 물 안 나온다고 돈타령이야, 돈타령을? 내가 자기한테 한 달에 기껏 돈 10만 원 셋값 받아서 어느 구녕[8]에 처바르는지 다 알면서 말이야. 지난달엔 재개발됩네 하니깐 이젠 관에서도 달라붙어서 토지세 내라 무슨 세 내라 하면서 거진 돈 300이 다 깨지게 생겼는데 말이야. 아주 낯이 맨질맨질한[9] 사람들이야 생각할수록."

2년 반 전에 성남 근처에서 1년 계약으로 살던 신혼살림을 접어서 신도시에 들어갈 때 미아리 집에서 혼자 살던 어머니를 모셔 왔다. 말이 모셔 온 거지 집사람이 다시 직장에 나가기 위해선 아이를 봐줄 사람이 절실했다. 그 때문에 어머니는 뭔가 서운한 일이 있으면 동냥자루 타령을 하였다. 몸도 시원찮은데 애를 보자니 차라리 밥을 빌어먹는 한이 있더라도 혼자 나가서 사시겠다고 까탈 아닌 까탈을 부리곤 하였다. 어머니가 그렇게 큰소리를 낼 수 있는 배경에는 물론 그 세내 준 미아리 집이 있었다. 우리가 아니래도 당신 몸 하나 거처시킬 공간은 있다고 은근히 내비치는 태였다.

"더군다나 그 보일러가 완전 새것으로 해 단 건데 왜 그리 고장이 쉬 난단 말이야. 얼마나 시덥잖게[10] 다루며 썼으면 몇 달도 채 안 돼 그 지경이 됐을라구."

처음에 셋집에서 겨울을 날 기름보일러를 달아 달라는 연락이 왔을 때 어머

---

5 시브저기 '시부저기'의 잘못. 별로 힘들이지 않고 저절로.
6 동티 건드려서는 안 될 것을 공연히 건드려 스스로 걱정이나 해를 입음. 또는 그 걱정이나 피해를 비유적으로 이르는 말.
7 데면데면 성질이 꼼꼼하지 않아 행동이 신중하거나 조심스럽지 않은 모양.
8 구녕 '구멍'의 방언.
9 맨질맨질하다 '만질만질하다(볼품이 없어 만족스럽지 못하다)'의 방언.
10 시덥잖다 '시답잖다'의 방언.

니는 중고품을 하나 헐값에 달 요량이었다. 재개발을 앞둔 그 동네도 길어야 1년 안에 철거가 시작될 기세여서 1년 쓰고 버릴 것을 굳이 돈 더 얹어 주며 새것으로 할 게 뭐 있냐는 생각이었다. 그래서 셋집 여자한테 알아서 중고를 하나 골라 보라고 했더니 40만 원 견적이 나왔다고 알려 왔다. 그러자 아버지 살아 계실 적부터 친하게 지내 온 석유집의 임 씨 아저씨한테 전화를 걸어 시세를 알아본 어머니는 혀를 내둘렀다.

"새것으로 해도 45만 원이면 뒤집어쓰고 남는다는데 뭔 말라빠진 중고가 40만 원씩이야 응? 이놈의 집이 아주 작정을 해도 단단히 한 모양이야. 구 경계 선인 한길 너머 미아동 쪽으로는 거진 철거가 끝나서 집집마다 헌 보일러가 남아돌아 너도나도 갖다 쓰라고 난리들이라고 그러더구먼."

"품삯이 많이 들잖을까요?"

"삯이 들어도 그렇지, 그놈의 집이 자기네한테 먼 인척이 되어 잘 아는 물역[11] 가게에서 들여놓겠다 그러는데 그게 바로 아삼륙[12]으로 붙어먹으려는 깜깜한 심보지 뭐야. 그래서 내가 임 씨 영감한테 부탁을 해서 아예 새걸루다 달아 달라고 했어. 괜히 중고로 달면 뭐가 어쨌네 저쨌네 뒷말이 많이 나올 집구석이고 그러면 내가 이 시큰시큰한 종짓굽[13]을 이끌고 그때마다 어떻게 달려가겠니? 생각 같아서는 다시 벼룩시장에다 한 줄 싣고 싶지만 또다시 몇 번 발걸음하고 도배해 줄 생각을 하니 입맛이 써서 원."

"기왕 말 나온 김에 제가 한번 다녀와 본다니까요."

"거긴 뭐 허러?"

"창이 형 만나서 이런저런 얘기도 들어 두면 좋잖아요. 그리고 셋집 연탄광 쪽에 달아낸 작은방에서 가져올 것도 있구요."

---

11 물역(物役) 집을 짓는 데에 쓰는 벽돌, 기와, 모래, 흙 따위를 통틀어 이르는 말.
12 아삼륙 마작에서 쓰는 골패의 세 쌍을 일컫는 말로, 서로 꼭 맞는 짝을 비유적으로 이르는 말.
13 종짓굽 무릎 앞 한가운데 있는 작은 종지 모양의 오목한 뼈인 종지뼈가 있는 언저리.

"뭘?"

"영정으로 썼던 아버지 사진틀도 솜이불 보따리 틈새에 아직 박혀 있을 텐데……."

"그 생각은 잊고 꿈에도 하지 마라. 그 뱀의 허물 뒤집어쓴 것처럼 아물아물한 사진은 가져다 어디다 두려고? 애어멈이 그 형상을 보면 얼씨구나 하겠구나!"

말은 그렇게 했지만 어머니도 짐짓 내가 한번 재개발을 앞둔 그 동네를 후딱 살피고 왔으면 하는 눈치였다. 서너 달 전에 본격적으로 재개발 승인이 떨어지자 그곳 분위기가 급격히 달라졌다. 심지어는 현대부동산인가 하는 데서 어머니 앞으로도 딱지를 넘길 의향이 없느냐는 제안이 들어와 '넉 장'을 받고 매매를 하기로 전화로 약속까지 했다가 내가 말리는 바람에 취소한 적도 있었다. 마침 임씨 아저씨 아들인 창이 형이 재개발 조합에서 간사 자리를 꿰차고 있다는 말을 들은 어머니는, 내가 평소 가까이 지내 온 창이 형을 만나면 그곳 분위기나 시세에 대한 정확한 정보를 얻어듣고 오지 않을까 내심 짐작하는 모양이었다.

경의선 기차를 타고 나와 신촌에서 미아리행 버스에 몸을 실었다. 광화문 네거리를 지나면서 차창 밖으로 펼쳐지는 풍경이 익숙해지면 질수록 내 머릿속에는 그날 새벽의 모습이 좀 더 선명히 어른거리기 시작했다. 혹시 그 종이처럼 얇은 기억이 나를 이렇게 사라져 가려는 동네로 밀고 가는 것이 아닐까? 정말 그런지도 모를 일이었다. 창이 형을 만나 재개발 정보를 듣거나, 아버지 영정을 다시 꺼내 오거나, 잇속[14] 바른 셋집 사내를 만나 3만 원을 직접 건네주며 다독거려 주려고 나선다는 것은 어쩌면 허울뿐이지 않을까. 나는 머리통에 난 혹을 더듬는 기분으로 손끝으로 옆머리를 짚으며 기억의 끈질김에 대해 새삼 진저리 치지 않을 수 없었다. 따져 보니 20년도 더 바랜 기억이었다. 물론 지금 내가 가고자 하는 미아리 셋집에 대한 기억이 아니라 그전에 국민학교 시절을 보낸 한

---

14 잇속 이익이 되는 실속.

지붕 아홉 가구의 장석조네 집에 대한 기억이었다.

아마 설을 � 쉰 지 며칠 지나지 않은 때였을 것이다. 양말을 신은 채 부뚜막에 올라서 까치발을 하고 찬장 위에 얹어진 소쿠리 안을 휘저으면 아직도 뻣뻣하게 굳긴 했지만 부침개 쪼가리나 쉰 두부전 같은 게 손끝에 걸리곤 했다. 내가 태어나자 큰외숙모가 엄마의 산후조리를 봐주기 위해 마른 미역을 담아 갖고 올 때 쓴 것이라고 하니, 이미 10년은 지난 그 소쿠리는 낡을 대로 낡아 테두리가 반쯤은 빠져나갔고 군데군데 풀어진 댓개비[15]들이 날카롭게 비어져 나와 자칫 맘이 급해 서둘다간 손톱 밑을 파고들거나 손등에 생채기를 내기 일쑤였다.

그 소쿠리를 더듬다가 찔린 가운뎃손톱 밑의 감각이 아직 얼얼한 데다 몇 해 전에 뇌졸중으로 쓰러지기까지 한 아버지가 그동안 입에 대지 않던 쇠고기 한 점을 배즙과 함께 삼켰다가 며칠째 자리보전[16]을 하던 중이었으니 기껏해야 설에서 사나흘 이상은 벗어나지 않았을 것이다. 어머니는 시큼한 나박김치 국물을 많이 먹으면 육식 때문에 덧이 난 아버지의 고혈압이 풀린다는 말을 어디서 듣고 왔는지 저녁이면 멕기칠[17]이 벗겨진 양푼에 살얼음이 버석버석한 김칫국물을 담아 내 왔다. 덕택에 며칠간 기름 음식에 질린 내게 그 등골이 오싹하고 인중이 고무줄처럼 늘어나도록 차가운 나박김치 국물에 국수를 한 그릇 말아먹는 맛은 별미 중의 별미였다.

그런데 밤새 장을 빠져나와 오줌보로 슬금슬금 고여 든 김칫국물이 탈이었다. 평소 같으면 한밤중이나 새벽녘이나 가리지 않고 머리맡에 놓인 사기요강에다 볼일을 보고 따순 공기가 다 빠져나가기 전에 다람쥐처럼 이부자리 속으로 되돌아오면 그만이었을 터였다. 하지만 설부터 정월 대보름까지 보름 동안은 요강을 쓸 수가 없었다. 어머니가 금했기 때문이었다. 어머니는 자신이 시집올 때

---

15 댓개비 대를 쪼개 가늘게 깎은 오리.
16 자리보전 병이 들어서 자리를 깔고 몸져누움.
17 멕기칠 '도금칠'의 방언.

가져온 그 난초 무늬 사기요강에 대해 엄청난 터부[18] 의식을 갖고 있었다. 그것이 깨지거나 혹은 금이라도 가는 날이면 감당할 수 없는 커다란 동티가 생겨서 끔찍한 경우를 당할 것이라고 굳게 믿었다.

어머니가 전하는 얘기에 따르면 어렸을 적에 외할머니가 요강에 금이 간 것을 보고 걱정하시던 날 밤 소 장사를 하시던 외할아버지가 실제로 뿔이 위아래로 어긋나게 솟은 검둥이 수소를 감쪽같이 도둑맞았다. 어머니의 외가 쪽으로 촌수를 따질 수 없을 만큼 멀어 그저 사돈이라고 부르는 한 집안에서는 평소 새살맞던[19] 며느리가 정초에 요강을 부시러[20] 나왔다가 깬 뒤로 배냇병신[21]을 낳고 결국 집안도 몇 년 안에 풍비박산[22]이 되었다는 것이다. 그런 요강이기에 특히나 정초부터 대보름까지는 각별히 조심하는 게 제일이고 그러자니 아예 화선지로 덮어 싸서 부엌 한구석에 모셔 두고 쓰지 않는 게 상책이라고 엄마는 일러 주었다.

나박김치 국물 때문에 눈을 떠 보니, 아니 고개를 이불 밖으로 빼 창호지로 막은 봉창을 보니 아직 어스레한 새벽이었다. 사실은 진작에 깨서 이불 안에서 새우등을 한 채 꼼지락거리고 있었다. 어머니조차 깨어나지 않은 걸로 봐서 어지간히 이른 새벽이라는 걸 알고 있었다. 나는 겁이 많았다. 형을 깨울까 생각해 봤지만 새벽잠에 유달리 약한 형이 순순히 내 부탁을 들어줄 리 만무했다. 그렇다고 누나를 깨우자니 알량한 자존심이 허락을 하지 않아 진땀을 흘리며 사타구니를 꽈배기처럼 꼬고 등뼈가 부러져라 구부러뜨렸다. 오줌이 몇 방울 질금거려 허벅지를 땃땃하게[23] 적실 때쯤 해서 나는 욕을 바가지로 얻어먹으며 어머니를 깨울 것인가, 아니면 용감하게 혼자서 아홉 가구가 딸린 기찻집[24]의 제일 끝자락에 서 있는 변소로 갈 것인가 결정해야 했다. 나는 홀가분하게 후자를 택했다.

---

18 터부(taboo) 특정 집단에서 어떤 말이나 행동을 금하거나 꺼리는 것. 금기(禁忌).
19 새살맞다 성질이 차분하지 못하고 가벼워 실없이 수선 부리기를 좋아하는 태도가 있다.
20 부시다 그릇 따위를 씻어 깨끗하게 하다.
21 배냇병신 '선천 기형'을 낮잡아 이르는 말.
22 풍비박산(風飛雹散) 사방으로 날아 흩어짐.
23 땃땃하다 '따뜻하다'의 방언.
24 기찻집 '작은집'의 방언.

눈사람 속의 검은 항아리

"어디 가니……."

"아, 아니요……."

"근데 우와기('윗도리'의 일본 말)는 왜 껴입고…… 부뚜막 옆 밥통에 미지근한 숭냉(숭늉) 있다."

문간 쪽에서 모로 누워 자던 엄마가 고개를 빼 뒤로 제치며 한마디 던지고는 다시 이불을 끌어당겼다. 엄마의 입에서 하얀 입김이 뿜어져 나왔다. 아마 내가 목이 말라서 일어난 줄 아는 거였다. 이불깃 위로 대머리 진 이마만 보이는 아버지가 밭은기침[25]을 쏟았다. 또다시 따스했다가 이내 척척해진 오줌 방울이 허벅지를 타고 흘렀다.

"예에……."

뒤꿈치가 해진 아버지의 낡은 털신을 끌고 사개[26]가 잘 맞지 않아 삐그덕거리는 부엌문을 열며 한 발짝 덜퍽 내딛자 차가운 눈가루가 신발등 위를 덮쳤다. 간밤에 내린 눈이 기찻집의 기다란 마당을 곱게 덮어 버린 것이었다. 눈빛 때문에 사위는 생각보다 희부윰했다[27]. 오줌보를 미어뜨릴[28] 듯하던 팽만감도 조금 너누룩해졌다[29].

나는 낡은 털신 밑에서 뽀드득거리는 소리가 나도록 성큼성큼 무릎을 들어 발걸음을 옮겼다. 그리고 아홉 가구가 함께 쓰는 변소 문을 열고 문턱에 올라 두 번씩이나 푸드덕푸드덕 몸서리를 치며 오줌을 갈겼다. 이빨을 위아래로 서너 번 맞부딪치며 뽑아내는 오줌 줄기가 원뿔형으로 딱딱하게 굳은 언 똥에 둔탁하게 달라붙는 소리가 들렸다. 곧이어 따스한 오줌 세례를 받은 언 똥이 물컹물컹하게 녹아내리는 소리를 눈을 지그시 감고 듣다가 김이 되어 무럭무럭 콧속을 파

---

25 밭은기침 병이나 버릇으로 소리도 크지 아니하고 힘도 그다지 들이지 않으며 자주 하는 기침.
26 사개 상자 따위의 모퉁이를 끼워 맞추기 위하여 서로 맞물리는 끝을 들쭉날쭉하게 파낸 부분. 또는 그런 짜임새.
27 희부윰하다 조금 흰 듯하고 부옇다.
28 미어뜨리다 팽팽한 가죽이나 종이 따위를 세게 건드리어 구멍을 내다.
29 너누룩하다 심하던 병세가 잠시 가라앉다.

고드는 지린내에 코를 쫑긋거리며 돌아나온 것까지는 좋았다.

바지춤을 추스르며 김장독을 가리런히 묻어 둔 곁을 어정어정 걸어 나오다가 발끝으로 눈 덮인 가마니때기 밑에서 뭔가 묵직한 것을 밟았다. 가마니때기 속에 발을 담근 채 눈을 푹 뒤집어쓰고 벽에 기대 있던 그 기다란 물체는 고개를 발딱 젖히는가 싶더니 옆으로 풀썩 쓰러졌다. 눈이 털려 나간 그 물체는 공사판에서 쓰는 빠루[30]라는 연장이었다. 어른 엄지보다도 굵은 그 기다란 쇠뭉치는 지렛대로 쓰였는데 끝이 물음표처럼 생겼고 또 갈래가 져서 대못 같은 것을 빼는 데 아주 쓸모가 있었다. 그런데 그 빠루가 넘어지면서 하필이면 땅속에 묻지 않고 그냥 바깥에 놔둔 조그마한 짠지 단지를 스치자 뚜껑은 두 동강이 나 떨어졌고 몸통에는 왕금이 좌악 그어졌다. 금은 갔지만 그 짠지 단지가 당장 두 쪽으로 갈라질 것 같진 않았다. 하지만 그 갈라진 틈새에서는 시금털털한 김치 냄새를 풍기는 국물이 쨀끔쨀끔[31] 새어 나오고 있었다.

사태는 명백하고도 돌이킬 수가 없었다. 일어나서는 안 되는 일을 저지른 것이었다. 나는 삭풍[32]이 부는 황량한 벌판으로 변한 마당가에 서서 힘이 쭈욱 빠져나간 두 어깨를 거느리며 고개를 젖혀 하늘을 바라보았다. 오오, 하느님 지금 무슨 일이 벌어진 것입니까! 그러나 무거운 눈을 밤새 다 털어 버린 새벽하늘은 너무 높이 올라가 있어 내 혼잣소리가 도저히 닿을 수 없었다. 고개를 숙였다. 나는 시치미를 떼고 누워 있는 그 시커먼 빠루가 마치 마녀의 주문을 받아 밤새 뿌린 눈송이를 덮고 위장한 채 기다리다가 내 발길을 일부러 잡아채지나 않았는가 하는 엉뚱한 의심이 들 정도였다.

나는 어린애답지 않게 몹시 피로하다는 생각이 들었던 듯하다. 그것은 내가 그 순간 헐떡이고 있었던 이유를 적절하게 해명해 줄 수 있었다. 피로하다는 것,

---

30 빠루 '배척(굵고 큰 못을 뽑는 연장)'의 방언.
31 쨀끔쨀끔 '짤끔짤끔'의 잘못.
32 삭풍(朔風) 겨울철에 북쪽에서 불어오는 찬 바람.

이루 말할 수 없는 피로감……. 하긴 어찌 피로하지도 않고 감쪽같이 기절할 수 있겠는가. 바로 그때 내가 피로해야 하는 목적은 두말할 나위 없이 기절하는 것이었다. 기절이라도 하고 나면 이 세상에 뭔가가 달라져 있겠지, 혹은 최소한 모면의 여지는 남겠지 하는 맹렬한 위안이 달라붙었다. 동시에 그 피로감은 어쨌든 세상에 대한 것이라는 게 명백해졌다. 변소에서 오줌보를 비우고 돌아서기까지 나는 너무나 생생했고, 빠루를 밟고 나서 갑자기 피로감을 느끼기까지 불과 10여 초가 흐르는 동안 나는 아무 일도 하지 않았다. 따라서 그 피로감이란 육체적 고단함에서 비롯된 게 아니라 정신적 흔들림에서 우러난 것이 분명했다. 그런 의미에서 그 피로감은 어른에게나 해당하는 피로였다.

한편으로는 그 피로감은 몹시 물리치기 어려운 불길함을 품고 있었다. 몇 해 전 길게 뺀 혓바닥 위에 거꾸로 올려놓은 박탄-D 병의 밑바닥을 손으로 탁탁 두들겨 가며 쥐어짠 두어 방울의 알싸한 액체로는 도저히 풀 수 없을 것이라는 확신마저 어렸다. 그리고 무엇보다도 앞으로도 오랫동안 그 피로감을 떨쳐 낼 수 없을 것이라는 지루한 예감이 그날 어슴푸레한 새벽에 덮친 절망감의 핵심이었다. 문간통에서 두 번째 집구석에 사는 술주정뱅이 고물 장수 순심이 아부지의 노상 흐느적거리는 두 팔과 술 때문에 항상 짓물러져 있는 눈자위가 눈앞에 어른거렸다. 아저씨도 나처럼 피로해서 그랬을까? 돌산 밑에서 개를 끄실리다가[33] 덴 손가락에 약국에서 사 온 가제를 칭칭 감고 소독을 한답시며 두 홉들이 소주를 다 따른 스뎅 주발 안에 질벅질벅 담그다가 홧김에 그 소주 주발을 잡아채 박탄-D처럼 벌컥벌컥 들이켜던 순심이 아부지도 되게 피로해서 그랬을까.

그런데 그토록 피로한 사람이 왜 뒤늦게 사팔뜨기 여자는 단칸방으로 불러들여 국민학교도 다니지 못하고 실밥 따는 공장에 다니던 순심이를 말이 기숙사지 공장의 골방으로 내보내고 배추 장수가 꿈이던 상준이를 이미 개가[34]한 전처

---

33 끄실리다 '그을리다'의 방언.
34 개가(改嫁) 결혼하였던 여자가 남편과 사별하거나 이혼하여 다른 남자와 결혼함.

집으로 억지로 떠맡겨 보내 세상살이의 피로감을 되레 가중시켰는지 모를 일이었다. 그렇게 새로 낸 살림이 채 1년도 가지 못해 계집이 달아나 깨지고, 오도 가도 못 하게 된 순심이 아부지가 하필 겨울이 닥쳐 일도 안 나가고 전세 보증금을 야금야금 까먹다 또 종무소식[35]이 된 걸 두고, 엄마는 새로 온 여자가 수돗가에서 스뎅 요강을 부시다 내리쳐 찌그러뜨렸기 때문이라며 끌탕을 했다.

엄마가 남의 딱한 사정에 어거지 비슷하게 푸념을 하며 동정의 여지를 누르는 이유는 사실 딴 데 있었다. 순심이 아부지한테 작정을 하고 거금 700원을 들여 산 중고 석유곤로가 보름도 채 가지 않아 결딴[36]이 났다. 제일 밑에 있는 연료통 바닥이 샜던 것이다. 순심이 아부지는 자기가 넘길 때는 아무런 이상이 없었다고 모르쇠를 딱 잡아뗐지만 엄마는 그렇게 생각하지 않았다. 습기 때문에 너덜너덜 부식한 밑바닥에 난 구멍을 임시방편으로 삐빠질로 때운 흔적이 있다는 거였다. 그 일 때문에 순심이 아부지에 대한 엄마의 감정이 되돌이킬 수 없을 만큼 상해 있었다. 엄마는 새로 끼워 넣은 하얀 심지를 꺼내 말렸고 됫병에 종이 깔때기를 꽂고 석유곤로에 남은 기름을 부어 넣고 병 입에 신문지를 박박이 쑤셔 넣었다. 그리고 고철값 200원을 쳐서 줄 테니 자신한테 넘기라는 순심이 아부지의 말을 귓등으로 듣고 내게 누런 울릉도 호박엿으로 바꿔 먹도록 뜻밖의 승낙을 했었다.

아버지가 중풍으로 쓰러진 다음 날 아침 제일 처음 들렀다가 한의원으로 가라는, 사실상의 진료 거부를 당한 신풍의원 맞은편의 동사무소 옆 골목길을 타고 꾸역꾸역 올라가다 보니 길음초등학교 담벼락을 끼고서 마을버스 종점인 콘크리트 물탱크 밑 차부[37]까지 올라갔다. 구 경계선인 한길을 따라 걸어 내려가려니까 왼쪽으로는 임마누엘교회 하나와 구멍가게 한 채를 빼놓고는 이미 철거

---

35 종무소식(終無消息) 끝내 아무 소식이 없음.
36 결딴 어떤 일이나 물건 따위가 아주 망가져서 도무지 손을 쓸 수 없게 된 상태.
37 차부(車部) 자동차의 시발점이나 종착점에 마련한 차의 집합소.

눈사람 속의 검은 항아리

가 다 끝난 폐허의 등성이뿐이었다. 미처 챙겨 가지 못한 망가진 가재도구들이 제멋대로 누워 있는 벽돌 무더기 사이로 사람들이 자근자근 밟고 다녔을 골목 길들이 호젓한 산길처럼 구불구불 뻗어나 서로 얽히고설켜 있었다. 무너져 방구 들이 내려앉은 집들은 터무니없이 작아 보였다. 사방 서너 발짝쯤이나 될까 한 장방형 방 안에서 살을 맞부빈[38] 식구들이 최소한 넷 아니면 우리처럼 여섯쯤일 수도 있었을 것이다. 이제 막 재개발이 결정된 셋집이 있는 오른편 기슭은 겉으 론 아직 옛 모습 그대로인 듯했지만, 이상하게도 인적이 끊긴 듯 적조한 분위기 를 풍겼다. 어쩌면 벌써 방을 빼 나간 집주인도 있을지 모를 일이었다.

"어머닌 건강하시냐, 어때?"

한길가에서 구멍가게를 겸하고 있는 임 씨 아저씨 집 앞을 지나는데 가게 반 대쪽 터에서 귀에 익은 목소리가 들려왔다. 나는 반코트 호주머니에서 손을 빼 공손히 고개를 숙였다.

"예에…… 안녕하세요?"

머리가 허옇게 센 임 씨 아저씨와 대충 얼굴은 알 만한 술꾼들 네댓이 가게 앞 철거된 집터에서 자그마하게 모닥불을 피우고 모여 앉아 있었다. 그 위에 걸 친 프라이팬에서 삼겹살을 굽는 연기가 피어올랐다. 대충 짐작컨대 예전의 88 이발관 자리였다. 다들 불콰한[39] 얼굴이었다. 철거하고 남은 터라 그런지 부서진 장롱, 의자 다리, 문설주 등등 모닥불에 넣을 나무 쪼가리 지천이어서 그저 안 줏거리만 있으면 술추렴[40]을 해서 한낮 거나하게 흔전만전[41] 보내기 맞춤인 나 날이었다.

"어딜 바쁘게 가?"

"아유, 아닙니다. 바쁘긴요. 그냥 한번 들렀습니다."

---

38 맞부비다 '맞비비다'의 잘못.
39 불콰하다 얼굴빛이 술기운을 띠거나 혈기가 좋아 불그레하다.
40 술추렴 술값을 여러 사람이 분담하고 술을 마심.
41 흔전만전 돈이나 물건 따위를 조금도 아끼지 아니하고 함부로 쓰는 듯한 모양.

"그렇지. 이젠 들를 때가 되긴 됐지."

임 씨는 고개를 무던하게 끄덕이다 프라이팬에서 올라온 연기에 눈가를 구기며 고기를 한 점 집어 깨소금 종지 안에 휘저었다. 옆에서는 고깃점을 양념빛이 좋은 김치에 싸서 길게 뺀 혓바닥 위에 실었다.

"형은 아랫집에 있죠?"

"지금 개 데리고 돌산에 똥 누러 갔을 게야. 보다시피 아래루다 말짱 바숴 놨으니깐 아무 데서나 누이라고 해도 운동 삼아 간다니 뭐. 곧 올 게야. 그건 그렇고 정 바쁘지 않다고 했으니 이리 와서 술이나 한잔해라, 너!"

"아, 예……."

방울 달린 벙거지를 쓴 사내가 엉덩이를 들었다 놓으며 모닥불 앞으로 끼어들 틈새를 열어 주는 시늉을 했다. 나는 곱은 손을 숯잉걸[42] 앞으로 들이밀었다.

"너 우리 창이 만난 지 꽤나 된 모양이구나. 그치?"

"아, 예 그동안 제가……."

"쩝, 이따 만나서 얘기 좀 나누면 되겠지."

흔적 없이 무너져 내린 집터에서 벽돌을 엉덩이 밑에 깔거나 듬성듬성 속이 터진 비닐 소파에 뭉개고 앉아 벽돌 위에 프라이팬을 걸고 낮술을 마시는 광경이 전혀 어색하지 않고 오히려 잘 어울릴 지경이었다. 폐허와 술! 그 광경을 보지 못한 사람은 아마 어떤 허무적인 징조를 떠올릴지 모르나 그것은 야릇하게도 정반대의 느낌을 띠었다. 묘한 활력이라고나 할까. 기름기가 자글자글 흐르는 육질 안주 때문인지 술 한잔에 목을 빼고 걸근거리던 꾀죄죄한 술꾼들의 얼굴이 이미 아니었다. 그들의 얼굴에 궁기라고는 찾아볼 수 없었다. 앞으로 한 해, 아니 길게 잡으면 두 해쯤은 재개발 경기의 훈풍이 그들의 버즘[43]꽃 핀 얼굴에 개기름이나마 번드르르하게 발라 줄 수 있을지 모른다.

---

42 숯잉걸 '불잉걸(불이 이글이글하게 핀 숯덩이)'의 방언.
43 버즘 '버짐'의 잘못.

"없어, 남은 거 없어……."

내가 귀 기울이지 않는 사이에 누군가 입을 쩝쩝거리며 푸념했다. 딱지 거래 얘긴가 싶어 고개를 돌렸더니 빈 소주병을 잡고 흔들었다.

"이번엔 당신이 한 두어 병 사. 이참에 나 술장사 좀 하게."

임 씨 아저씨가 농을 던지자 기다렸다는 듯 막 이발을 했는지 자를 대고 그은 듯 곧바르게 가르마를 탄 머리에 기름기가 번들거리는 사내가 호주머니에서 구깃구깃한 1,000원짜리를 두어 장 꺼내 던졌다. 임 씨 아저씨가 아무렇지도 않은 표정으로 챙겨 넣고는 가게로 가 소주병을 들고 돌아오며 가르마 탄 사내에게 물었다.

"웬 찍다 남은 벼루를 그렇게 많이 두고 갔어? 어제 그저께까지만 해도 애들이 벽돌 틈새를 안 뒤지나 난리들이었어."

"그럼 뭘 해? 그깟 세멘또⁴⁴ 덩어리 짐만 되지."

그제야 나는 그 가르마 탄 사내가 88이발소 옆 담벼락 밑에 지붕이 푹 빠진 자그마한 가내 벼루 공장 사내임을 알아보았다. 불과 며칠 전에 집을 허물고 딴 곳으로 옮긴 눈치였다.

"편지가 아직 여기 허물어진 집 주소로 오는감?"

"에이구 딴 건 필요 없구…… 오늘니알⁴⁵ 중으로 거시기 받을 게 있어서 이렇게 자리를 지키는 거여, 커어."

그만 일어나야겠다고 생각하는데 마침 개를 끌고 내려오는 창이 형이 멀찌감치 보였다.

"민홍이 왔구나!"

나는 엉거주춤한 자세로 한 손을 높이 들었다.

"형 얼굴이 많이 좋아 보이는데요. 근데 이놈 그새 많이도 늙었네요."

---

44 세멘또 '시멘트'의 방언.
45 니알 '내일'의 방언.

"이젠 눈독 들이는 사람도 없어."

"무슨 눈독이요? 종자 더 못 쳐요?"

그 개는 온 동네 암캐한테 흘레[46]를 붙여 주는 종자개였다.

"그것도 그렇고 요즘 여기 개가 흔해서 사람들이 심심찮게 개를 꼬실려[47] 먹거든."

"아무래도 경기가 좋아지니까 그간 입에 못 대던 개고기가 날개 돋친 듯하나요?"

"그게 아니고 저 동네 집 다 부수고 나서 임자 잃은 개도 많고 하니깐 먼저 보고 때려잡는 놈이 장땡이지. 저건 뭔 거 같니?"

"그럼 저게……."

"헤에, 아침 녘에 발발이 하나 잘못 걸려들어서 바로 매달았지. 냄새 맡아 보면 알 텐데."

"멍멍이 고기도 돼지고기처럼 구워 먹어요?"

"그게 또 별미래. 이놈 빨리 집 안으로 들여서 묶어 놔야겠어. 같은 종족 살점 굽는 냄새 맡으니깐 흰자위가 돌아가고 뒷다리에 바들바들 힘주고 성질부리려 드는데. 참 어머니께서 집 내놓으셨다 도로 거둬들이셨데?"

"아, 그거요? 그런 모양이던데 전 잘 몰라요. 어머니 명의로 돼 있잖아요."

"그거 잘하셨어. 파시더라도 내년까지 최고로 오를 때까지 기달려야지. 너랑 같이 사시니깐 당장 뭐 큰돈 필요한 건 없으시지?"

"아, 예……. 그것도 그렇구요, 전 그 셋집 아저씨가 보일러 고쳤다고 어쩌구 구시렁대기도 하고 또 아버지 영정 사진도 아직 거기 골방 구석에 처박혀 있고 그래서요…… 겸사겸사."

"아암, 아무튼 좋아."

---

46 흘레 새끼를 얻기 위하여 동물의 암컷과 수컷이 짝짓기를 하는 일.
47 꼬실리다 '그슬리다'의 방언.

그동안 형은 몸이 골골한 데다 직장 없이 가끔씩 아버지 가게에서 석유나 연탄 배달을 해 주며 개나 벗 삼고 지내 온지라 낼모레 마흔 줄을 앞두고도 장가를 들지 못했다. 나는 그런 창이 형한테서 예전과 달리 풍기는 활력의 정체를 형이 따로 방을 내서 사는 데를 가 보고서야 알았다. 올봄에 내가 들렀던 사랑방교회 위의 허름한 방이 아니었다. 형은 한길을 좀 더 타고 내려가다 정육점과 슈퍼 비디오점 미장원이 모인 거리에 있는 연립 주택의 반지하 방으로 나를 이끌었다.

"형, 방 옮겼어요?"

"응. 너 점심이라도 먹고 가야지."

창이 형은 성실정육점에 들러 돼지고기 한 근을 썰어 달라고 했다.

"형은 네 발 달린 고기 잘 안 먹는 등 푸른 생선파잖아요?"

"식성이란 변하게 마련 아냐. 부쩍 근력이 달려서 요즘 육질을 입에 많이 대는 편이지. 사람 입이 간사해서 자꾸 먹어 보니깐 또 먹을 만해져."

형의 뒤를 따라 현관문을 들어서는 순간 으레 코를 찌르던 쉬어 터진 홀아비 냄새가 풍기지 않았다. 그것보다 반짝반짝 빛나는 휴지통을 필두로 내 눈앞에 펼쳐진 규모 있는 살림집의 모습이 나를 잠시 당혹스럽게 만들었다. 부쩍 근력이 달린다는 형의 말이 무슨 뜻인지 알 듯했다.

"이 사람이 밥 먹고 또 자는 모양이지?"

"예에…… 아니 형 그럼 혹시……."

"올여름에 그냥 도둑장가 들어 버렸지 뭐 헤헤."

"왜 연락을……."

"식은 안 올리고……."

나는 놀라움보다 반가움이 앞서서 입을 쩍 벌리며 뒤에서 형의 두 어깨를 끌어안았다. 그때 방문이 열리면서 아직 잠기가 가시지 않은 눈매를 한 여자가 부스스한 파마 뒷머리를 긁으며 원피스 잠옷 차림으로 나왔다. 나도 제법 안면이 있는 여자였다.

"형수님 안녕하세요? 인사 올립니다."

"어머나 챙피, 이를 어째! 오늘 아침따라 얼굴에 물 칠도 못 하고…… 아, 누군가 했더니 저기 가겟집 할머니 막내아들 아네요?"

"왜 아닙니까, 하하. 늦었지만 두 분께 진심으로 축하드립니다."

나는 한껏 너스레를 떨었다.

"이거 목살 썰어 온 거예요. 그냥 소금구이로 해 주실래요?"

깍듯한 존댓말을 붙이는 형의 얼굴에 어린애처럼 마냥 천진난만한 미소가 잠시 어렸다. 여자의 퍼머머리[48]를 단발머리로 바꾸어 머릿속에 그려 보자 비로소 이름이 떠올랐다. 국희일 것이다. 미아리 셋집 옆의 구둣집 문간방에 살던 효상이 엄마의 동생. 어머니가 국희라고 대뜸 이름으로 불렀던 그 단발머리 아가씨는 처음엔 재봉사였다.

우리 집 뒤의 마당 넓은 집이 한때 바느질집을 할 때 효상이 엄마가 자신의 동생을 소개해서 효상이네 다락방에서 자면서 그 집 대문으로 한동안 들락거렸다. 땅딸막한 몸매에 얼굴도 오막오막하게 생겼지만 목덜미에 잔털이 비치도록 귀밑까지 바짝 깎아 올린 단발머리가 인상적이었다. 당시 나는 대학생이었다. 이따금 엄마의 구멍가게에 와서 새참으로 단팥빵이나 알밤 케익[49]을 나한테 돈을 주고 사서 선 자리에서 눈만 깜짝깜짝거리며 먹곤 돌아갔다. 실밥이 잔뜩 묻은 헐렁한 면바지의 무릎은 풍덩 빠져 있었고 굵은 허리까지 내려온 옷의 밑 단추가 가끔 하나씩 풀려 있었지만, 빵을 잔뜩 베 문 뽀얀 양 볼따구니 밑으로는 파란 거머리 같은 실핏줄이 해맑게 비쳤다. 나는 그 볼따구니를 흘깃흘깃 훔쳐보느라 요구르트 하나 값을 계산에서 빠뜨릴 적이 많았다.

내가 미국 레이건 대통령 방한 반대 가두시위 중 종로 3가에서 연행돼 구류를 살고 나온 동안 그 처제는 어디론가 가고 없었다. 엄마는 내가 들을세라 말

---

48 퍼머머리 '파마머리'의 잘못.
49 케익 '케이크'의 잘못.

세라 어쩐지 그 입술 시퍼런 게 사내깨나 후리게 생겼더라 어쩌구 하면서 구시렁거렸다. 며칠간 동네를 세게 휘젓고 간 사건이 벌어진 모양이었다. 형부와 처제가 붙어먹었다[50]는 내용이었다. 그 가공할 풍문 덕택에 내가 데모를 하다 나흘간 유치장에 있다 나온 사건은 동네에서 흔적도 없이 휩쓸려 갔다. 나중엔 결국 정식으로 이혼을 했지만 그때 죽네 못 사네 하던 효상이네 부부도 겨우내 별거를 하더니 이듬해 봄에 다시 합방을 했다. 그 뒤로 효상이 엄마는 자기 동생이 원래 품행이 방정치 못하다고 동네방네 입에 욕을 달고 다녔다.

몇 년 뒤 내가 방위 생활을 할 때 단발머리는 돌아왔다. 아니, 긴 머리가 돼 있었다. 그리고 내가 유격 훈련을 받느라고 도시락도 싸 가지고 다니지 않던 여름철이었다.

"방우 학생, 히힛!"

그녀가 후줄근한 모습으로 부대에서 돌아오던 날 밤 날 불렀다. 알전구 빛이 짱짱하게 내비치는 호남상회 앞 나무 평상 위에 다리를 꼬고 걸터앉은 모습이었다. 석계역 앞 포장마차에서 동기들과 500원 빵으로 소주를 한 병쯤 걸친 취기 때문인지 그날따라 심하게 받은 피티 체조 때문인지, 아무튼 오르막에 코를 박고 오르는 호흡이 거칠었다. 신경이 곤두서 있던 나는 땅바닥에 침을 퉤 뱉는 시늉을 하며 스스럼없이 다가서서 감자와 양파가 반쯤 담긴 라면 박스를 밀치고 평상에 엉덩이를 걸쳤다. 동네에서 오며 가며 얼굴을 마주칠 기회는 많았지만 서로 인사를 할 만한 숫기도 또 그럴 필요도 없었다. 그녀가 내 코앞으로 방금 딴 차가운 코카콜라 한 병을 내밀었다. 갑자기 목젖을 우그러뜨린 갈증이 나도 모르게 그 병의 잘록한 허리를 덥석 잡게 만들었던 것 같다.

"고생이 많은가 봐요."

한번 반말이면 끝까지 갈 것이지 웬 또 경어람! 그녀가 여러 남정네들을 요

---

50 붙어먹다 '간통하다(결혼하여 배우자가 있는 사람이 배우자가 아닌 사람과 성적 관계를 맺다)'를 속되게 이르는 말.

"그만둘까 봐요. 대낮부터 벌겋게 술도 마시고…… 또 불쑥 찾아간다는 게 좀 그렇잖아요. 돈 3만 원 건네주는 건데 엄마가 말한 대로 온라인 이용하는 게 낫죠 뭐."

"그건 또 그래. 그럼 나랑 같이 마을버스 타고 내려갈래? 지하철 타려면. 아니면, 나랑 조합 사무실에 들러서 커피나 마시며 이곳 돌아가는 얘기나 좀 듣고 가든지."

"듣긴요 뭘. 형이 어련히 잘 알아서 해 줄까."

"내가 해 주긴 뭘. 네가 딱지를 팔고 싶다든지 아니면 그냥 입주를 하겠다든지 가부간에 결정을 내리면 내가 아무튼 최고 시세로 되도록 다리는 놔줄 순 있겠지. 내 생각엔 니가 어머니를 모시고 있으니까 당장 현찰이 필요한 게 아니라면 이리저리 굴려서 분양받을 때까지 기다렸다가 처분하는 게 장땡인데."

"예……. 엄마가 결정을 할 거예요. 전 심부름이나 몇 번 하면 되겠죠 뭐."

아무래도 마을버스 종점까지 가기는 그른 모양이었다. 거기까지 간다고 해서 변소가 어서 옵쇼 하고 대령하고 있으라는 법도 없지 않은가. 나는 똥이 마려웠던 것이다. 아랫배가 이렇게 딱딱한 걸 보니 모르긴 몰라도 애들 팔뚝만 한 걸로 한 자쯤은 뽑아낼 수 있을 듯했다.

"형 먼저 가세요. 전 다음에 또 올게요."

"왜? 버스 안 타?"

"예, 뭐가 갑자기 생각나서요."

나는 미주알[65]에 힘을 잔뜩 주고는 형의 등을 떼밀어 마침 출발하려고 하는 마을버스 안으로 밀어 넣었다. 그러고는 폐허 사이로 난 내리막길을 내달렸다. 반쯤 부서진 집들이 몇 채 보이자 나는 그리로 뛰어들었다. 아무리 사람이 버리고 간 집이지만 똥 눌 곳이 마땅치 않았다. 얼마 전만 해도 밥 먹고 잠자던 부엌

---

65 미주알 항문을 이루는 창자의 끝부분.

이나 방이라고 생각하니 선뜻 바지춤을 까 내릴 수가 없었다.

잠시 주춤거리는 새에 마침 세로로 절반쯤 깨진 큼직한 항아리가 눈에 띄었다. 그 안에는 아마 그 항아리의 반을 깨고 들어왔을 한 뼘짜리 벽돌이 들어 있었다. 크기로 봐서는 한 열 명쯤 되는 식구는 좋이 먹여 살렸을 장독 같았다. 나는 누렇게 마른 소금기 자국이 얼비치는 옹색한 항아리 안으로 엉덩이를 비집고 들어가 벽돌과 깨진 장독 쪼가리를 디디고 서서 허리띠를 풀었다. 귀밑이 달아오르도록 용을 쓰느라 기침이 터졌다. 기침이 끝나자 나는 서러운 아이처럼 입꼬리가 비죽비죽 위로 치켜져 올라가는 걸 알았다. 울고 싶은 모양이었다. 나는 구린내가 나는 두 가랑이 사이로 고개를 바짝 쑤셔 박고 굵은 김이 무럭무럭 오르는 굵은 황금빛 똥을 쳐다보았다. 왠지 모르게 뿌듯했다.

그런데 나는 왜 구린내가 진동하는 깨진 항아리 속에서 똥을 누는데 울고 싶어졌을까? 늙은 어머니와 아내 그리고 이제 막 초콜릿 맛을 안 네 살배기 아이, 이렇게 세 사람의 식솔을 거느린 가장이 비록 속눈썹이나마 이렇게 주책없이 적셔서야 되겠는가, 아아. 하지만 여태껏 나를 지탱해 왔던 기억, 그 기억을 지탱해 온 육체인 이 산동네가 사라진다는 것이 아니겠는가, 나를 이렇게 감상적으로 만드는 게. 이 동네가 포크레인[66]의 날카로운 삽질에 깎여 가면 내 허약한 기억도 송두리째 퍼내어질 것이다. 그런데 나는 기껏 똥을 눌 뿐인데…… 그것밖에 할 일이 없는데…….

똥을 다 누고 난 나는 빈집을 나와 모래주머니를 발목에서 풀어낸 달리기 선수처럼 가뿐하게 폐허 사이로 뚜벅뚜벅 걸어 들어갔다. 뒤를 돌아다보니 냄새를 맡은 누렁이 한 마리가 내가 나온 집으로 코를 쑤셔 박고 들어가는 모습이

---

66 포크레인 '포클레인'의 잘못.

보였다. 나는 입술을 굳게 다물었다. 그러고는 뭔가를 잃어버린 사람처럼 주위를 계속해서 두리번거리며 걷기 시작했다.

(1997년)

김소진, 《신풍근배커리 약사: 김소진 문학 전집 4》(문학동네, 2002)

세상에 단 한 권뿐인 시집

박상률

박상률(1958~)

1990년 〈한길문학〉에 시를, 〈동양문학〉에 희곡을 발표하면서 작품 활동을 시작했다. 시와 희곡을 비롯, 소설과 동화 등 다양한 장르의 작품을 통해 인간의 다양한 삶을 그려 내기 위해 애쓰는 한편 교사와 학생, 일반인들을 대상으로 강연 및 강의를 활발히 하고 있다. 청소년 소설 《봄바람》《나는 아름답다》《밥이 끓는 시간》, 산문집 《동화는 문학이다》《청소년문학의 자리》 등을 썼다. 〈세상에 단 한 권뿐인 시집〉은 사춘기 문학소년의 순수했던 사랑과 그로 인한 아픔을 그리고 있는 작품으로, 청소년기의 상처를 글쓰기로 치유해 가는 과정도 함께 그리고 있다.

마감 날짜를 이미 넘긴 원고가 있어 한숨도 자지 못하고 밤을 새웠다. 겨우 원고 쓰기를 마치고 기지개를 켜려는 순간 전화벨이 울렸다.

"새벽같이 웬 전화지?"

며칠 전부터 원고 독촉을 해 대던 잡지사 기자는 아직 출근할 시간이 아니었다. 새벽이나 밤중에 걸려 오는 전화는 대개 좋지 않은 소식을 전하는 경우가 많아 나는 조금은 긴장한 채 전화 수화기를 들었다.

"여보세요? 거기…….”

여자였다. 그러나 전화선을 타고 넘어온 목소리만으로는 누구인지도 모르겠고, 나이를 가늠하기도 어려웠다. 나는 누구냐고 물으려다 저쪽에서 말하는 대로 내버려 두기로 했다.

"네, 말씀하세요.”

"거기 글 쓰시는…….”

나를 찾는 전화인 것 같기는 했다. 여자는 자신의 신분을 밝히지 않고 한참을 머뭇거렸다. 나는 이 여자가 누굴까 하며 열심히 머릿속을 더듬었으나 도무지 짐작이 가지 않았다. 잠시 침묵이 흘렀다. 여자는 여전히 자신이 누구인지 밝히지 않은 채 용건을 말했다.

"돌려드릴 것이 있어서요…….”

뜬금없는 소리였다. 나는 잠시 멍해져서 다시 침묵했다. 여자가 잠깐 사이를 둔 뒤 더듬더듬 말했다.

"스무 해 동안, 갇혀 있던, 말들이에요…….”

'스무 해 동안이나 갇혀 있던 말들 이라고?'

들을수록 알 수 없는 말뿐이었다.

여자는 내 사정은 묻지도 않고 일방 적으로 약속 시간과 장소를 정한 뒤 전 화를 끊었다. 끝내 자신이 누구인지도

밝히지 않았다. 나는 도깨비에게 홀린 것만 같았다. 웬 여자가 느닷없이 새벽같 이 전화하더니 나오라고 하는 것이다. 그런데도 나는 나가겠다고 했다. 누구인 지도, 어떤 일인지도 모르면서 거절하지 못하고 나간다고 한 자신이 우습기만 했다. 원래 나는 오전 약속을 하지 않는 사람이다. 사사로운 일은 물론 출판사 일 따위를 보러 나갈 때도 될 수 있으면 오후에 약속을 잡아 나간다. 굳이 복잡 한 아침 출근 시간에 바깥에 나갈 까닭이 없는 것이다. 더더구나 오늘은 밤을 꼬 박 새우기까지 했다. 그런데도 이른 아침의 일방적인 약속을 받아들인 것이다.

'아닌 밤중에 홍두깨지, 이게 뭐야? 나한테 돌려줄 게 뭐지? 어떤 여자지?'

나는 전자 우편으로 서둘러 잡지사에 원고를 보냈다. 이어 졸음을 이기느라 뻑뻑해진 눈을 손등으로 비비며 아침을 먹는 둥 마는 둥 하고서 바로 옷을 챙겨 입고 여자를 만나기 위해 집을 나섰다. 밖엔 눈이 퍼붓고 있었다. 내가 탄 버스 는 조심조심 눈길을 달렸다. 눈이 내리는데도 워낙 서둘러 집을 나선 까닭에 약 속 시간보다 꽤 이르게 여자가 일러 준 찻집에 도착했다.

여자는 나보다 더 먼저 나와 있었다. 내가 찻집 문을 열고 안으로 들어가자마 자 자리에 앉아 있던 여자가 벌떡 일어나 나를 바라보았다. 이른 아침이어서 찻 집에 다른 손님은 없고 찻집 주인은 아직 아침 청소 중이었다.

가까이 다가가 여자를 보는 순간, 나는 온몸이 굳어 버리는 줄 알았다. 현아 였다. 옷차림과 몸피는 예전과 다르지만 얼굴 모습은 거의 스무 해 전 여고생 때 의 청순하던 소녀 모습 그대로인 현아가 눈앞에 나타난 것이다.

"현아……."

이름 말고는 다른 말이 입에서 떨어지지 않았다. 현아가 손을 내밀었다. 나는 얼떨결에 그 손을 내려다보며 마주 잡았다. 여전히 희고 맑은 손이었다. 찌릿찌릿하는 느낌이 그대로 전해졌다. 문득 그 옛날 현아가 손을 내밀어 첫 악수를 청하던 때가 떠올랐다. 내 느낌은 순식간에 그때로 돌아가 있었다.

우리 둘은 그렇게 손을 잡은 채 말없이 서로를 바라보기만 했다. 현아의 두 눈은 예전과 마찬가지로 호수처럼 크고 맑았다. 초롱초롱하던 눈빛이 이젠 축축하게 젖은 느낌이 드는 것 말곤 예전 그대로였다. 한참 지나자 현아의 손에 땀이 밴 걸 느낄 수 있었다. 현아가 슬며시 손을 빼더니 탁자 위의 누런 봉투를 집어 들었다. 이내 곧 현아는 봉투 속에서 공책을 한 권 꺼낸 뒤 다짜고짜 내 앞으로 내밀었다.

나는 영문을 모른 채 공책을 받아 든 뒤 겉표지를 펼쳤다. 속표지에 검정 만년필 글씨로 "이 세상에 단 한 권뿐인 시집을 내 사랑하는 소녀 현아에게 바친다."라고 씌어 있고, 그 아래에는 날짜와 내 이름이 휘갈겨져 있었다.

"아!"

나는 짧은 신음만 내뱉은 채 공책을 뒤적여 볼 엄두도 내지 못했다. 그해 겨울의 찬 바람이 가슴을 뚫고 지나갔기 때문이다.

고등학교 시절, 나는 선생님과 친구들의 눈을 피해 남몰래 시를 썼다. 어느 때부터인지 정확히 기억은 나지 않지만 학년이 높아지며 점차 학교생활이 지긋지긋해질 무렵부터였을 것이다. 오로지 대학이 인생의 전부라는 듯이 모든 수업시간 내내 '대학, 대학' 하는 학교 분위기가 싫어지면서였다.

'사람이 공부하는 기계도 아니고 이게 뭐야…….'

나는 전체 학생이 죄다 공부하는 기계가 되어 날이 갈수록 바보가 되어 간다고 생각했다. 그런 때 시를 만난 게 나로서는 굉장한 행운으로 여겨졌다.

'시를 모르고 어떻게 삶을 사는 것이라고 하겠는가! 시는 바로 인생이고, 인생은 바로 시야. 난 기어코 인생을 모르는 사람들의 영혼을 쓰다듬어 줄 시를 쓸 거야. 단 한 사람의 영혼이라도 쓰다듬어 줄 수 있는 시를 쓸 거야!'

나는 기고만장해 있었다. 나는 이미 세상을 다 알아 버린 것만 같았고, 대학이나 가기 위해 구는 학생들 모두 좀스럽게만 느껴졌다.

그렇게 시를 쓰네 문학을 합네, 하며 이 책 저 책을 난독하다가 그만 니체와 쇼펜하우어의 탈속한 듯한 주절거림과 선승들의 거침없는 기행담에 푹 빠져들었다. 그랬으니 학교 공부가 제대로 될 리가 없었다. 그런데도 부모님은 내가 당연히 좋은 학교 좋은 학과에 들어갈 줄 알았다.

"니는 없는 촌살림[1]에 고등학교를 도시로까지 보냈은께 꼭 좋은 대학 가서 출세혀야 되야. 알았제?"

아버지의 그런 바람과 달리 나는 대학 같은 건 거들떠보지도 않았다.

'그깟 대학 나와서 뭐 한다고 저러실까? 나는 밥벌이보다 더 소중한 일을 할 사람인데……'

대학 입시가 코앞에 닥쳐왔지만 나는 이미 대학 같은 것에는 관심을 두지 않고 뜻도 모를 어휘들을 조합해서 탈속한 도인들의 잠언적인 냄새가 그럴싸하게 묻어나는 시 쓰기에 몰두했다.

> 아궁이 속에서 시뻘겋게 타고 있는
> 너의 육신을 보았는가
> 검은 재 몇 줌으로 남은 너의 목숨
> 바로 너의 인생이다.
> 나무여,
> 바람 소리 길게 듣지 말라

---

1 촌살림 시골에서 하는 살림.

내가 쓴 시라고 믿기지 않을 정도로 보면 볼수록 기가 막힌 시였다. 나무여, 바람 소리 길게 듣지 말라니! 나는 내가 시적 재능을 타고난 게 틀림없다고 믿어 의심치 않았다.

'히히, 누가 이런 표현을 생각이나 하겠냐!'

나는 마치 신들린 듯이 시를 써 갈겼다. 시를 통해 뭇 사람들의 영혼을 쓰다듬어 줄 말씀을 들려주어야만 할 것 같아서였다. 시인을 부처보다도 예수보다도 공자, 맹자보다도 더 뛰어난 존재로 믿었다. 그러니 시란 마땅히 세속의 탁한 삶에 눈먼 이들에게 뭔가 그럴싸한 경구를 들려주어야 하는 걸로 알았다. 이 세상의 모든 풍경이 다 시시하게 느껴질 뿐이었다. 그때 현아를 알았다.

현아는 같은 반 친구가 하숙하고 있는 집의 주인 딸이었다. 그 친구와 나는 고등학교 3년 내내 같은 반이었다. 그래서 둘은 겉으로나마 가장 가까이 지내는 사이였다. 어느 날 친구 하숙집에 우연히 들렀다가 우리보다 한 학년 아래라는 현아를 보았다. 순간 속으로 남몰래 도인인 척했던 나 자신의 바탕이 와르르 무너지고 말았다. 검정 교복, 그리고 가는 목에 둘러진 하얀 깃. 오뚝한 코에, 아침 햇살을 머금은 이슬처럼 반짝거리는 눈. 아, 그리고 무엇보다 봉긋이 솟아오른 가슴. 나는 현아를 제대로 바라보기는커녕 거의 숨도 못 쉴 지경이었다. 현아가 희고 맑은 손을 내밀며 악수를 청했다.

"오빠, 시 쓴다면서? 야 멋지다!"

현아가 내 손을 쥐는 순간 온몸이 찌릿찌릿하며 어지러웠다. 이어 현아가 손을 가볍게 흔들기까지 하자 내 온몸이 다 흔들리는 것 같았다. 아니, 발 딛고 서 있는 바닥까지 흔들리는 것 같고, 급기야 지구가 흔들리고 온 세상이 다 흔들리는 것만 같았다.

친구가 현아에게 내 얘기를 한 적이 있는지 현아는 내가 시를 쓴다는 걸 알고 있었다. 나는 애써 티를 내지 않았지만 친구는 내가 하는 짓을 눈치채고 있었던 모양이었다. 나는 얼굴이 화끈거려 제대로 대답조차 하지 못했다.

"오빠, 교과서에 나오는 시는 뜻도 알쏭달쏭하고 재미도 없잖아. 그런 시 말고, 사람들 마른 가슴을 촉촉하게 적셔 줄 수 있는 시를 써 봐!"

나는 뭔가 단단한 것으로 뒤통수를 한 대 맞은 기분이었다. 사람들 마른 가슴을 촉촉하게 적셔 줄 수 있는 시! 그 말을 듣는 순간, 시라면 마땅히 그래야 된다는 생각이 들었다.

그 뒤 나는 그다지 볼일도 없으면서 틈이 날 때마다 친구 하숙집, 아니 현아네 집에 들렀다. 스스럼없고 싹싹한 소녀인 현아는 친구가 없어도 나를 거리낌 없이 대해 주었다. '오빠'라는 소리는 첫 만남에서부터 자연스럽게 했고, 자기가 본 책이나 영화 이야기도 들려주었다. 나는 여동생이 없는 터라 현아가 더욱 사랑스러웠다. 특히 맑고 큰 눈을 바라볼라치면 마치 커다란 호수를 바라보고 있는 것 같았고, 곧 그 눈 속에 빨려 들어갈 것만 같았다. 나는 바야흐로 막연하기 짝이 없는 삶이니 세상이니 하는 것은 뒤로 제쳐 놓고 눈앞의 현아 생각에 빠져 하루하루를 보내게 되었다. 그러다 보니 친구를 보러 가는 게 아니라 현아를 보러 가는 꼴이 되고 말았다. 어느 순간부터는 속으로 아예 친구가 집에 없기를 바라며 찾아가고 있었다. 그러다 친구도 없고 현아도 없는 날엔 괜히 심통이 나기도 했다. 혹시 둘이서만 영화라도 보러 간 게 아닐까 하는 생각이 들어서였다.

나는 현아네 집에 갔다 오기만 하면 열병을 앓았다. 현아를 만난 날이면 현아를 만난 느낌이 좋아서 그랬고, 현아를 만나지 못한 날이면 애가 타서 그랬다. 좋은 느낌은 좋은 느낌 그대로 간직하고 싶었고, 애가 탄 느낌은 어떻게든 현아에게 전달하고 싶어 안달이 났다. 그러다 보니 나도 모르게 연습장을 펴 놓고 뭔가를 끼적이게 되었다. 그동안 끼적거린 시와는 다른 시를 끼적거리게 된 것이다. 막연히 내 멋대로 세상에 대해 내뱉는 관념적이고 추상적인 말이 아니라 구체적인 대상을 두고 절실하게 애를 태우는 감정이 그대로 묻어나는 말들이 튀어나왔다.

그때부터 나는 연애 감정보다 더 소중한 감정은 이 지상에 없는 거라고 여기며 열심히 연애시를 써 갈겼다. 어느 순간이 지나자 연습장에 따로 쓸 필요도 없었다. 공책 한 권을 마련하여 일련번호까지 매긴 뒤 바로 시를 썼다. 며칠 지나지 않아 공책 한 권이 아주 감동스러운 연애시로 그득해졌다. 다시 읽어 봐도 구구절절이 명시였다. 특히 현아를 처음 만났을 때의 느낌을 그린 시는 몇 번을 다시 들여다보아도 그럴싸했다.

소녀의 눈은
맑은 이슬로만 채워진 호수입니다
햇살이 내리쬐면 호수가 반짝입니다
금빛으로 은빛으로
빛나는 호수면
그 위에 가만히 눕고 싶습니다

시가 공책의 마지막 장까지 채워진 날, 나는 하루 내내 방구석에 처박혀 공책 표지를 나름대로 멋지게 꾸미고 공책의 속지 여백에 간단한 그림도 그려 넣었다. 그야말로 이 세상에 한 권뿐인 수제품 시집을 만든 것이다. 그런 뒤 현아에게 주기 위하여 자취방을 나섰다.

아직 어두워지기 전이었다. 마치 시집 완성을 축하해 주기라도 하듯이 소담스러운 눈이 펑펑 쏟아지기 시작했다. 나는 시집을 품속에 넣고 겉옷을 단단히 여미며 눈에 맞지 않도록 했다. 현아네 집까지 가는 동안 내 발걸음은 공중에 붕붕 뜨는 것 같았다. 뺨에 와 닿는 눈이 차갑게 느껴지지도 않았고, 머리에 쌓이는 눈이 거추장스럽게 느껴지지도 않아 일부러 털어 낼 필요도 없었다.

현아네 집 골목 어귀에 들어섰을 때였다. 눈 위에 발자국 넷이 찍혀 있었다. 남자 신발과 여자 신발 한 쌍이었다. 눈은 발자국 위에도 쏟아져 내렸지만 발자국은 쉽게 지워지지 않았다. 발자국은 현아네 집으로 이어져 있었다. 나는 불현

듯 이상한 느낌이 들었다.

'혹시 둘이서 눈 맞이 하다 들어간 게 아닐까?'

친구랑 현아 둘이서 눈이 내리는 밖에서 놀다가 들어간 것만 같았다. 가슴이 마구 뛰며 방망이질을 해 댔다. 순간, 얼른 뛰어가 아직 두 사람이 마당에 있는지 어떤지를 확인하고 싶어졌다. 그런가 하면 둘이서 함께 있는 것을 차마 볼 수 없을 것만 같아 오늘은 이만 돌아갈까 하는 마음이 들기도 했다. 이럴까 저럴까 마음의 갈피를 못 잡으면서도 내 발걸음은 어느새 현아네 집 앞에까지 이어졌다. 나는 두 눈 꼭 감고 열린 대문 안으로 들어갔다.

"어?"

처마 밑 섬돌 위에서 눈을 털고 있는 이는 친구와 아주머니 한 분이었다.

"아!"

나는 가슴을 쓸어내렸다. 현아가 아닌 것에 그때까지의 불안이 가시고 마음이 놓인 것이다.

친구가 아주머니를 소개했다.

"우리 어머니이셔. 내일 친척 결혼식이 있어서 시골집에서 지금 오셨어. 하필 눈이 많이 내리는 날 오시느라……."

나는 아주 공손하게 인사를 했다. 내가 어른들한테 인사를 할 때 최대한 갖출 수 있는 자세를 취하면서 말이다. 속으로 웃음이 나왔다. 얼굴이 화끈거렸다. 내가 인사를 하고 나자 친구 어머니가 웃으며 말했다.

"아이고 좋은 친구인갑네. 인사성 밝은 것 봐. 이참에 대학은 어디로 가는 것이여?"

다 좋았는데 대학이라는 말이 귀에 거슬렸다. 나는 대학 같은 건 안중에 없어서였다. 친구 어머니가 눈을 탈탈 털고 친구 방으로 들어가자 친구가 현아 방 쪽을 향해 가볍게 턱짓을 한 뒤 나를 슬쩍 훑어보았다.

"현아는 집에 없는가 봐."

내가 누구를 보러 왔는지 다 안다는 투였다. 나는 내 마음을 친구한테 들킨 것만 같아 또 얼굴이 화끈거렸다. 그러든 저러든 일단은 현아가 집에 없다는 게 무척 다행으로 여겨졌다. 이렇게 분위기 좋은 날 친구랑 현아가 한집에 같이 있으면 안 될 것 같은 생각이 자꾸만 들었다.

"현아 없어도 돼. 그 대신 이것 좀 전해 주라……."

내가 품에서 수제품 시집을 꺼내 친구 앞에 내밀자 친구가 그걸 받아 물끄러미 내려다보았다. 나는 친구가 그 시집을 계속 내려다보고 있는데도 서둘러 현아 집을 뛰쳐나왔다. 괜히 친구에게 속을 보인 것 같아 너무나 어색했기 때문이었다.

눈길을 되짚어 나오며 보니 현아 집으로 이어진 발자국 위에 눈이 제법 두텁게 덮여 있었다. 발자국을 볼 때마다 웃음이 픽픽 새어 나왔다. 한순간이나마 여자 신발 발자국을 현아 것으로 생각한 게 우스워서였다.

"오빠!"

쏟아지는 눈을 피하느라 고개를 숙인 채 혼자서 실없는 웃음을 지으며 골목길을 빠져나오는데 현아가 나타난 것이다.

"어? 현아, 어디, 갔다, 와?"

나는 뜻밖에 현아를 만나자 제대로 말을 하지 못하고 더듬거렸다. 현아는 온통 눈을 뒤집어쓴 채 두 손을 모아 어린아이가 엄마에게 반갑게 달려들 때처럼 손을 활짝 펼치며 들뜬 목소리로 말했다.

"오빠, 눈사람 만들래?"

현아는 벙어리장갑을 끼고 있었다. 나는 바지 호주머니에 두 손을 푹 찌른 채 멍하니 서 있었다. 꿈인지 생시인지 모를 일이었다. 나는 현아랑 눈사람을 만들고 싶었다. 그러나 곧 고개를 저었다. 그보다는 먼저 현아가 내 시집을 받아서 읽어 봤으면 하는 마음에서였다. 아니, 어쩌면 장갑을 끼지 않은 내 맨손을 드러내고 싶지 않았는지도 모른다. 그래서 나는 엉뚱한 말을 내뱉고 말았다.

"응, 나도, 그러고 싶은데, 바쁜 일이 있어서, 그만 가야 돼⋯⋯."

아까와 마찬가지로 나는 더듬거렸다. 갑자기 내가 바보가 되어 버린 게 아닌가 싶었다. 현아랑 자연스럽게 어울려 눈사람도 만들고, 친구한테 시집을 맡겼으니 받아 읽어 보라는 말도 하면 될 텐데 끝내 하지 못하고 말았다.

현아가 뭐라고 하는지 어떤지는 살펴볼 겨를도 없이 나는 마구 눈 속을 뛰었다. 뒤통수가 근질근질했다.

눈이 멈추고 며칠이 지났다. 나는 현아가 내 시집을 받고 어떤 반응을 보였을까 궁금해서 안달이 났다. 그러나 다른 때와 달리 현아네 집에 가 보기가 망설여졌다. 학교는 이미 겨울 방학이어서 친구를 학교에서 볼 일도 없었다.

몇 번씩이나 현아네 집 골목에 들어섰다가 발길을 돌리곤 했다. 오다가다 우연이라도 현아를 만나기를 바랐지만 그런 기적은 일어나지 않았다.

현아에게서 아무런 반응을 못 받은 나는 더 이상 시를 쓸 수 없었다. 하루에도 몇 번씩 현아네 집 쪽을 바라보며 얼마나 많이 절망했는지 모른다.

방학 동안 아이들은 자기가 갈 대학을 정하고 입학 원서를 쓰기 시작했다. 나는 시를 쓰는 동안 대학 같은 건 염두에도 두지 않았는데, 시고 뭐고 쓸 일이 없어져 버리자 우습게도 다시 대학을 생각했다.

그때부터 난 몹시 추운 겨울을 보내야 했다. 대학 입시가 끝나고 고등학교 졸업식까지 끝난 겨우내 찬바람을 가슴에 안은 채 거리를 쏘다니며 막 입에 대기 시작한 술을 마구 마시고 홀로 자취방에 돌아와 울며 지냈다. 그러면서도 현아를 직접 찾아갈 용기는 내지 못했다. 내 딴에는 이 세상에서 가장 감동스러운 시를 써서 주었는데도 아무런 반응을 보이지 않은 현아에 대한 원망이 치솟을 대로 치솟아서 그랬는지도 모른다. 그 일을 계기로 다시는 잠언시고 연애시고 내 안에서는 시 비슷한 것조차도 나오지 않았다. 그래서 모든 걸 잊기로 했다. 시 나부랭이 같은 건 다시는 쓰지 않으리라! 시도 밉고 여자도 밉고, 나아가 세상이 다 미웠다.

나는 몸과 마음이 지칠 대로 지쳐 내 청춘을 저주했다. 사랑을 하고 있을 땐 세상을 다 얻은 것 같고, 사람들도 모두 내 편인 것만 같고, 내가 못 할 일이 없을 것만 같았다. 그런데 막상 사랑을 잃고 나니 세상을 얻기는커녕 나는 이 세상에선 아무짝에도 쓸 데가 없는 놈으로 여겨졌고, 사람들도 죄다 나를 미워하는 것 같기만 하고, 나는 아무것도 못 할 것만 같았다. 그렇게 끝이 났다. 내 청춘은 거기서 끝나고 말았다. 나는 앞으로 패배자로 살 일만 남은 것 같았다.

그래서 시니 문학이니 하는 것하고는 멀어도 한참 먼, 사돈네 팔촌의 발뒤꿈치 정도의 인연도 없을 것 같은 학과를 택해 입학 원서를 썼다.

'내가 지금 문학 같은 것 해서 뭐 하겠냐. 밥벌이 잘되는 학과나 가서 밥이나 굶지 않고 살면 그만이지…….'

누가 봐도 문학과는 전혀 인연이 닿지 않은 얼토당토않은 학과를 택해 대학에 진학한 나는 싸움터에서 부상당하고 돌아온 군인처럼 아무 활기 없이 대학 생활을 시작했다.

대학에 들어가서도 현아를 찾지 않았다. 친구도 일부러 찾지 않았다. 서로 다른 대학으로 가기도 했지만, 현아에게 전해 달라는 내 시집을 들고서 한참을 내려다볼 때의 모습이 떠오를 때마다 새삼 쑥스러운 느낌이 되살아났기 때문이다. 물론 시도 다시는 쓰지 않았다.

대학 4년을 보내고 군대까지 다녀온 뒤 들어간 직장에서 내가 맡게 된 일은 돈을 다루는 일이었다. 날마다 돈을 만지작거리는 일이 내 업무였다. 그런 어느 날, 무심코 돈다발을 정리하다 보니 만 원짜리를 한 손에 집을 때마다 정확하게 100만 원씩 손에 집히는 걸 알았다. 돈다발을 손에 쥐고 세기 위해 펼치면 금세 100만 원이 헤아려지긴 했지만, 무심코 돈을 집었는데도 100만 원씩 손에 집히는 건 끔찍한 일이었다. 내가 돈 세는 기계가 되어 있었던 것이다.

갑자기 몸이 떨리고 어지럼증이 났다. 퇴근하여 집에 돌아와서도 어지럼증은 사라지지 않고 몸에 열까지 나기 시작했다. 그날 나는 만 원짜리 돈을 손에 집히는 대로 움켜쥐면 그대로 100만 원짜리 다발이 되는 꿈에 밤새 시달렸다. 그렇게 잠을 못 이루고 몸이 마구 가라앉는 바람에 연거푸 사흘이나 결근하고 말았다. 직장에 들어간 뒤 그때까지 결근은커녕 지각조차 한 번도 한 일이 없었는데 말이다. 집에서 쉬면서 가까스로 다시 몸을 추스르고 직장에 나갔지만 예전처럼 일을 할 수가 없었다. 돈다발이 무슨 쓰레기 뭉치처럼 보이기 시작하고 돈에서 악취가 나는 것 같았다. 날이 갈수록 내 증세는 더 심해져 돈 바구니를 보기만 해도 욕지기가 나고 가슴이 울렁거렸다.

'내가 왜 이러지? 이제 돈 바구니조차 보기가 싫으니……'

나는 내 스스로를 거부하기 시작했다.

'내가 돈 세는 기계가 되고 말았다니, 말도 안 돼! 나는 기계가 아니야! 기계가 아니라구!'

나는 직장에 휴가를 낸 뒤 곧바로 여행을 떠났다. 어디론가, 돈 냄새가 나지 않는 곳으로 달아나야 할 것만 같아서였다. 직장에 들어간 뒤 정기 휴가조차 한 번도 가지 않은 나였다. 오로지 일만 미친 듯이 했다. 그렇다고 월급을 더 주는 것도 아니었다. 그저 일을 하지 않고 쉬면 불안해서 그랬다. 그러다 보니 내 별명이 '일 중독자'니 '일벌레'니 하는 것이 되고 말았다. 남들이 뭐라고 하든 말든 나는 신경 쓰지 않았다. 무엇이 나를 그렇게 몰아쳤는지 모르지만 일을 하지 않으면 금방이라도 잘못될 것만 같아 하루 한시도 쉴 수가 없었던 것이다.

내가 지친 몸을 이끌고 찾아든 곳은 고향이었다. 명절 때나 겨우 찾던 고향이었다. 여우만 죽을 때 제 살던 굴 쪽으로 머리를 두는 게 아니었다. 사람인 나도 죽을 맛이 들자 가장 먼저 떠오른 게 고향이었다. 고향 집에 이르자마자 가장 먼저 내 발길이 가닿은 곳은 어려서 놀던 뒷동산이었다.

뒷동산에 오르면 멀리 바다가 보이는데, 저녁때 바다 멀리 집을 지으며 들어가는 석양의 노을빛이 여전히 볼만했다. 어렸을 때는 노을빛이 하도 장엄하여 해가 다 질 때까지 집에 들어갈 생각도 하지 않고 산 위에 그대로 앉아 어둠을 맞을 때가 많았다. 지는 해를 보고 있노라면 까닭 모를 슬픔이 하염없이 밀려왔다. 그 슬픔은 자꾸만 나를 어디론가 멀리 떠나도록 부추겼다. 슬픔이 없는 곳으로 멀리멀리. 그래서 읍내에 있는 초·중등학교를 마치자마자 도회로 나간 것이다.

뒷동산에 오른 나는 어렸을 때 늘 앉던 자리에 다시 앉아 바다에 붉은 원색의 물감을 풀어 놓는 석양을 바라보았다. 어린 소년의 가슴을 달아오르게 하기도 하고 서늘하게 만들기도 하던 노을과 바다가 거기 있었다. 그동안 잊고 살던 것들이었다. 오로지 밥벌이만 최고로 알고 자신을 밥벌이 기계로만 쓰느라 애써 잊고 있던 것들이었다.

바다가 해를 다 삼키고 어둠이 사위를 둘러쌀 때까지 가만히 앉아 있었다. 고향집을 떠나고 싶어 하던 때로부터 도회에서의 학창 시절에 이어 직장 생활 하던 일이 떠올랐다. 짭조름한 바닷바람이 지나가자 가슴속에 싸한 아픔이 밀려들어 왔다. 떠나자, 떠나자고 하더니 결국 이렇게 돌아왔구나.

그날 저녁 나는 내 어릴 때 뒹굴던 안방에서 어머니랑 밤늦도록 지난 이야기를 나누었다. 어느 순간 어머니가 가는 숨소리를 내며 잠이 들자 나는 조용히 방문을 열고 밖으로 나왔다.

"밤기운 차다, 밖에 너무 오래 있지 말거라잉."

인기척에 잠을 깬 어머니가 걱정스레 하는 말이었다.

어머니의 걱정을 뒤로하고 마당을 나와 마을 고샅길을 한 바퀴 돌았다. 마침 음력 열사흘 밤이라 달빛이 알맞게 내리비추고 있었다. 내 딴엔 조용히 지나간다고 조심스레 걸었는데도 낯선 사람의 발걸음 소리를 용케도 알아차린 개들이 짖어 댔다. 그러나 누구 하나 내다보지는 않았다. 젊은이들은 다 도회로 떠나고 집집마다 노인들만 살고 있는 터라 귀 어둔 노인들은 개 짖는 소리를 듣지 못하는 것 같았다. 어쩌다 들었다 하더라도 개가 달 보고 괜히 짖느라 저러나 보다 하는지도 몰랐다.

고향 집에서 며칠을 보내며 내 살아온 지난날들을 더듬다 보니 자연스레 공책에다 뭔가를 끼적이게 되었다. 나도 모르게 글을 쓰기 시작한 것이다. 대단한 내용을 담은 글은 아니었으나 글을 쓰다 보니 내 마음이 가라앉고 위안이 되었다. 고등학교 때 생각이 났다. 인생을 모르는 사람들의 영혼을 쓰다듬어 줄 시를 쓰자며, 단 한 사람의 영혼이라도 쓰다듬어 줄 수 있는 시를 쓰자며 호기를 부리던 일이 떠오른 것이다. 이어 현아로부터 마른 가슴을 촉촉하게 적셔 줄 수 있는 시를 쓰라는 주문을 받았던 것도 떠올랐다. 어쩌면 나는 그 누구도 아닌 내 영혼을 쓰다듬는 글과 내 마른 가슴을 촉촉하게 적셔 주기 위해 글을 끼적이고 있는지도 몰랐다. 비록 시는 아니지만 다른 누구도 아닌 나 스스로를 위한 글을…….

나는 더욱 글에 매달렸다. 때로는 내가 고등학교 때의 선생님이 되어 보기도 하고, 직장의 상사가 되어 보기도 했다. 글이란 게 묘해서 화자가 누가 되었든 결국 쓰는 사람 얘기였다. 나는 그렇게 다시 글을 쓰는 사람이 되었다. 고등학교 때는 공부 기계가 되기를 거부하다 보니 시를 쓰게 되었고, 세월이 한참 흐른 뒤엔 돈 세는 기계가 되기를 거부하다 보니 글을 쓰게 되었다.

휴가가 끝난 뒤에도 나는 직장에 다시 나갈 생각조차 하지 않고 글에만 매달렸다. 처음에는 넋두리도 있고 푸념도 있었지만 차츰 내 글의 방향과 형식이 잡혀 갔다. 인생이니 우주니 하는 거창한 것도 아니었고 뜻도 모를 추상적인 것도 아니었다. 그저 나 자신이 살아온 얘기이자 내 이웃들의 얘기였다. 결국 글을 쓰다 보니 세상을 건지느니 인생을 풍요롭게 하느니 하는 것보다는 뭐니 뭐니 해도 내 스스로를 위해 글을 쓴다는 생각이 들었다. 남의 얘기를 쓰는 것 같은데도 끝내 그 글을 통해 위로를 받는 이는 나 자신이었으니까.

그렇게 날마다 썼다. 한때는 시에 목숨을 건 적도 있지만 새로 쓰는 글은 시가 아니었다. 소설 쪽에 더 가까운 글이었다. 예전과 달리 내 글은 빳빳하지도 않고 젊음이니 사랑이니 하는, 풋풋하고 끈적끈적한 감정이 묻어나지도 않았다. 이미 젊음의 감정이 다 물러가 버린 뒤였기 때문이다. 어쩌면 그러한 감정은 고등학교 이후 애써 묻어 두고 살았기 때문인지도 모른다.

사실 고등학교 졸업 이후 나는 현아가 어떻게 살았는지 아무것도 모른다. 친구 녀석과의 끈을 굳이 잇지 않은 데다 내가 애써 찾지 않았기 때문이다. 대학 들어가서도 찾지 않았지만 직장 생활을 하면서도 찾지 않았다. 어쩌면 묘한 배신감이 무의식 속에 단단히 박혀 있어서 그랬는지도 몰랐다. 물론 엄밀히 따지자면 현아를 탓할 일은 아니었다. 어찌 보면 나의 일방적인 짝사랑이었기 때문이다. 그런데도 난 모든 잘못을 현아 탓으로 돌린 것이다. 그러기에 내 의식 속의 현아는 여고생의 소녀 적 모습에서 성장이 멈춰진 것이다.

소설 쓰는 걸 업으로 삼은 뒤에도 옛날 생각은 더욱 하지 않았다. 다시 글을 쓰게 되면서 나는 지난 세월 속의 나를 인정할 수가 없었다. 그저 새로 태어나야 하는 나에게만 관심을 두었다. 그러한 때에 뜬금없이 현아가 나타난 것이다! 그것도 이 세상에 단 한 권뿐인 수제품 시집을 들고서…….

기억의 저편을 한참 헤매고 있는데 현아가 나를 잡아끌었다.

"앉아서 차 한잔해요."

그때서야 비로소 청소를 마친 찻집 주인이 건성으로 신문을 뒤적이면서 계속 우리를 힐끔힐끔 바라보는 게 느껴졌다. 자리에 앉아서도 우리 둘은 한참 동안 침묵을 지켰다. 내 앞에는 다시 여고생 소녀 현아가 앉아 있었다. 눈앞의 현아가 40줄에 가까운 여인이라는 걸 인정할 수가 없었다.

나는 침묵을 견디기 힘들어 공책을 뒤적거렸다. 편마다 여고생 소녀 현아가 그려져 있는데, 쑥스러울 정도로 나의 감정이 날것 그대로 한껏 드러나 있었다. 한참 뒤, 고개를 숙이고 있던 현아가 얼굴을 들었다. 눈가가 젖어 있었다. 젖은 채로 현아가 애써 미소를 지으며 말했다.

"그동안 나 미워했지요?"

나는 아무런 말도 떠오르지 않았다. 내가 현아를 미워

했을까? 그러나 지난 세월 동안 애써 잊으려고 한 게 꼭 미움 탓만은 아니라는 생각이 들기도 했다. 그런 내 생각과는 상관없이 현아가 단정적으로 말했다.

"많이 미웠을 거예요……."

역시 나는 할 말이 없었다. 계속 공책을 뒤적거렸다. 시는 이제 눈에 들어오지 않고 시집을 가지고 현아네 집에 갔다 돌아올 때 만났던, 눈을 뒤집어쓰고 귀가 하던 현아 모습만이 공책의 장마다 어른거렸다.

현아가 더듬거렸다.

"음, 남편이, 죽었어요."

"어!"

나는 외마디 소리 말고는 달리 할 말이 없었다. 현아 남편이 누군지도 모르는데 뭐라고 하겠는가.

현아가 다시 더듬거렸다.

"남편의 유품을 정리하다 보니……."

나는 아직도 할 말을 찾지 못했다.

"남편이 죽고 나서야 이 시집이 나한테 전해진 거예요."

"뭐라구?"

남편이 죽고 나서라니? 그렇다면 그 친구 녀석이 현아 남편? 아, 그 녀석도 현아를 좋아했구나. 순간적으로 그때 상황이 재빠르게 재구성되었다. 내 수제품 시집이 현아에게 전달 안 된 것은 어쩌면 아주 당연한 일이었다. 그런데 그 친구는 시집을 왜 내게 다시 돌려주지도 않고 없애 버리지도 않았을까?

"미안해요. 이 세상에 단 한 권뿐인 시집을 이제야 돌려드리게 되어서. 그때 받았으면 바로 돌려드렸을 텐데……. 시집 속의 말들이 스무 해 동안이나 갇혀 있느라 무척 힘들었을 거예요. 그래서 이렇게 돌려드리려고……. 오빠가 글 쓰는 작가가 된 건 알고 있었어요. 우연히 신문에서 오빠 이야기를 읽었거든요. 그래서 늦게라도 시집을 꼭 돌려드리려고……."

현아 입에서 '오빠'라는 소리가 자연스레 두 번씩이나 나왔다. 그 말을 듣자 마른침이 목으로 넘어갔다.

아, 그런데, 나는 무엇이, 아니 누가 20년 동안 갇혀 있었던 것인지 알 수 없었다. 나는 공책을 다시 현아 쪽으로 슬며시 내밀었다. 그런 다음 자리에서 일어났다. 그리고 직장을 그만둔 뒤엔 처음으로 이는 어지럼증을 가까스로 참으며 말했다.

"이건 현아 아니면 누구에게도 소용없는 시야. 여기 들어 있는 시는 현아한테만 어울리게 쓰인 것이거든. 현아 남편이 된 그 친구도 그걸 알았기 때문에 나한테 다시 되돌려 주지도 못하고 없애 버리지도 못한 거야. 그러니 시를 쓴 나도 주인이 아니야. 그럼 이만……."

밖에는 여전히 눈이 퍼붓고 있었다. 눈길 위에 발자국을 찍으며 발걸음을 뗄 때마다 '오빠'라는 소리가 밟히는 것만 같았다.

(2005년)

꽃가마배

김재영

김재영(1966~)

경기도 여주에서 태어나 성균관대학교를 졸업하고 중앙대학교
문예창작학과에서 석사 및 박사 학위를 받았다. 2000년《내일
을 여는 작가》제1회 신인상을 받으며 작품 활동을 시작했고 대
산문화재단과 문화예술진흥원의 창작 지원 기금에 선정되었다.
소설집으로《폭식》《코끼리》등이 있다.〈꽃가마배〉는 다문화
가정이 겪는 갈등과 그 구성원들이 가족이 되어 가는 과정을 그
린 작품이다.

방콕 후알람퐁 역에서 출발해 아유타야로 가는 열차는 잠을 청하기엔 빛이 너무 밝다. 차라리 책을 읽는 편이 더 낫다. 내가 읽고 있는 책의 저자는 《삼국유사》 글귀 하나하나에 관심을 기울였다. 오랫동안 기자로 일한 그의 책 2부 '물고기의 도시'에 적힌 내용을 간략하게 옮기면 이렇다.

서기 48년 7월 27일, 이 고을이 쇠나라[金官國]로 불릴 때의 일이다. 이 지역 우두머리 아홉 사람이 수로왕께 아뢰었다. 대왕께서 아직 좋은 배필을 얻지 못하였으니, 청컨대 신들의 처녀들 가운데서 가장 뛰어난 자를 가려 왕후로 삼아 주소서. 그러자 왕이 '천명'이라는 말로 답했다. 이 몸이 이곳에 내렸음이 천명이었듯이 왕후를 짝지음도 그러할 것이니 너무 심려치 마라. 얼마 뒤 음력 7월, 가을 기운이 감도는 낙동강 하구에 '진홍빛 꽃가마배'가 나타났다. 검붉은 돛을 달고 꼭두서니로 물들인 깃발을 휘날리면서 온 공주의 꽃가마배에는 주옥같은 아름다움이 서려 있었다. 그 소식을 왕이 듣고 흔흔히[1] 기뻐하였다. 왕은 우두머리들에게 손님맞이 꽃배를 몰고 가서 그 배에 타고 있을 공주를 모셔 오라 일렀다. 이에 일행들이 영접선을 몰고 꽃가마배로 가서 수로왕의 분부를 전하였다. 그대들과는 생면부지[2]거늘 어찌 그 배에 탈 수 있겠는가. 차고 단호한 공주의 대답이었다. 우두머리들이 그대로 전하니 수로왕은 과연 그럴 만하도다, 하면서 왕성 서남쪽에 행재소[3]를

---

1 흔흔히 매우 기쁘고 만족스럽게.
2 생면부지 서로 한 번도 만난 적이 없어서 전혀 알지 못하는 사람. 또는 그런 관계.
3 행재소 임금이 궁을 떠나 멀리 나들이할 때 머무르던 곳.

차려 신부를 맞기로 했다. "이 몸은 아유타국 공주이옵니다." 그날 밤 공주는 자기 신분을 이렇게 소개했다.

여기까지 정리하면서 저자는 인도 공주의 가락국 당도를 전설이나 꾸민 이야기로만 볼 수 없다고 확신했다. 이 혼인 이야기에는 언제, 어디서, 왜, 무엇을, 어떻게 했는지가 분명할 뿐 아니라 사건 전개의 장소며 등장인물 등이 한 치의 어김없이 연계돼 있기 때문이다. 그는 이 수수께끼 같은 사실들이 《삼국유사》의 〈가락국기〉, 고산자의 《대동여지도》, 이병현의 《김해읍지》, 수로왕릉이 소장한 《숭선전지》에 적혀 있음을 재차 언급했다.

하지만 내가 알기로 수로왕비 허황옥이 인도 아유타국의 공주인가 하는 문제는 아직 학계에서 논란 중이다. 허황옥의 출신지에 대해서는 여러 가지 설이 존재하는데 그중 대표적인 것이 인도설이다. 능 앞에 있는 파사 석탑과 납릉 정문의 쌍어문 양식이 그 증거이다. 실제로 아유타국은 인도 갠지즈강⁴ 상류에 있던 불교 왕조인 아요디아 왕국을 일컫는 말이며, 수로왕릉 정문에 걸린 쌍어문 양식과 태양 장식은 현재 아요디아 주정부의 공식 문장이다. 그러나 파사 석탑의 돌은 인도뿐만 아니라 중국 남해 지역에서도 생산된다. 오히려 김해 지역에서는 중국과의 교류를 짐작하게 하는 유물들이 많이 발견되었기에 허황옥은 중국계라는 설이 있다. 이 설을 뒷받침하는 근거 중의 하나는 수로왕 비릉 비문에 새겨진 '보주태후'라는 문구이다. '보주'라는 지명은 중국의 쓰촨[四川]성 안위에[安岳]현을 말하는데, 허황옥 일행은 바로 이곳 출신일 수 있다는 것이다. 몇 년 전, 내가 아직 여고생일 때 한 인터넷 싸이트⁵를 통해 알게 된 사실이다. 인터넷 정보란 세상에서 아무도 책임지지 않는 허점투성이지만 당시 나로서는 달리 궁금증을 풀 방도가 없었다. "김해 김씨의 시조인 가야의 김수로

---

4 갠지즈강 '갠지스강'의 잘못.
5 싸이트 '사이트'의 잘못.

왕이 외국인과 결혼했다던데 사실인가요?" 누군가 싸이트에 그런 질문을 올려놓았다. 조회 수가 198회였고, 답변은 2회였다. 네티즌의 관심을 크게 끌 만한 주제가 아닌가 보았다. 199번째 조회자인 나는 숨이 멈추는 긴장감을 느꼈다. "그럼 김해 김씨의 시조가 김수로왕이니…… 외국인의 피를 받은 게 되는 건지요?" 친절하게도 누군가 나 대신, 매우 노골적으로 물어 줘서 정말 다행이었다. 두 번째 답변자의 글은 이랬다. "김해 김씨가 외국인의 피를 받았다고 해도 벌써 수천 년이 지난 일이니 인도인의 피는 완전히 사라졌다고 봐야겠지요. 참고로 김해 허씨 양천 허씨도 수로왕과 허황옥의 후손들이고 다 같이 외국인의 피를 받은 것이니, 김해 김씨만 외국인의 피를 받았다고 억울해하지 마시길……." 억울이란 단어 때문이었을까. 순간 내 얼굴이 확 달아올랐고, 눈에 눈물이 맺혔다.

저자는 그 문제를 미국 위스콘씬대학에 있는 아요디아 연구자의 견해를 빌려와 해명하고 있다. "기원전 1세기 초, 아요디아 왕족의 일부가 타이로 넘어가 메남강 어귀에 나라를 세웠고, 지금은 '아유타야'라는 지명으로 남았어요. 그러니 아요디아의 태양 왕조 후예들의 동진이 그곳에서 멈추었다는 증거는 없지요." 인도 학자도 한마디 거들었다. "허황옥 공주가 타고 온 꽃가마배에서 휘날리던 붉은 기는 꼭두서니라는 식물 뿌리에서 우러난 빨강 물감으로 염색한 건데, 이는 아요디아의 깃발이었지요." 이어 저자는 토인비의 《역사의 연구》 별책 지도인 〈서기 1세기 세계교류도〉를 화보로 제시했다. 수천 년 전의 세계를 그린 지도는 오래되어 누렇게 변색됐지만 보존 상태가 매우 좋아 지형과 지명이 선명했다. 지도상에는 지금의 중국 푸져우[福州] 땅에 땅콩 모양의 국경선을 가진 '민-예 허왕국'이 있었다. 민-예 허왕국은 아유타 본국에서 해상 씰크 로드[6]를 따라 동진한 세력이 세운 아유타 해상별국이라고 한다. 그러니 항해술과 교역술이 발달한 아유타 해상별국의 공주가 가야로 시집온 것이 크게 이상하지 않

---

6 씰크 로드 '실크 로드'의 잘못.

다는 저자의 주장은 꽤나 일리가 있다.

　석 달 전, 미국행 비행기에 오른 남자 친구를 배웅하고 돌아오는 길이었다. 발길 닿는 대로 시내를 쏘다니다 들른 서점에서 이 책을 우연히 집어 들었다. 어쩌면 우연이 아니었는지 모른다. 오래전부터 난 가야 땅의 수로왕비가 외국에서 시집왔으며 김해 김씨나 허씨의 시조라는 사실을 익히 알고 있었으니까. 책을 건성으로 들춰 보다가 토인비의 지도 화보와 해상 씰크 로드가 그려진 유럽-아시아 지도를 발견했다. 순간 가슴이 두근대기 시작했다. 내 시선을 끈 것은 '민-예', 즉 아유타 해상별국이 아니었다. 태국 중부, 방콕보다 조금 북쪽에 있는 아유타야국이었다. 아유타 본국의 식민지이기도 했다는 그 지명을 읽는 순간 문득 익숙한 여자 목소리가 귓가에서 생생하게 되살아났다. "내 고향은 아유타야, 내 이름은 능 르타이입니다." 나는 용돈을 털어 책을 샀다. 집으로 돌아와 내 방 침대 머리맡에 그 책을 놓았다. 그러고는 잠이 들었다. 파란 수국이 피어 있는 마당에서 노는 꿈을 꾸었다. 수국 꽃잎들은 바람이 불 때마다 화르르, 짙은 제 그림자 위로 떨어져 내렸다. 마당 한가운데 섬처럼 만들어진 화단 옆에는 수도꼭지가 있고 그 밑엔 물받이 돌확[7]이 놓여 있었다. 나는 친어머니가 팔뚝을 걷어 올리고 어린 내 손을 비누로 씻어 주곤 하던, 그 향기로운 수돗가로 다가갔다. 꽃이 가득 피어 있는 나무 밑 어두운 그늘 속, 거기에는 돌확 대신 붉은 플라스틱 통이 놓여 있었다. 안을 들여다보니 배가 터지고 창자가 드러난 물고기 수십 마리가 있었다. 통 옆에 앉아 물고기 내장을 발라내는 여자 주변이 온통 빨갰다. 진한 비린내에 화들짝 놀라 깨어났을 때, 방 안 가득 어둠이 차 있었다. 빈속에 헛구역질이 일었다. 나는 오랜 습관대로 남자 친구 전화번호를 눌렀다. '무서워, 마이클, 보고 싶어, 빨리 와 줘.' 치미는 불안과 슬픔을 입 밖으로 쏟아 내야 살 것 같았다. 하지만 전화기는 이미 꺼져 있었다. 그날 밤 내내 나는 신열에 시달렸다.

7　돌확　돌로 만든 조그만 절구.

열차는 중간 역에서 잠깐 멈추었다가 천천히 몸을 흔들며 앞으로 나아간다. 냉커피를 마시면서 이국의 열대 풍경을 바라보고 있자니 뭐랄까, 생딸기 위에 뜨거운 초콜릿 시럽을 씌워 먹는 것처럼 기묘한 느낌이 든다.

저자의 주장에 반신반의하면서도 강한 호기심에 이끌려 나는 다시 책장을 넘긴다. 낙동강 어귀에 모습을 드러낸 아유타 공주의 꽃가마배는 얼마나 아름다웠을까. 꼭두서니 깃발이 순풍에 펄럭이는 장면을 상상하면서 한 장의 사진을 떠올린다. 잔잔한 물결처럼 보이는 시트 주름과 그 위에 붉은 돛단배처럼 떠 있던 혈흔…… 저자는 서기 48년 음력 7월 27일을 재현해 놓았다.

"이윽고 별포 나루에 배를 대고 상륙한 왕후는 수로왕의 행재소를 바라볼 수 있는 고갯마루에서 잠시 쉰 다음 혼전 의식을 시작했다……."

〈가락국기〉는 왕후가 분명히 "입고 있던 비단 바지를 벗어서 산신에게 폐백 드렸다[解所著綾袴爲贄. 遺千山靈也]."고 기록하고 있으니 혼례식을 치를 새색시는 속곳이 없는 상태일 수밖에 없는데, 오늘날 어떤 관습으로도 납득할 수 없는 이 예식은 《리그베다》 중 〈혼인의 노래〉의 한 구절을 보면 쉽게 이해가 갈 거라며 저자는 따로 노랫말을 소개했다.

"이는 정녕 검푸르고 붉도다, 주법(呪法)으로 오염은 찍히었도다. 그녀의 연고자는 번영하리라. 지아비는 주박에 묶이었도다. 더럽혀진 옷은 버려라. 바라문에게 재물을 나눠라. 이 주법은 발[足]을 얻어 아내로서 지아비에게 둔다."

노래에 따라 새색시는 신방에 들기 전에 신랑 쪽에서 마련한 속옷으로 갈아입어야 했다. 저자는 이를 처녀막이 손상된 색시가 핏자국을 미리 묻힌 속곳을 입고 초야를 치를 수 없게 하려는 조치라고 생각했다.

나는 "검푸르고 오염된 낙인"이 있는 사진 한 장을 가지고 있다. 지난겨울, 여자의 사고 소식을 들은 다음 날 찍은 거다. 함께 밤늦도록 술 마신 남자 친구 말에 따르면 나는 알아들을 수 없는 말을 한없이 지껄이다가 신촌 사거리에서 완전히 넋을 잃었다. 다음 날 눈을 뜨니 허름한 모텔이었다. 영어 학원 강사인 마이클은 오전에 토플 강의가 있다며 아침 일찍 방을 나갔기 때문에 혼자였다. 흰 시트엔 맨드라미 꽃잎을 짓이겨 놓은 듯한 혈흔이 묻어 있었다. 디지털 사진기로 그 풍경을 찍은 다음 집으로 돌아와 한참 들여다보았다. 지금이라도 남자 친구에게 사진을 보낼까. 나는 재빠르게 머리를 굴려 본다. 과연 남자 친구를 주박에 묶어 둘 정도의 위력을 갖기나 한 걸까. 오히려 사진 따위에나 매달려 애정을 요구하는 내 절박한 처지를 드러낼 뿐이지 않은가. 어리석고 구차하다. 하지만 만약 아버지의 여자였다면…… 경우가 전혀 다르다. 속옷을 벗어 보이듯이 분명하게 여자는 고모한테 자신을 보여 줬어야 했다. 방콕 변두리의 허름한 사진관에 들러 어색한 웃음을 지은 채 아버지와 나란히 앉아 찍은 사진만으론 어떤 진실도 증명할 수 없으니까. 처음부터 여자는 고모와 혼인한 거나 마찬가지였으니까.

도저히 안 되겠어. 누구든 데려와야지 더 이상은 못 살아.

내가 중학교 3학년이 되던 해 봄이었다. 현관에서 신을 벗다 말고 고모는 아버지 슬리퍼를 내던지며 고함쳤다. 날카롭게 찢어지는 고모 목소리에 귀가 다 먹먹했다. 잔뜩 부푼 배를 한 손으로 받쳐 든 고모가 그 말을 뱉어 냈을 때, 나는 영어 학원에서 막 돌아와 있었다. 얼른 아버지의 휠체어를 고모 손에서 빼내어 단단히 쥐며 눈치를 살폈다. 곧 쌍둥이 엄마가 될 고모가 종일 아버지 시중을 들었으니 그럴 만도 했다. 둘째 아이들을 배 속에 둔 고모의 얼굴엔 검은 기미가 잔뜩 끼었고, 피로와 분노와 안타까움이 잔주름 곳곳에 배어 있었다. 고모네 집은 우리 집에서 10여 분 걸어가는 가까운 거리에 있었지만, 임산부가 매일 드나들며 두 집 살림 하기에는 아무래도 무리였다. 초등학교에 다닐 때만 해도 나는 학교가 파하자마자 집으로 돌아와서 아버지의 휠체어를 밀고 밖으로 나갔다. 그 나들이는 종일 갇혀 답답하던 아버지의 유일한 즐거움이었을 것이다. 시장에 들러 찬거리를 사기도 했다. 하지만 그즈음엔 나도 공부에 집중해야 했다. 난 근처에 있는 꽤 유명한 외국어 고등학교에 진학하고 싶었다. 어떻게든 그 변두리 동네에서 벗어나고 싶었다. 하반신이 마비된 아버지는 누군가의 도움 없인 절대 집 밖으로 나가지 않았다. 그건 성격 탓이기도 했다. 남들처럼 목발을 짚거나 휠체어를 타고 혼자 산책할 수도 있었지만, 아버지는 그러지 않았다. 장애인 판정을 받은 지 벌써 수년이 지났는데도 말이다. 예전에는, 그러니까 아버지가 교통사고를 당하고, 자동차 옆자리에 앉아 있던 어머니와 사별하기 전까지는 그 자존심 강하고 내성적인 성격이 크게 문제가 된 적이 없었다. 하지만 그즈음엔 아니었다. 아버지는 어두운 구석에 처박혀 밖으로 나오지 않으려 했고, 취하도록 술을 마셨으며, 밤이면 상처 입은 짐승 같은 신음을 내질렀다. 말을 잃어버린 지는 이미 오래되었다.

고모가 아버지의 재혼을 추진하기 시작한 건 그 무렵이었다. 재혼이라니. 어떤 여자가 하반신이 마비된 중년 홀아비한테 시집온단 말인가. 중학생 딸이 있는 데다, 사고 전에 다니던 농협에서 나오는 연금으로 겨우 살아가는 우울한 사내에게. 그저 하소연할 데 없는 고모의 빈말이려니 생각했다. 그런데 그게 아니었다. 며칠 뒤 결혼 정보 회사 안내 책자가 집으로 배달되었고 고모는 아버지를 데리고 역 앞 사진관에 가 여권 사진을 찍었다. 고모는 수시로 동남아 풍경과 이국의 처녀 사진이 가득 실린 책자를 아버지 눈앞에 들이밀었다. 베트남? 중국? 필리핀? 얼마든지 고를 수 있대. 여, 여기 좀 봐. 캄보디아도 있고 태국도 있네. 다들 예쁘지? 이 여자들 정말 섹시하다, 그치? 아버지 눈길은 여전히 낡은 경대 위에 놓인 엄마 사진에 가 있었다. 깊고 어두운 동굴 같은 아버지의 눈을 내리덮은 곱슬머리가 어느새 반백이 되어 있었다. 어릴 적에 종종 내 뺨을 간질이던, 검고 탄력 있던 턱수염조차 희끗희끗 무기력해 보였다. 오빠가 싫어도 할 수 없어. 이제 곧 쌍둥이가 태어날 거고, 수경이 쟤는 입시 준비로 바쁘잖아. 그럼 누가 오빠를 돌봐. 이게 훨씬 더 싸. 파출부 부르는 거보다 색시 들이는 게 훨씬 싸다니까. 월급 안 주고 밥만 먹여 주면 되니까. 그때 아버지 손가락이 아무렇게나 사진 위로 떨어졌다. 고모 얼굴이 밝아졌다. 태국? 왜 하필 태국이래? 이 아가씨가 예뻐? 그래, 그럼, 태국으로 가자고.

내 계모는 그렇게 결정되었다. 부처님 오신 날 고모와 아버지는 태국행 비행기를 탔다. 나는 일주일가량 혼자 살았다. 처음으로 아버지가, 그리고 고모가 없는 나만의 세계를 누렸다. 자유 속에서 나는 더 이상 불구자의 딸이 아니었고, 어머니를 잃고 고모 손에서 자란 가여운 여자애가 아니었다. 막힌 숨이 뚫리는 기분이었다. 어른들은 모두 해외여행 갔거든. 혼자 지내기가 무서워. 나는 친구들을 집으로 데려와 떡볶이와 인스턴트 자장면을 만들어 먹기도 하고, 하루에 서너 편의 비디오를 보기도 했다.

태국에 간 아버지와 고모는 방콕의 호텔에 머물면서 중개업자를 따라다니며 맞선 보느라 몹시 바빴나 보았다. 귀국 후 고모한테 들은 바에 따르면 어떤 날은 하루에 수십 명을 보기도 했다. 한 번 선볼 때마다 열 명 이상의 아가씨들이 맞선 방으로 들어왔는데, 아가씨들은 대체로 아버지를 보자마자 얼굴을 찡그리며 방을 나갔다. 하지만 그중 몇몇은 신랑이 그 어떤 사람이어도 상관없다는 듯이 뜻 모를 웃음을 베물고 자리에 남아 있었다. 아버지는 얼굴을 붉히고 진땀을 흘리면서 시선을 이리저리 피했다. 하긴 이제 겨우 스물이 될까 말까 한, 한마디로 딸아이 정도의 나이로밖에 보이지 않는 처녀들이 색시가 되겠다고 하니 아버지처럼 내성적이고 양심적인 사람으로선 민망함을 견뎌 내기 힘들었을 거다. 보지 않아도 알 것 같다. 아버지는 몇 번이고 그냥 집으로 돌아가겠다고 우겼을 테고, 고모와 중개업자는 그런 아버지를 사납게 노려보며 기어이 아가씨를 선택하길 강요했으리라. 주말 비행기로 떠난 아버지와 고모는 그다음 주 금요일에야 돌아왔다. 늘 방 안에만 있던 아버지의 피부는 검게 그을어 건강하고 생기 있어 보였다. 고모는 남국의 강한 햇볕 때문인지, 여행의 피로 때문인지 기미와 주름이 한결 짙어져서 돌아왔다. 고모는 내게 물소 뿔로 만든 펜던트가 달린 목걸이를 기념 선물로 주었다. 몇 장의 사진도 보여 주었다.

화려한 팟퐁 야시장과 미소 짓는 거대한 와불상, 그리고 황금빛 날개와 머리를 가진 가루다[8]를 배경으로 찍은 사진들이었다. 이국의 낯선 풍경, 지나치리만치 밝은 햇빛 속에서 아버지와 고모는 어딘가 초조하면서도 어리벙벙한 표정을 하고 있었다. 휠체어 바퀴만이 금빛 찬란한 왕궁과 불상 앞에서 금속성의 빛을 발했다. 휠체어 바퀴 때문에 빛이 들어갔어. 사진 찍을 때는 옷자락으로 살짝 가리라고 했잖아, 고모. 사진을 다 보고 나서 내가 아무렇지도 않게 다시 건네자 고모가 놀란 눈으로 쳐다봤다. 너 정말 괜찮은 거니? 고모가 조심스레 물었다. 태국 전통의 울긋불긋한 신부복을 입은 자그마한 여자가 아버지 옆에 나란히 앉아 있는 사진 때문인 것 같았다. 여자의 왼쪽 귀 뒤에 꽂혀 있는 술 달린 붉은 꽃이 눈에 거슬리긴 했다. 길고 가느다란 술을 파르르 떨며 상대를 현혹하려는, 교태가 느껴지는 꽃이었다. 어차피 일하는 여자 들이는 거라고 했잖아, 고모. 샤워를 하기 위해 수건을 들고 욕실로 들어가며 나는 짧게 대답했다.

터널을 빠져나온 열차는 야자나무 농장을 지나 벼가 자라는 짙푸른 들녘을 달리고 있다. 열차의 흔들림 탓인지, 빛 때문인지 눈이 아파 온다. 등받이에 몸을 기대고서 눈을 감아 본다. 촉촉한 물기가 망막을 적셔 시린 기운이 잦아든다. 한

---

8 가루다 인도 신화에 나오는 상상의 동물. 인간의 몸에 독수리의 머리와 날개를 가진 새이다.

낮의 빛은 감긴 눈꺼풀 안에서 부드러운 망고빛으로 변한다. 망고의 달콤한 맛과 향이 입안에서 생생하게 살아난다. 자그마한 여행 가방 하나를 들고 처음 집 안으로 들어서던 날의 여자 모습이 떠오른다. 초가을이었다. 마당에는 가을비에 떨어져 내린 풋감이 데굴데굴 굴러다녔다. 여자는 두 손을 모으고 정중히 허리를 굽혔다. 태국 말로 와이라 부르는 인사법이었다.

내 이름은 능 르타이입니다.

여자 목소리가 가까이서 들리는 것 같다. 말끝을 경쾌하게 추켜올리는 특유의 말투다. 그 말투는 언제나 사원의 처마 끝을 연상케 한다. 하늘을 향해 치솟은 섬세한 황금 장식…… 에메랄드라는 이름이 붙은 태국 사원을 나는 여자 앞으로 가끔 배달되던 그림엽서에서 처음 보았다. 방콕 왕궁 안에 있다는 그 사원은 매우 화려하고 아름다웠다. 엽서엔 뜻을 전혀 알 수 없는 글자가 빼곡했다. 단정한 필치의 태국 문자는 1년생 풀과 꽃이 심긴 화분을 일렬로 세워 놓은 다음 옆에서 그대로 그려 놓은 펜화처럼 보였다. 우편함에서 꺼내 온 여러 개의 우편물 중에서 그 엽서를 찾아내 건네주자 여자가 몹시 기뻐하며 내게 수없이 와이를 했다. 난 여자의 와이에 답해 주지 않았다. 이제 와 생각하니 나는 여자의 와이에 한 번도 제대로 답해 준 적이 없었다. 처음엔 낯설어서, 나중엔 여자를 무시하려고 일부러 그랬다. 하지만 여자는 몸에 밴 와이 인사 습관을 버리지 못했다. 두 손을 모았다가는 화들짝 놀라 다시 손을 내려놓곤 했다. 그날, 엽서를 받자마자 읽어 내려가던 여자 표정이 생각난다.

사원의 종소리가 조용히 야자나무 숲을 흔드는 고향 풍경이 머릿속으로 펼쳐지기라도 한 걸까. 여자의 입가엔 엷은 미소가 어리고 양쪽 뺨은 발그레해졌다. 글썽이는 여자의 크고 둥근 눈이 한 쌍의 은빛 물고기처럼 빛났다. 마침 고모가 쌍둥이를 태운 유모차를 끌고 마당으로 들어섰다. 여자는 당황한 표정으로 허둥대며 손에 들고 있던 엽서를 앞치마 안으로 숨겼다. 눈치 빠른 고모가 여자의 앞치마를 들췄다. 무슨 비밀이라도 되나 보지? 이리 줘 봐. 고모 눈초리가 심하게 외돌았다. 쯧쯧, 이게 글자야 벌레야, 뭐가 뭔지 통 모르겠네. 엽서를 빼앗아 한참을 들여다보던 고모는 안절부절못하는 여자에게 내던지듯 되돌려주며 강하게 쏘아붙였다. 자네, 우리 모르게 수작 부리다간 큰코다쳐.

여자는 고모 말뜻을 알아차린 것처럼 보였다. 그즈음 여자의 한국말 실력은 고작 안녕하세요, 감사합니다, 정도여서 수작이라든가 큰코다친다는 말을 알아들을 리 없었을 텐데도. 여자는 두려움으로 가득 찬 눈을 조용히 내리뜨며 바르르 몸을 떨었다.

저자는 수로왕릉 정문 위에 새겨진 물고기 모양의 장식판에 특히 주목했다. 좌우로 흰 물고기 한 쌍이 마주 보고 있으며 중앙에는 남방식 하얀 탑 하나가, 그리고 탑 위에는 활과 코끼리, 연꽃 문양이 도려낸 목판의 구획을 따라 화려하게 채색된 장식판이었다. 신기하게도 이 문양은 인도의 아유타 지역에서 쉽게 발견된다고 했다. 돌로 된 성문에도, 거리를 달리는 화물차에도 모두 큼직한 물고기가 새겨져 있다고 했다. 저자는 인도 사제에게 물어 새로운 사실을 알아냈다. "그건 '성스러운 물고기'를 뜻하지요. 집에 물이 들어오면 이 물고기가 집안 사람들 안전을 지켜 준다고 믿었답니다."

'성스러운 물고기'는 곧 '신어(神魚)'일 수 있다면서 저자는 김해시 동쪽 산봉우리를 예로부터 신어산(神魚山)이라 일컬어 온 것도 단순한 우연이 아닐 것이라고 힘주어 말했다. 추정의 근거를 발견한 사람이 가지게 마련인 들뜬 흥분의 기운이 글 속에서 느껴진다.

아유타야에서 온 여자는 유독 물고기 요리를 자주 했다. '늑맘'이란 어장(魚醬)[9]을 음식에 넣기도 했다. 난 태국의 낯선 음식을 먹지 않았다. 그럴 땐 여자 혼자 다 먹었다. 여자 역시 우리 김치와 된장을 잘 먹지 못했다. 우리는 한 밥상

---

9 어장 생선을 넣고 담근 장.

에서 각자 다른 음식을 먹었다. 아버지만 이 두 가지를 다 먹었다. 도대체 생선 밖에 먹을 게 없다고 내가 반찬 투정을 심하게 한 어느 저녁이었다.

"아유타야는 원래 메남 짜오프라야, 파삭강, 그리고 롭부리강을 끼고 있어서 수산물이 풍부하단다. 한때 주변 국가는 물론 아랍인들에게까지 중요한 무역항이었지. 그래서 물고기 요리가 발달했나 봐."

아버지가 생선조림에 젓가락을 가져가며 길게 설명했다. 나는 뒤로 넘어가는 줄 알았다. 종일 구석에 처박혀 죽은 아내를 그리워하던 아버지였다. 그런 아버지가 한동안 인터넷에 매달린다 싶었는데, 그게 모두 그 여자와 관련된 정보를 알기 위해서였다니. 갑자기 속에서 분노가 부글부글 끓어올랐다. 나는 밥상에 숟가락을 거칠게 내려놓고 일어나 방으로 들어갔다. 아버지의 휠체어 끄는 소리가 방문 앞에 와서 멈추었다. 아버지가 방문을 두드렸다. 나는 아버지 마음을 갈기갈기 찢어 피가 철철 흐르게 하고 싶었다. 나는 펑펑 소리 내어 울기 시작했다. 아버지 마음속에서 어머니를 밀어내고 서식처를 마련하기 시작한 여자가 내겐 교활한 악어처럼 보였다. 실제로 여자는 먹이를 구하기 위해 거짓 눈물을 흘리는 악어처럼 툭하면 눈물을 보이곤 했다. 나는 아버지가 어머니에 대한 그리움에서 벗어나 다른 여자에게 마음을 주는 걸 받아들이지 못했다. 어머니가 아끼던 수국이 남아 있는 한 어머니를 잊을 수 없었다.

어머니는 경의선 열차가 잠시 멈추었다 지나가는 작은 농촌 마을에선 드물게 대학 교육을 받은 사람이었다. 내가 겨우 걸음마를 시작했을 때 어머니는 우리 집에 작은 놀이방을 차렸다. 우리 집은 누대[10]로 살아온 고옥이어서 마당도 넓고 빈방도 많았다. 어머니는 그 방들을 손수 개조했다. 동물 그림의 벽지를 바르고, 창호지에 마른 꽃을 보기 좋게 붙여 놓았다. 마당에는 알록달록한 작은 미끄럼틀과 모래 놀이터가 있었다. 놀이방은 그다지 잘되지 않았다. 읍내 어린이

---

10 누대 여러 대.

집에서 운행하는 버스가 마을까지 들어왔기 때문이다. 하지만 읍내까지 가기엔 너무 어린 아이들 서너 명은 늘 있었다. 나는 그 아이들과 함께 어린 시절을 보냈다. 아침나절엔 노래와 춤을 배우고 한낮엔 모래 놀이를 했다. 마루에 호박전과 시금치나물, 닭강정 따위가 있는 정갈한 밥상이 차려지기 전까지 우리는 마당을 휘저으며 맘껏 뛰놀았다. 점심 준비가 끝나면 어머니는 아이들을 수돗가에 한 줄로 세웠다. 그러고는 돌확에서 떨어지는 물줄기에 대고 아이들 손을 일일이 씻겼다. 어머, 이 땟국물 좀 봐. 물만 묻히고 도망치는 나를 붙잡아 세게 문지르던, 두꺼우면서도 조금 가칠하던 어머니의 손길…….

나는 궁금했다. 내 어깨에도 미치지 못하는 작은 키에 까맣고 보잘것없는, 말도 통하지 않는, 나보다 겨우 다섯 살이 더 많은 어린 여자를 아버지는 아내로 맞이한 걸까. 정말 그녀를 사랑하는 걸까. 아닐 거야. 부모를 떠나 먼 곳까지 온 여자를 가엾게 여길 따름이겠지. 그저 부모 된 심정으로 돌봐 주려는 걸 테지. 그래. 밥을 해 주고, 옷을 빨아 주고, 세수를 시켜 주고, 바지를 입혀 주는 손길이 고마워서 친절히 대할 뿐이야. 그때까지만 해도 나는 아버지와 여자가 다정하게 함께 있는 장면을 본 적이 없었다.

처음부터 고모는 여자를 믿지 못했다. 고모가 여자를 의심하는 데는 이유가 있었는데, 그건 여자가 돈을 벌기 위해 아버지한테 시집온 사실을 누구보다 잘 알기 때문이었다. 아버지는 매달 여자네 집으로 얼마의 돈을 부쳤다. 그 돈으로 여자네 병든 어머니와 사업 실패로 알거지가 된 아버지, 그리고 어린 동생들이 먹고산다고 했다. 그런 고모의 속마음을 아는지 모르는지 여자는 자주 고모한테 말했다. 태풍 때문에 강이 뒤집혔어요. 내 아버지 양어장, 홍수에 쓸려 나갔어요. 우리 집 괜찮았는데, 가난해졌어요. 우리 식구 살기 힘들어요. 그래서 나 시집왔어요. 나 아저씨 좋아요. 나 술집에서 일한 적 없어요. 여자는 한국말을 꽤 빨리 배웠다. 말끝을 추켜올리는 이상한 억양도 많이 누그러졌고, 피부도 한결 하얘졌다. 그럴수록 고모는 여자를 더 경계했다. 고모는 여자를 집 밖에 나가지 못하게 했다. 집 근처 가게에서 물건을 사는 것 말고는 거의 아무 데도 가지 못하게 했다. 아버지 수발이나 열심히 들면 된다고 했다. 하지만 여자는 점차 바깥 구경을 하고 싶어 했다. 가끔 알아들을 수 없는 태국 말을 내뱉곤 했다. 나중에 알게 되었지만 '나는 야자 껍질 속 지렁이로 살고 싶지 않아요.'라는 뜻이었다. 하긴 야자 껍질 속에서만 살기에는 너무 젊었다. 여자는 가끔 아버지 산책을 핑계로 역 근처 대형 할인점까지 가기도 했고, 피씨방[11]이며 노래방, 술집이 즐비한 골목을 지나다니기도 했다. 호기심 가득한 여자는 가끔 아버지를 완전히 잊고 휠체어를 끌다 몇 차례 장애물에 부딪히기도 했다. 아버지 이마에 툭 튀어나온 혹을 본 고모는 목소리 높여 여자를 나무랐다.

여자가 시집온 지 2년쯤 지났을 때다. 아버지는 저녁이면 여자를 앉혀 놓고 한글을 가르치기 시작했다. 마치 재미있는 놀이를 하나 찾아낸 것처럼 아버지는 그 일에 열중했다. 저녁에 학원에서 돌아와 현관에 들어서면 아버지와 여자가 거실에 펴 놓은 두리반[12] 앞에서 머리를 맞댄 채 쿡쿡거리며 웃기도 하고, 한글 카드로 알아맞히기 게임이나 받아쓰기를 하기도 했다. 어떨 땐 태국 쌀국수를 끓여 밤참으로 먹었다. 젊은 배우들이 출연해 사랑을 키워 가는 드라마를 가까이 붙어 앉아 보기도 했다. 아버지는 더 이상 종일 내가 돌아오기만 기다리던 예전의 아버지가 아니었다. 여자와 함께 새로운 행복을 키워 가는 듯 보였다.

이윽고 나는 고모를 내 편으로 끌어들이기로 마음먹었다. 그즈음 그녀에 대한 고모의 의심은 더 커졌다. 우리 동네에는 외국에서 데려온 색시들이 꽤 있었는데, 그중 툭하면 남편한테 얻어터져 눈두덩이 시퍼렇던 베트남 색시가 돈을 훔쳐 도망을 쳤기 때문이다. 나는 여자 앞으로 가끔 낯선 편지가 온다는 사실을 고모에게 알려 주었다. 태국 아유타야에서 오는 편지뿐 아니라 전라도 여수에서

---

11 피씨방 '피시방'의 잘못.
12 두리반 여럿이 둘러앉아 먹을 수 있는, 크고 둥근 상.

온 편지에 대해서도 말했다. 고모는 곧장 여자를 불러 더 이상 태국어로 된 편지를 주고받지 말라고 명령 내렸다. 왜요? 왜 나 편지 쓰면 안 돼요? 여자가 반항조로 물었다. 그러자 고모가 여자 손목을 움켜쥐더니 노려보며 말했다. 내가 자네 속셈 모를 줄 알아? 처음부터 적당한 때에 도망갈 마음으로 여기 온 거 다 알아. 근데, 도망쳐 봤자 갈 데 없어. 길거리 창녀가 된다면 혹시 몰라도. 그러니 얌전히 붙어 있어. 여자는 고모 말을 얼마만큼이나 알아들었을까. 여자가 갑자기 힘없이 고개를 떨어뜨렸다. 그러고는 떨리는 목소리로 말했다. 그런 여자 아니에요. 도망 안 가요. 나…… 그 사람 사랑해요. 사랑한단 말에 당황한 고모는 잡고 있던 여자의 팔을 내려놓고 주춤 뒤로 한 발짝 물러났다.

하지만 고모는 전보다 더 여자를 믿지 못해 했다. 아니, 고모가 믿지 못하는 건 어쩌면 하반신 마비된 아버지가 여자와 동침할 수 있다는 사실이었는지 모른다. 아니다, 어쩌면 정상인이 불구자를 사랑할 수 있다는 사실을 고모는 믿을 수 없었던 게 아닐까. 사랑이란 말뜻을 여자가 잘못 아는 거라고 생각했는지도 모른다. 언젠가 여자는 혼자 밖에 나갔다 들어오면서 고모한테 바람피우고 왔어요,라고 말한 적도 있으니까. 바람 쐬고 왔다는 뜻의 말을 그렇게 제멋대로 썼나 본데, 드라마를 통해 말을 배운 탓이었다. 고모는 공염불[13] 외우듯 같은 말을 반복했다. 우릴 안심시켜 놓고 몰래 도망치려고 계략을 꾸미는 게야. 사랑이라니, 그게 말이나 돼? 그로부터 한 달쯤 뒤 충격적인 장면을 목격하기 전까진 나 역시 고모와 같은 생각이었다.

그날은 학교 시험이 끝난 금요일 밤이었다. 시험 기간 동안 쌓인 피로 때문에 저녁밥도 먹지 않고 잠에 빠져 있던 내가 깨어난 건 새벽 1시경이었다. 나는 물을 마시려고 방에서 나왔다. 사방이 어둠에 묻혀 있었다. 어디선가 신음 소리가 났다. 나는 그 소리에 귀를 기울였다. 누군가의 거친 숨결과 고양이 울음 같

---

13 공염불 신심(信心)이 없이 입으로만 외는 헛된 염불.

은 낮은 비명이 들렸다. 분명 여자가 쓰는 방 쪽에서 들려오는 소리였다. 그때까지 아버지는 나를 의식해서인지 여자와 각방을 쓰고 있었다. 내 심장이 크게 요동쳤다. 어떻게 해야 하나. 두려움과 당혹감, 그리고 알 수 없는 분노와 호기심으로 심장이 터질 것만 같았다. 나는 발소리를 줄여 여자 방 창문이 나 있는 뒤뜰로 살며시 다가갔다. 창문은 열려 있었다. 거친 숨결과 낮은 비명이 내 머릿속을 마구 휘저었다. 창문 아래 놓인 돌덩이에 올라서서 방충망 너머 여자의 방을 들여다보았다. 희미한 달빛 속에서 검은 두 개의 몸체가 하나로 뒤엉켜 있었다. 현기증이 일었다. 순간 나는 돌에서 미끄러져 그만 넘어지고 말았다. 짓이겨진 차풀 냄새가 코끝에 진하게 맡아졌다. 사방에서 풀벌레들이 자지러지듯 울어 댔다. 누굴까. 사내가 누군지는 알 수 없었다. 그때 달이 구름 속으로 숨어들었다. 어둠 속을 기어 도둑고양이처럼 재빨리 자리를 피했다. 내 방으로 차마 가지 못하고 오랫동안 비워 둔 어머니의 놀이방으로 들어갔다. 누굴까. 끊임없이 그 생각이 떠올랐다. 방 안에 휠체어가 있었던가. 달빛 속에서 휠체어 바큇살이 희미하게 빛을 발한 것도 같고 아닌 것도 같았다. 아버지일 수도 있고 아닐 수도 있었다. 분명한 건 둘 다 나로서는 받아들이기 힘들다는 점이었다. 눈물이 쏟아졌다. 불행의 그림자가 다가와 옭아매는 느낌에 나는 몸서리쳤다. 언제까지 울다가 잠이 든 걸까. 이튿날 아침에 여자가 나를 찾는 소리에 겨우 깨어났다.

아침 밥상 앞에 앉은 아버지 얼굴은 여느 날처럼 태연해 보였다. 여자는 고개를 잔뜩 수그리고 밥을 먹었는데, 그건 언제나 그렇듯 냉정한 내 시선이 거북해 피하는 것일 수 있었다. 누굴까. 혹시 내가 잘못 본 걸까. 꿈이라도 꾼 걸까. 그 순간 나는 나를 믿기가 싫었다.

친구와 함께 읍내에 갔다가 기차역 근처에서 여자를 본 건 그로부터 몇 달 뒤였다. 대형 할인점 옆으로 난 상가 골목에 있는 여자를 친구가 먼저 발견했다. 너희 집 식모 아니니? 어? 으응……. 그때까지 나는 친구들에게 여자의 존재를 식모라고 말해 왔다. 차마 스무 살짜리 외국 여자가 내 새어머니라고 말할 수 없었다. 친구들 사이에서 비웃음과 놀림거리가 되기 싫어서였다. 동네에는 베트남이나 필리핀 같은 데서 시집온 여자들이 갈수록 늘었지만 여전히 낯선 존재였다. 가난하거나 비정상적인 집안의 상징이기도 했다. 동정심 많은 부인이나 장사꾼 들은 외국인 색시한테 더러 친절하게 말을 걸었지만, 그들 역시 뒤돌아서면 돈에 팔려온 색시라고 조롱하거나 험담을 늘어놓곤 했다. 색시들은 무능한 남편, 가난과 폭력, 따가운 눈총과 소외감 속에서 점차 윤기를 잃어 가다가 끝내 도망치거나 고향으로 되돌아가곤 했다. 간혹 건강한 아이를 낳아 행복하게 잘 사는 경우도 없지 않았지만 그렇다고 해서 순수 한국인 혈통을 가진 사람들이 고정된 생각을 바꾸지는 않았다. 나는 언제까지고 놀이방 선생님이던 어머니의 딸로 남고 싶었다. 정상이란 틀에서 조금 엇나가는 순간 차별의 굴레를 쓰고 평생 살아가야 한다는 걸 어쩌면 나는 너무 일찍 깨달았는지 모르겠다. 차라리 예전의 내 처지로 되돌아가고 싶었다. 교통사고로 불구가 된 아버지와 단둘이 살아가는 가여운 소녀…….

그날 여자는 낯선 사내와 이야기를 나누고 있었다. 사내는 겨우 스물대여섯 살로 보였고, 동남아시아 사람이었다. 행색으로 보아 인근 공장에서 일하는 노동자 같았다. 주변 사람들의 시선을 의식하는지 가끔씩 주위를 둘러보면서 여자는 오랫동안 이야기를 나누었다. 사내가 여자의 어깨를 툭툭 건드리기도 하고, 여자는 손으로 입을 가리고 웃기도 했다. 얼마쯤 지나자 사내가 여자의 팔을 잡더니 근처 찻집으로 끌었다. 고모의 놀라는 표정이며 아버지의 실망하는 모습이 눈앞에 나타났다 사라졌다. 나는 휴대 전화를 꺼내 둘이 건물 안으로 들어가는 장면을 사진에 담았다.

허목이 쓴 《편년 가락국기》 첫머리에 "가락은 신라의 남쪽 경계에 있는 바다 위의 별개 나라다[駕洛者新羅南境 海上別國]."라는 문장이 나온다. 이에 대해 저자는 가락의 기반이 육지에 있기보다는 바다 위에 있기 때문에, 육지를 기반으로 한 한족이 볼 때 별개의 나라일 수밖에 없었을 거라고 했다. 《산해경》이 옛 복주 지역의 민국을 가리켜 "민은 바다 한가운데 있다."라고 한 것과 같은 맥락이기 때문이다. 그리하여 그는 여러 문헌 조사와 수십 년간의 성실한 현지 탐사 끝에 대략 다음과 같은 결론에 이르렀다.

서기 47년, 한반도에는 가락국이라는 해상별국이 출현했다. 이는 벼와 쇠, 지혜의 경전인 인도의 《베다》, 그리고 발달한 항해술을 바탕으로 이룬 경이로운 힘이었다. 이들은 바다 건너 남쪽 해안, 즉 큐우슈우[14] 북쪽에 말로국(末盧國)이라는 이름의 집단을 두고 왜국의 부족들과 경계를 맞대었으니, 이 힘을 발판으로 가락의 건국주 수로왕의 자제인 한 왕녀와 왕자가 왜지로 건너가 쿠마가와 하구에 자리 잡은 것은 서기 103년. 마침내 왕국을 이루어 야마이국[15]의 왕 '히미꼬'로 추대된 것은 그들의 종국(宗國) 가락국 건국으로부터 40년 뒤의 일이다. 일본의 첫 왕이 된 비미호 여왕 이후 야마이국의 왕들은 32대까지 쓰쿠시성에 머물다가 33대 왕인 진무가 즉위하면서 축적된 역량을 모아 혼슈우[16] 한가운데로 왕도를 옮기게 된다.

저자의 주장은 사실일 수도 있고 아닐 수도 있다. 아직 학계에서 정설로 인정받지도 못했다. 그렇더라도 책을 읽다 보면 꽤나 설득력 있게 느껴진다. 어쩌면 그 사실을 믿고 싶은 내 바람 탓인지도 모르겠다.

책에서 눈을 떼고 잠시 창밖을 둘러본다. 마캄나무[17] 몇 그루와 해바라기밭이 창밖을 스쳐 지나간다. 태국식 전통 불꽃무늬 옷을 입은, 빈랑나무 열매와 플루[18] 잎으로 된 막[19]을 씹는 시골 아낙들도 보인다. 밝게 웃는 모습이 편안하고

---

14 큐우슈우 지금의 '규슈'로, 일본 열도를 이루는 4대 섬 가운데 가장 남쪽에 있는 섬.
15 야마이국 고대 일본의 야요이 시대에 있던 나라 '야마타이국'을 뜻함.
16 혼슈우 '혼슈'의 전 표기. 일본 열도 가운데 가장 큰 섬.
17 마캄나무 '타마린드(씨를 음식, 음료, 의약품으로 사용하며 열매는 식용하는 나무)'라는 콩과의 상록 교목.
18 플루 플루메리아.
19 막 종려나뭇과의 상록 교목인 빈랑나무. 또는 그 열매를 말한다. 열매는 기호품으로 씹거나 염료로 쓰이고 어린 잎은 식용한다. 살충제, 설사약, 두통약 등으로도 쓴다.

행복해 보인다. 이곳에 남았더라면 여자도 저렇게 늙어 갔을까. 짝이엉을 지붕에 얹은 허름한 농촌을 지난 열차는 제법 번화한 도시로 들어선다. 뜨거운 햇빛이 도로 위로 잘게 부서져 내린다. 열기로 아지랑이가 일렁인다. 아지랑이 너머 풍경 속에선 도로변 건물이며 가로수, 자동차, 거리를 오가는 사람들마저 심하게 뒤틀려 보인다. 저 낯선 도시 어딘가에 아이가 살고 있다. 내가 잘 아는 아이일 수도 있고 아닐 수도 있다. 내 동생일 수도 있고 아닐 수도 있다. 진실은 아무도 모른다. 오직 여자만이 알고 있다. 아이 이름은 수동(樹童)이다. 언젠가 여자가 말한 대로 아이는 정말 망고나무를 아비로 둔 걸까.

역 앞에서 여자가 낯선 사내와 만나는 사진을 나는 아버지와 고모에게 보여 주었다. 고모는 펄쩍펄쩍 뛰었다. 여자를 보자마자 앞섶을 잡아 흔들고 발로 차고 머리카락을 잡아채 마당에 머리를 짓찧기까지 했다. 땅바닥에 떨어져 있던 감이 터져 여자 머리카락이며 어깨, 드러난 엉덩이를 벌겋게 물들였다. 아버지는 고모를 향해 그만하라고 소리 질렀지만 화난 고모는 그 말을 무시했다. 어차피 달려와 말릴 수도 없는 힘없는 앉은뱅이였다. 점점 더 소리를 높이는 아버지의 이마와 목에 푸른 핏줄이 돋아났다. 참다못한 여자가 고모 손목을 비틀어 등 뒤로 꺾어 넘어뜨렸다. 고모의 뺨이 으깨진 감 위에서 짓이겨졌다. 능, 능, 제발 그만둬. 이번엔 여자를 말리느라 아버지의 두 눈은 충혈되다 못해 튀어나올 지경이었다. 방에서 그 광경을 지켜보던 나는 여자의 반격에 놀라 그제야 밖으로 튀어나가 싸움을 말렸다. 어려서부터 야자 농장에서 일한 여자의 팔힘[20]은 예상보다 셌다. 나는 여자의 팔꿈치에 떠밀려 몇 번이고 물이 질펀한 수돗가로 나동그라졌다. 나 이 집 식구야. 나 팔려 온 거 아니고, 시집온 거 맞잖아. 그런데 이게 뭐야. 당신들 다 미쳤어. 나 길거리에서 고향 사람 만났어. 그게 죄야? 그거 우리 나라에선 죄 아냐. 당신들 나라 이상해. 여자가 울부짖으며 소리쳤다.

---

20 팔힘 '팔심'의 잘못.

고모와 나는 여자의 서슬에 놀라 아무 대꾸도 하지 못했다. 그리고 그 순간 아버지는 영원히 입을 다물었다. 우리가 법석을 떠는 동안 아버지가 흥분으로 의식을 잃었다는 걸 그때까지 아무도 몰랐다. 우리가 다시 아버지를 돌아보았을 때, 아버지 고개는 이미 옆으로 꺾여 있었다. 급히 응급차를 불러 병원으로 갔지만 너무 늦은 상태였다. 아버지는 꼬박 이틀 만에 의식 불명 상태에서 어렴풋이 깨어나긴 했지만 말을 전혀 하지 못했다. 다리뿐 아니라 팔까지 제대로 가누지 못했다.

여자가 입덧을 시작했다. 처음엔 체한 줄 알았는지 여자는 속이 메스껍다면서 소화제를 자주 먹었다. 그러다가 점점 구역질이 심해져 나중엔 거의 아무것도 먹지 못했다. 여자의 작은 몸피는 애처로울 만큼 줄어들었다. 뒤늦게 낌새를 챈 고모가 무릎을 쳤다. 아이고, 저게 할 건 다 하네. 서방 쓰러뜨린 것도 모자라 이젠 남의 씨를 품고 들어왔어. 아이고, 망신스러워라. 이를 어쩌나, 이를 어째. 고모는 넋두리 끝에 여자를 몰아세웠다. 당장 병원으로 가자. 남들 눈에 띄기 전에 얼른 해치워야지, 이러다가 집안 망신 개망신 날라. 어서, 어서 앞장서지 못해? 병원으로 가자는 말에 여자가 주춤주춤 뒤로 물러났다. 안 돼요. 그렇게는 못 해요. 애기 아버지 허락 없이 절대 그럴 수 없어요. 나 죽어서도 부처님 앞에 못 가요. 살려 주세요. 여자는 두 손으로 자신의 배를 감싸며 울부짖었다. 고모가 한결 부드러워진 목소리로 달래듯이 물었다. 애기 아버지? 그래 좋아. 누구야? 어떤 놈인지 말해 봐. 여자는 눈 감은 채 누워 있는 아버지 쪽을 바라보았다. 하지만 아버지는 아무 말도 할 수 없었다. 고모가 아버지 쪽을 턱으로 가리키며 다시 물었다. 그러니까 지금 내 오빠가 애아버지란 거야? 그 말을 나더러 믿으라고? 고모는 여자 말을 믿지 않았다. 처음부터 역 앞에서 만난 사내의 아이라고 의심했다. 여자와 고모 사이에는 어떤 타협점도 없었다. 손아귀에 든 병아리, 죄면 죽고 펴면 산대요. 태국 속담을 한국말로 말하더니 여자는 제 방으로 들어가 문을 잠갔다. 아버지는 여전히 완전한 침묵에 갇혀 헤어나지 못했다.

쌓였던 눈이 녹고 봄이 되면서 여자 배는 하루가 다르게 불러 왔다. 그리고 다시 여름이 찾아왔다. 고모는 쌍둥이가 쓰던 배냇저고리와 기저귀를 하얗게 빨아서 여자한테 건네주며 푸념했다. 내가 애비 모르는 자식을 거두게 될 줄이야. 늦여름의 더위마저 물러난 어느 날이었다. 새벽녘에 이슬이 비친 여자는 한밤중에 가서 아기를 낳았다. 아들이었다. 내가 두려워하던 모든 일들이 하나둘 현실이 되어 갔다. 나는 점점 더 평범하지 않은 아이가 되어 갔다. 친어머니는 죽고 아버지는 불구자이며 외국인 계모를 두었다. 그것도 모자라 이제 혼혈 이복동생이 생겼다.

힘들게 목숨을 지켜 준 생모의 고난을 위로하려는 듯이 아기는 잔병치레 없이 잘 자랐다. 여자가 푸념 반, 농담 반으로 말했다. 우리 아기가 망고나무 아기라서 그래요. 여자는 태국에서 가져온, 전통 그림이 실린 책을 펼쳐 보여 주었다. 커다란 망고나무 가지에 마치 가지나 오이처럼 정수리에 꽃받침을 가진 사람이 매달려 있는 그림이었다. 이것 봐요. 우리 태국에서는 망고나무에서 아기가 주렁주렁 열려요. 고모와 나는 여자 말을 듣고 웃지 않을 수 없었다. 우리 수동이는 아버지가 망고나무라서 병 없이 오래오래 잘 살 거예요. 두고 보세요. 아주 훌륭하게 잘 자랄 테니까요.

아기는 하루가 다르게 성장해 갔다. 하지만 그보다 더 빨리 아버지의 생명이 사그라졌다. 아버지가 마지막 숨을 거둔 건 아기가 첫돌을 맞이한 지 얼마 지나지 않아서였다. 첫서리가 하얗게 내려앉은 새벽이었다. 여자의 울음소리는 얼어붙은 대기를 찢으며 멀리멀리 퍼져 나갔다.

아버지의 죽음으로 여자와 나의 인연은 낡은 실밥처럼 약해졌다. 아버지의 연금도 줄어 나와 여자, 아기가 나누어 쓰기에 터무니없이 부족했다. 나는 대학 등록금을 걱정했고, 여자는 친정 식구들에게 돈을 보내지 못해 늘 안타까워했다. 여자가 끝내 아기를 데리고 전라도에 사는 친구가 다니는 공장에 들어가 일하겠다며 보따리를 쌌다. 아기는 두고 가. 내가 어떻게든 키워 볼 테니. 영문도 모른 채 눈웃음 짓는 아기 얼굴을 바라보던 고모가 힘없이 말했다. 쌍둥이에 둘러싸인 고모는 몇 년 새 부쩍 늙어 보였다. 여자가 고개를 살래살래 흔들며 말했다. 말끝을 올리는 버릇이 조금 남아 짐짓 명랑하게 들렸다. 고맙지만, 얼마 있다가 친정으로 보낼 거예요. 거기 가면 아기 봐줄 동생들이 있으니까. 여자는 수국이 푸르게 피어 있는 마당을 가로질러 대문 밖으로 걸어 나갔다. 긴 겨울이 끝나고 아지랑이가 들녘을 가득 채우는 이른 봄이었다. 그리고 그것이 내가 본 그녀의 마지막 모습이었다.

메씨지[21]가 도착했다는 신호음이 들린다. 혹 마이클한테서 온 걸까. 황급히 가방을 열어 휴대 전화를 꺼낸다. 마이클한테서 연락이 끊긴 지 벌써 한참 되었다. 미국 애리조나주에 머물고 있다는 소식을 끝으로 더 이상 연락이 오지 않는다. 부모님은 여전히 수경과 나의 결혼을 반대해. 열심히 설득하고 있지만 쉽지 않아. 좋은 소식 있으면 연락할게. 그 뒤로 마이클은 좋은 소식은커녕 안부를 묻는 전화조차 하지 않았다. 그런데도 나는 매일 전화를 기다렸다. 그사이 대사관에서 연락이 왔다. 미국에 가려고 신청한 비자는 승인이 나지 않았다. 태국에서 온 계모 외에는 호적상 어떤 보호자도 없을뿐더러 미국인들이 신뢰할 만한 걸 가지고 있지 않기 때문이라고 했다. 나는 미국인들이 신뢰할 만한 게 뭐냐고 대사관 직원에게 따졌다. 당연히 큰 재산, 그리고 확실한 직업을 뜻하지요, 미국으로 갔다가 도망쳐 불법 체류자로 남기 십상이니까,라고 직원은 대답했다. 문자 메씨지는 카드 회사에서 미납 사항을 알리려고 보낸 거다. 나는 신경질적으로 삭제 버튼을 누른다. 아직도 마이클에 대한 부질없는 미련을 떨쳐 버리지 못한 자신에게 화가 난다. 열차가 곧 역내로 진입할 거라는 영어 안내

---

21 메씨지 '메시지'의 잘못.

방송이 나온다.

책의 맨 뒤에 꽂혀 있는 편지를 조심스레 꺼내 펼친다. 편지지 위로 햇빛이 쏟아져 아롱댄다. 여자가 집을 떠난 뒤 마지막으로 배달된 거여서 어쩔 수 없이 내가 보관하고 있었다. 이 편지를 번역해 준 건 여자가 지난 몇 년간 머물렀던 도시의 인권 단체에서 한국어 교사로 일하는 자원봉사자였다. 여자가 사고를 당한 직후 나는 이 편지의 발신인이 누구인지 알려고 번역을 부탁했다. 그래야 여자와 가까운 사람임에 틀림없는 발신인에게 그녀의 슬픈 소식을 알릴 수 있으니까.

능 르타이에게.

우기가 끝난 거리는 온통 로이 끄라똥('로이'는 띄우다, '끄라똥'은 예쁜 연꽃 모양의 수공예품(바구니)을 일컬음.) 축제 준비로 술렁인다. 음력 12월의 휘황한 보름달이 떠오르면 사람들은 이번에도 강가에 모여 끄라똥을 띄우겠지.

나도 바바바 줄기에 둥그렇게 바나나 잎을 접어 붙여 연꽃 모양을 만들었단다. 끄라똥 가운데의 꽃술 부분엔 여러 가지 자그마한 꽃을 꽂아 장식했지. 네가 좋아하는 덩말리(재스민꽃), 구랍(장미)을 섞어서. 중앙에는 물론 향대와 초를 꽂고 동전을 넣었단다.

능 르타이, 벌써 오랜 시간이 지났구나. 네가 한국에서 온 낯선 남자에게, 그것도 몸이 성치 않은 중년 남자한테 시집간다는 말을 방콕에서 전화로 알려 온 날로부터. 그날은 우기가 시작되는 날이었지. 지독한 더위와 가뭄 끝에 내린 첫 빗방울을 사람들은 혀를 내밀어 꿀물인 양 받아 마셨어. 그날 난 너한테 최악의 폭언을 퍼부었구나. 딸을 팔아먹을 정도로 우리 집이 망하진 않았어, 이 갈보 년아,라고. 그날 내가 얼마나 충격과 분노에 휩싸였는지는 새삼 말하지 않으마. 나는 네가 애정 없는 혼인을 하는 게 분명하다고 확신했단다. 네 목소리 너머로 방콕 뒷골목의 시끄러운 소음과 요란한 팝송이 들려왔다. 나는 네가 제정신이 아니라고 생각했다. 물론 머리 좋은 네 남동생 뿌랑이 돈 때문에 상급 학교에 진학할 수 없다는 걸 알고 무작정 방콕으로 상경한 너의 행동부터가 이미 정상이 아니었지. 너는 그 남자를 사랑한다고 말했지. 아니 사랑할 수 있어요,라고 말했던가. 그 남자의 맑고 순한 눈과 마주치는 순간 묘한 흥분과 떨림을 느꼈다고. 그러니 얼마든지 잘 살 수 있다고. 게다가 한국 남자는 태국 사람보다 훨씬 젊어 보인다고. 당시엔 네 말을 믿지 않았지만 이제 와 보니 네 말이 맞는 것 같다. 사실 뿌르라바왕과 우르바쉬 선녀(《리그베다》에서 유래한 태국의 5막극 〈비끄라모르바쉬〉[22]의 주인공들)의 아름다운 사랑도, 두슈얀따와 샤꾼딸라(인도의 시인 까리다사(Kalidasa)의 대표작 〈샤꾼딸라〉의 주인공들)의 운명적 사랑도 모두 단 한 번의 눈맞춤에서 비롯되었으니까. 숙명의 상대를 만나면 누구나 그걸 예감하게 마련이지. 네가 건강한 아기를 낳아 잘 기르고 있다니까 얼마나 대견한지 모르겠다. 능 르타이, 사랑과 혼인 생활이란 끊임없는 악마의 도전에 지혜롭게 맞설 때만 지킬 수 있다는 사실을 명심하길 바란다. 잘 알려진 〈라마야나〉 이야기에 나오는 아요디아의 주인공들을 보렴. 라마의 왕비 시따는 악마의 궁전에 잡혀갔을 때 악마의 감언이설에 절대로 넘어가지 않았고 아무 일도 없었다. 하지만 외간 남자와 한집에서 지냈기에 라마는 법에 의해 시따를 그냥 아내로 받아들이지 못했어. 시따는 정절을 인정받기 위해 화장 나뭇더미에 뛰어들었고 불의 신 아그니는 그녀가 결백하다면서 태우지 않았지. 그제야 라마는 시따와 재결합했다. 네가 거리에서 우연히 만난 고향 사람 때문에 그동안 겪은 고초는 불의 심판이라 생각하렴. 언젠가 네 가족도 그런 너를 믿어 줄 거다.

나 역시 이곳에서 향대와 초에 불을 붙인 끄라뚱을 물에 띄우며 물의 여신 매 콩가님께 빌겠다. 1년 동안 부족함 없이 사용한 물에 대해 감사합니다. 강물을 더럽혀서 죄송합니다. 그런 다음 마지막엔 간절한 소원을 말할 거야. 여신이시여, 능 르

---

22 〈비끄라모르바쉬〉 원제목은 '비끄라모르바시얌(Vikramorvaśīyam)'이다.

229
꽃가마배

타이를 보살펴 주소서. 멀리 떨어져 있더라도, 우리 가족 모두 그 아이를 사랑한다는 걸 잊지 않게 해 주소서. 부디 행복한 혼인이 유지되게 하소서.

조용히 기원한 다음 물 위에 가볍게 끄라똥을 띄워 보낼 거다. 나는 합장을 한 채 운집해 떠도는 끄라똥들 중에서 너를 위한 촛불이 오래오래 타오르기를 바라겠지. 강물은 영롱하게 춤추는 불꽃 끄라똥을 안고 서서히 바다로 흘러갈 테지. 바닷물은 언젠가 무역풍[23]을 따라 네가 사는 도시에 가 닿을 거다.

능 르타이, 너와 네 가족, 그리고 가까이 사는 이웃의 행운을 빈다.

– 너를 사랑하는 아버지가

태국에서 수년간 유학한 데다 사업 경험도 있다는 중년의 자원봉사자는 이 편지를 번역해 읽어 주면서 여러 차례 눈시울을 붉혔다. 고모와 나는 불길 속에서 처참한 최후를 맞이한 여자의 시신 앞에서 아무 말도 할 수 없었다. 임시로 마련한 상황실 너머로 보이는 사고 현장은 불에 탄 건물의 잔해에서 나오는 검은 연기와 사람들의 아우성, 일반인의 접근을 막으려는 경찰의 호각 소리로 아수라장이었다. 소방 시설이 전혀 되어 있지 않은 영세한 피혁 공장에서 난 불이라 손쓸 새 없이 어, 하는 사이에 전소되고 말았다. 여자 손에 끼워져 있던 결혼반지만이 불길 속에서 살아남아 한낮의 태양 아래서 여전히 황금빛을 발했다. 여자의 마지막 비명처럼 그 빛은 내 가슴을 사납게 할퀴었다. 몇몇 방송사 기자들이 여자의 시신을 카메라로 찍어 댔다. 고모는 카메라 앞에서 두 팔을 벌렸다. 그만 찍어요, 그만. 고모는 능 르타이가 이런 모습을 세상에 보이는 걸 원치 않으리라 생각한 듯했다. 여자는 아주 예쁘고 행복한 신부이고 싶었을 거다. 꽃가마배를 탄 아유타 공주만큼은 아니더라도 언제까지고 사랑받는 신부이기를…….

---

23 무역풍 중위도 고압대에서 열대 수렴대로 부는 바람. 이 바람은 북반구에서는 동북풍, 남반구에서는 동남풍이 되며, 1년 내내 끊임없이 분다.

상대의 눈을 쏘아보며.

생각해 봐야겠어. 왜 그 일이 생겨났는지. 그 일은, 그 사건의 싹은 초등학교 3학년 때 자라기 시작했어. 그래, 천수기 선생님. 천 선생님이 내 담임 선생님이 되면서부터야. 선생님은 아버지의 초등학교 동창이었어. 졸업생이 스무 명도 안 되는 학교의 동창. 두 사람은 그 졸업생 중에서도 가장 친한 친구였지. 한 사람은 교사가 되었지만 한 사람은 그렇게 되고 싶어 하던 화가가 못 되고 농사를 짓는 사람이 되었어. 졸업한 이후 각자 서른 살이 되기까지 만나지 못했지만 서로를 잊지 않고 있었지.

아버지는 염소를 팔러 나갔다가 장터에서 선생님과 마주쳤어. 두 사람은 십수 년 만에 만난 어린 시절 친구를 금방 알아보지는 못했어. 선생님은 밀짚모자를 쓰고 흙탕물이 튄 옷을 입은 농부에게서 어린 시절 친구의 모습을 떠올리면서 그의 행동을 유심히 바라보고 있었지. 선생님이 지켜보는 동안 아버지의 염소가 팔렸고 아버지는 돈을 손에 든 채 읍내에 하나밖에 없는 화방으로 갔다지. 그걸 보고 선생님은 아버지가 어린 시절 친구라는 걸 확신했지. 군 전체 인구가 20만 명, 읍내에 사는 인구가 5만 명 정도밖에 안 되는 작은 도시에서 화방까지 가서 그림 재료를 살 사람은 흔치 않았지. 미술 선생님이라면 그럴 수도 있겠지만 아버지는 장화를 신고 염소의 목에 달려 있던 방울을 손에 쥔 농부였어. 선생님은 아버지를 뒤따라 화방 안으로 들어갔고, 두 사람은 거기서 서로에게 남아 있는 어릴 때의 옛 모습을 찾아냈지. 다가서서 손을 맞잡았어.

"자네는 어릴 적에 공부를 그리 잘하더니만 결국 아이들 공부를 가르치는 선생님이 되었군. 양복과 자전거가 잘 어울려. 어디 사는가?"

선생님이 근무하는 초등학교 근처에 산다고 말하고는 아버지에게 아직도 그림을 그리느냐고 물었어.

"어, 내 아들놈이 지금 열 살이야. 난 아버님의 유언 때문에 그림을 포기한 대신 장가는 일찍 갔다네. 그 애가 그림에 재능이 있는지는 모르겠지만, 내가 그래도 한때 그림을 좀 그렸던 사람으로서 재료는 좋은 걸 써야겠기에 우리 형편에는 좀 과분하지만 이리로 온 걸세."

아버지는 화방에서 권하는 크레파스와 스케치북을 집어 들었어. 선생님은 아들이 어느 학교에 다니느냐고 물었어. 아버지는 내가 다니는 학교를 말했고 그 학교는 바로 선생님이 막 전근 온 학교였어. 선생님은 마침 3학년 담임을 맡은 터였지.

"그럼 자네 아들 이름이?"

"선규일세. 백선규."

선생님은 소리 내어 웃었지. 선생님 반에 우연히 내가 있었기 때문에. 이 우연 때문에 내 인생이 달라진 걸까. 아니야. 자신이 담임을 맡은 반에 친구의 아들이 있다는 게 흔한 일은 아니라도 있을 수 있는 일이지. 문제는 그다음이야. 그날 저녁 집에 온 아버지는 내게 말했어.

"읍에서 네 담임 선생님을 만났다. 그 사람이 아버지의 친구더라. 그렇다고 너를 다른 아이들보다 잘 봐줄 거라고 생각하지는 마라. 오히려 이 아비의 얼굴에 먹칠을 하지 않으려면 다른 아이들보다 훨씬 더 노력해야 한다."

다음 날 아침, 조회가 끝난 뒤에 선생님이 나를 부르고는 복도에 세워 놓은 채 말했어.

"네 아버지가 내 친구라는 걸 들었겠지? 그렇지만 선생님은 친구의 아들이라고 봐주지는 않는다. 뭐든지 더 열심히 해야 해. 알았느냐?"

나는 두 사람 모두에게 고개를 끄덕이며 "예." 하고 대답했지만 두 사람의 마음에 들기 위해 뭘 어떻게 해야 할 줄은 몰랐어. 내가 그때 하고 싶은 건 딱 한 가지, 공을 차는 거였어. 나는 축구를 좋아했어. 아이들과 공을 차며 날이 어두워질 때까지 운동장에서 놀다가 집까지 10리나 되는 길을 여우를 만날까 도깨비를 만날까 무서워하며 달려가는 일이 거의 매일 반복되고 있었어.

1

난 그림을 좋아해. 오늘도 미술관에 나와서 전시된 그림을 보았어. 유명한 전시회가 열리는 미술관이나 박물관은 어쩌다 한 번 가지만 일주일에 한두 번은 화랑과 작은 미술관이 즐비한 거리를 돌아다니지. 걷고 또 걸으며 돌아다니다 눈과 다리가 아프면 찻집 '고갱과 고흐'로 가곤 해. 여기서 따뜻한 커피를 마시면서 창문 밖으로 걸어가는 사람들의 옷차림과 얼굴빛과 하늘의 색깔을 비교해 보지. 사람의 배경이 되는 나무줄기의 빛깔과 나뭇잎을 흔드는 바람에서 무슨 느낌을 얻기도 해.

바람을 그릴 수 있을까? 바람은 보이지 않아서 그릴 수 없어. 하지만 바람 때문에 휘어지는 나뭇가지, 바람에 뒤집히는 우산을 통해 바람을 표현할 수는 있어. 그런 일이 그림이 할 수 있는 영역이라고 나는 생각하곤 해. 그림에 대한 정의라고 할 수는 없지만, 나는 학자도 비평가도 화가도 아니니까, 그냥 그림을 좋아하고 좋은 그림을 바라보고 있으면 기분이 좋아지는 애호가로서 내 마음대로 생각할 거야.

물론 진짜 예술가라면 이 세상에 존재하는 모든 것을 표현할 수 있겠지. 바람도 붙들어서 화폭 안에 고정시키고 구름도 악보 안에 잡아 놓고. 시간도 그렇게 하는 거지. 시간, 시간도 무대와 음악과 화폭 속에 붙들어 영원하게 만들겠지. 좋은 그림을 보고 있으면 시간 가는 줄 몰라. 화가는 가는 시간을 화폭에 담아서 잡아 놓고 다른 사람의 시간은 마냥 흘러가도 모른 척하는 사람일까? 그럴지도 몰라. 내가 아는 사람이라면, 그렇게 하고도 시치미를 뚝 떼고 "난 잘못한 거 없소." 할 인물이지. 그 사람, 백선규. 나와 같은 고향 출신이고, 같은 초등학교를 나왔는데 어릴 때부터 상이란 상은 다 받고 다니더니 자라서도 한국을 대표하는 화가가 됐어.

'고갱과 고흐'에도 백선규의 작품이 걸려 있지. 진품은 아니고 몇 년 전 어느 대기업의 달력에 인쇄된 그림을 오려서 액자에 넣은 거지. 그 사람 작품, 저만한 크기에 진품이라면 몇천만 원을 할지 몰라. 그런 작품이 이런 가게 벽에 걸려 있다가 누군가 재채기를 하는 바람에 콧물이 튀기라도 한다면 어떻게 해. 누가 코딱지를 문질러 붙이면 어떻게 하겠느냐고. 그 사람 작품은 몽땅, 작업실 바깥으로 나오는 대로 특수하게 설계된 수장고[1]로 모셔지고 그 안에서 적당한 온도와 습도가 유지되는 가운데 편안히 잠들어 있게 된다지, 아마.

인쇄된 작품이라도 얼마나 정확하게 그린 선인지 보여. 악마가 그려 준 것처럼 동그랗고 선명한 저 원. 원과 원을 연결하는 실낱같은 저 선. 더없이 흰 바탕, 너무나 희어서 마치 없는 듯한 바탕. 흰 눈보다 더 희고 흰 구름보다 더 희고 흰 거품보다 더 흰 저 흰색. 영혼을 팔아서 그 대가로 도깨비가 가져다준 물감을 쓰는 것일까. 그 사람은 어떻게 저 흰색을 만들어 내는지 말하지 않았지. 원과 선을 그리는 저 검은색은 또 얼마나 검은지. 물감의 검은색보다 검고 숯보다 더 검고 천진무구한 소녀의 눈동자보다 더 검은 저 검은색. 천년 묵은 구미호가 그에게 검정 물감을 가져다주는 것일까. 그는 말한 적이 없어. 그에게는 비밀이 많아 보여.

세상에서 가장 검은 검은색과 세상에서 가장 흰 흰색이 만나, 그의 그림은 보석처럼 벽을 빛나게 하지. 저런 게 예술이 아닐까. 인쇄된 작품이라도 그렇게 보이니 진품은 정말 어떨지 상상이 안 가. 진품이 생산되고 있는 작업실은 아마도 무균실 같을 거야.

0

내 어린 시절 고향 읍내에서는 5월이면 온 군민이 모두 참여하는 군민 체전이 열렸지. 공설 운동장 주변에는 임시로 장터가 만들어지고 사방이 잔칫집처럼 떠들썩하지. 풍선이 하늘로 날아오르고 솜사탕 만드는 자전거 바퀴가 윙윙 돌고 어디선가 브라스 밴드[2]의 연주 소리가 쿵쾅쿵쾅 울려 나오고 있어. 브라스 밴드

---

1 수장고 귀중한 것을 고이 간직하는 창고.
2 브라스 밴드 금관 악기를 중심으로 편성된 악대.

의 연주는 어쩌면 우리들 가슴속에서 대회 기간 내내 울려 퍼지는지도 몰라.

공설 운동장 안에서는 예선을 거쳐 올라온 선수와 팀 들이 경기를 벌여서 우승자를 가리지. 그렇게 사흘 동안 경기가 벌어지고 내가 좋아하는 축구 결승전은 체육 대회 마지막 날, 토요일 오전에 열렸어. 운동장 곁을 지날 때 사람들의 함성만 들어도 내 가슴이 쿵쾅쿵쾅 뛰었지. 내 발은 스펀지가 들어간 듯이 푹신거리고 어서 달려가서 경기하는 걸 보고 싶다는 마음으로 주먹을 꼭 쥔 손바닥이 아팠지.

하지만 초등학교 3학년이던 해 나는 거기에 갈 수 없었어. 선생님이 가지 못하게 했기 때문이지. 내가 축구를 얼마나 좋아하는지 모르니까 그랬겠지만. 몰라서 잘못한 게 잘한 게 되지는 않아. 그 축구 경기를 못 봐서 얼마나 가슴이 찢어질 것 같았는지, 지금도 그 느낌이 생생해. 내가 그걸 얼마나 기다렸는데. 그때 우리 집에는 텔레비전도 없었고 영화를 보러 손을 잡고 극장에 가자는 사람도 없었어. 라디오에서 농촌의 어느 군민 체전 축구 경기를 중계하는 것도 아니었어. 그때 축구 결승전은 한 번 보지 않으면 영원히 못 보는, 세상에 단 하나밖에 없는, 단 한 번밖에 상영하지 않는 영화 같은 거였어. 그런데 선생님이 그걸 볼 기회를 빼앗아 간 거야.

"넌 이번에 군 학예 대회 초등부 사생 대표로 나가야 한다. 반에서 두 명씩 나가서 학교를 대표하는 거다."

군민 체육 대회가 있는 그 주간에 군 전체의 초중고 학생들이 참가하는 학예 대회가 열리고 그 안에 사생(그림) 경연 대회가 있는 건 맞아. 1년 중 가장 큰 문예 행사여서 교장 선생님부터 좋은 성적을 낼 수 있게 조바심을 내며 닦달을 하는 대회야. 선생님들은 말할 것도 없이 각 분야별로 좋은 성적을 내게 하려고 노력을 했지. 그림 외에도 서예, 합창, 밴드, 글짓기까지 여러 분야가 있는데 그거야 어떻든 간에, 어디까지나 학예 대회는 4학년 이상만 나가는 대회였어. 그런데 선생님은 자신의 친구 아들이 자신의 친구처럼 그림에 대단한 소질이 있다고 믿었어. 친구는 재능을 살리지 못하고 농사를 짓고 있지만 그의 아들에게 최대한의 기회를 주어야겠다고 생각한 거야. 그런데 그 방법이라는 게 정상적인 게 아니었어. 4학년 담임 선생님 중에 자신과 친한 선생님에게 말해서 그 반의 대표로 3학년인 나를 내보내기로 한 거야. 물론 나는 대회에 나가서 내 이름을 쓸 수가 없지. 4학년 5반 대표 중 하나로 나가는 거니까. 하긴 대회장에 가서 보니까 이름을 쓸 필요도 없고 써서도 안 되었지. 혹시 심사 과정에 부정이 있을지도 몰라 대회에 참가하는 사람들에게 번호를 미리 주고 참가자는 자신의 작품 뒤에 이름 대신 그 번호를 적게 되어 있었던 거지.

그거야 어떻든 상관없었어. 나한테 중요한 건 그 대회가 열리는 날이 축구 결승전을 하는 날이었다는 거야. 내가 좋아하는 경찰 대표가 결승전에 올라왔고 결승 상대는 진짜 축구 선수가 여섯 명이나 들어 있는 전문학교 대표였어.

사생 대회는 공설 운동장에서 그리 멀리 떨어지지 않은 교육청 마당에서 열렸어. 큰 플라타너스 나무 아래 연못이 있었고 거기에 군의 14개 초등학교에서 대표로 나온 아이들 수백 명이 모여서 그림을 그렸어. 플라타너스와 연못 주변의 풍경을 그리라는 게 과제였어.

나는 공설 운동장에서 함성이 들려올 때마다 목이 메었어. 응원하는 노래가 되풀이되다가 누군가 골을 넣었는지 엄청나게 큰 함성과 박수 소리가 들려왔을 때 눈물을 흘리기까지 했어. 얼른 그림을 그려서 제출하고 공설 운동장에 가려는 생각도 했지만 시간이 너무 없었어. 결승전이 사생 대회하고 같은 시간에 시작되었으니까 말이야. 최대한 빨리 그려 내고 운동장까지 뛰어간다고 해 봐야 결승전이 거의 끝날 시간이었지. 심사 결과는 그날 오후에 나올 예정이었지. 결국 나는 그해의 축구 결승전을 보지 못했어. 눈물을 훔치면서 집으로 돌아가야 했어.

이상한 일은 그날 저녁 무렵에 일어났어. 선생님이 자전거를 타고 읍에서 10리쯤 떨어진 우리 집에 찾아온 거야. 가정 방문을 온 게 아니야. 선생님은 손에 술병을 들고 왔어. 선생님은 아버지를 만나서는 어깨에 손을 얹더니 이렇게 말했어.

"축하하네. 자네 아들이 사생 대회에서 장원을 했어. 열 살짜리가. 보라구. 겨우 열 살짜리가 저보다 몇 살 더 많은 아이들을 다 제치고 일등을 했다 이 말이야. 그 애들 중에는 따로 그림을 과외로 배우는 애들도 있어. 자네 애는 이번에 그림 그리기 대회에 처음 나간 거라면서?"

아버지는 땀 냄새가 푹푹 나는 옷을 젖히면서 친구의 손에서 살그머니 떨어졌어. 그러고는 쑥스럽게 웃는 듯했는데, 그게 내가 난생처음 사생 대회에서 장원한 것에 대한 반응의 전부였어.

1

내 아버지는 읍에서 제일 큰 제재소[3]를 운영했어. 그 시절은 한창 집을 많이 지을 때여서 제재소를 드나드는 차와 사람 들로 문짝이 한 달에 한 번은 떨어져 나갈 지경이었지. 나는 고명딸이었어. 아버지는 오빠들이 정구[4]를 친다고 하자 정구장을 집 마당에 지어 줬지. 나는 피아노를 배웠는데 피아노가 싫다고 하니까 바이올린을 사다 줬어. 그런데 바이올린 선생님이 무슨 일로 못 오게 된 뒤로 나는 그림을 배우겠다고 했어. 아버지는 언제나 내가 원하는 대로 해 주었지.

읍내에서 유일한 사립 중학교에서 미술을 가르치는 선생님이 집으로 와서 나에게 그림을 가르쳐 주었어. 선생님은 내가 그림에 재능이 뛰어나다고 계속 공부를 시키면 훌륭한 화가가 될 수 있을 거라고 했어. 비싼 과외비를 받으니까 그냥 해 본 말인지도 몰라. 그 말을 들은 아버지는 "딸내미가 이쁘게 커서 시집만 잘 가면 됐지, 뭐 그림 그려서 돈 벌 것도 아니고 결혼해서 식구들 먹여 살릴 것

---

3 제재소 베어 낸 나무로 재목을 만드는 곳.
4 정구 경기장 중앙 바닥에 네트를 가로질러 치고 그 양쪽에서 라켓으로 공을 주고받아 승패를 겨루는 구기 경기. 연식 정구와 경식 정구로 나뉘어 행해지다가, 경식 정구가 정구에서 분리되어 테니스로 이름이 바뀌었다.

도 아닌데 힘들게 공부할 거 뭐 있나."라고 했대. 그 말을 전해 듣고 나는 그렇게 열심히 할 생각이 없어졌어. 원래 열심히 하려던 것도 아니고 말이야. 그래도 배운 게 있어서 그림을 남들보다 잘 그리게는 됐을 거야.

4학년이 되어서 나는 특별 활동반으로 문예반에 들었어. 그런데 막상 들어가고 보니 글짓기는 아무나 하는 게 아닌 것 같았어. 내가 하고 싶은 말은 이런 건데 막상 글을 써 놓고 보면 저런 게 돼 버리고, 그것도 여기저기 틀리기도 하고 그래. 정말 아버지 말대로 내가 남자고 결혼하고 아이 낳아서 글로 벌어먹고 살아야 된다면 엄청나게 힘들 것 같았어. 그래도 문예반이 좋았어.

문예반 선생님은 동시를 쓰시는 분인데 아주 유명하기도 했고 참 잘생겼지. 가까이 가면 기분 좋은 냄새가 났어. 그 냄새가 좋았고 그 냄새의 주인인 선생님은 더 좋았어. 나는 동시를 잘 쓰지 못하지만 선생님이 쓴 동시를 보면 무슨 뜻인지 잘 알 것 같고 참 좋았어. 그런 게 진짜 문학이 아닐까. 잘 모르는 사람도 좋아지게 만드는 게 예술 작품이지.

그해 봄에 나는 군 학예 대회에서 글짓기 백일장에 나가지 못했어. 그건 당연하지. 내가 읍에서 몇 번째 안에 드는 부잣집 딸이라고 해서 누가 봐도 재능이 없는데 글짓기 대표로 내보낼 수는 없지. 그 대신 나는 사생 대회 대표로 뽑혔어. 그때 우리 학교는 한 학년이 다섯 반이고 4학년 이상 한 반에 두 명씩 대회에 나가니까 우리 학교에서만 서른 명이 참가하는 거야. 대개는 미술반에 있는 애들이었어. 문예반에 있는 애들은 학교에서 10리 20리 떨어진 데 사는 농촌애들이 많은데 미술반 애들은 거의 다 읍내 애들이고 좀 잘사는 애들이었어. 글짓기는 연필하고 지우개, 원고지만 있어도 되지만 미술은 크레용, 화판, 스케치북이 필요하고 그것들을 빨리 써 버리게 되니까 돈이 좀 들거든. 그런 게 나하고 무슨 큰 상관이 있는 건 아니지만.

사생 대회는 토요일 오전에 우리 학교에서 열렸어. 우리가 다니는 초등학교가 군에서 가장 오래된 학교라서 그랬던 것 같아. 건물도 오래됐고 나무도 커서 그림 그릴 게 많았는지도 몰라. 우리 학교 다니는 애들한테 유리한 것 같긴 했지.

　우리는 주최 측이 확인 도장을 찍어서 준 도화지를 한 장씩 받아서 그림을 그리기 위해 여기저기로 흩어졌지. 그런데 내 뒤에서 그림을 그리던 녀석, 옷도 지저분하고 검정 고무신을 신은 데다 간장 냄새가 나던 녀석이 기억에 오래 남았어. 그 냄새며 꼴이 싫어서 자리를 옮기려고 했지만 이미 노란색 크레파스로 그 앞의 나무와 갈색 나무 교사(校舍)의 밑그림을 그린 뒤라서 그럴 수도 없었어. 참 그 냄새, 머리가 아프도록 지독했어. 그건 한마디로 말하자면 가난의 냄새였어.

0

　4학년이 되고 나서 나는 미술반에 들어갔지. 천수기 선생님은 문예반을 맡았는데 미술반을 맡은 주은희 선생님에게 나를 특별히 부탁했다고 했지. 아버지 이야기를 했는지도 몰라. 천 선생님은 자신이 직접 본 사람 중에 가장 그림에 뛰어난 재능을 가진 사람이 아버지라고 했어. 그림과 동시는 분야가 다르지만 천 선생님은 다른 예술에 대한 평가 기준도 상당히 높았지.

　아버지는 한때 그림을 그리겠다고 했다가 할아버지에게 혼이 났어. 입에 풀칠하기도 힘든 가난한 농사꾼의 자식이 도시의 여유 있는 사람들이 즐기는 예술인 미술을 평생의 직업으로 삼겠다니 할아버지는 이해를 못 했겠지. 그래도 아버지는 고등학교까지는 미술반에서 활동을 했고 같은 또래에서는 제일 그림을 잘 그리는 걸로 인정을 받았던가 봐. 서울에 있는 국립 미술 대학에 합격까지 했다니 그 당시 고향에서는 1년에 한두 명 나올까 말까 한 일이었다지. 할아버지가 그 사실을 알고 아버지를 호되게 나무랐지. 그때 아버지는 집을 나가려고 가방까지 쌌었는데 그만 할아버지가 쓰러지신 거야.

　할아버지를 달구지에 싣고 병원에 모시고 가니까 곧 돌아가실 것 같다고 준비를 하라고 했대. 그때 할아버지가 유언으로 "네 어미와 동생들을 단 한 끼라도 굶게 해서는 안 된다."고 하셨고 아버지는 그러겠다고 맹세했어. 할아버지는 이웃 동네에 살던 친구의 딸을 데려오게 해서 그 자리에서 아버지와 약혼을 하게 했어. 지금은 이해가 잘 안 가는 일이지만 그땐 스무 살에 결혼하는 게 그렇게 이상한 일은 아니었다지. 아버지는 할아버지 간호를 하고 생계를 꾸려 가기 위해 대학 진학을 미뤘어. 그런데 할머니가 그해 봄에 쓰러져서 곧 돌아가셨고 그 바람에 어머니는 주부가 된 거야. 할아버지는 가을쯤에 병석에서 일어나셨지. 그해 겨울에 내가 태어난 거고 말이야. 그래서 아버지는 할아버지와 함께 농사를 짓게 된 거지.

나는 미술반에 들어가서 그림을 많이 그리지는 않았어. 한 해 전 3학년 때에 학교 대표로 나간 건 비밀이었지. 주은희 선생님은 알았어. 그러니까 내가 연습을 안 해도 못 본 척해 준 거야. 군 학예 대회에서 사생 부문 장원을 하면 48색짜리 크레파스 다섯 통하고 스케치북 열 권이 상품인데 내가 그걸 받을 수는 없었어. 상품이 아이들 나무할 때 쓰는 작은 지게로 한 짐이나 되니 열 살짜리가 무거워서 못 받은 게 아니라 나에게 이름을 빌려준 4학년 5반 대표가 받고는 입을 싹 씻어 버린 거야. 그게 알려지면 자기도 망신이니까 비밀은 지켰어.

그래서 나는 그림을 그릴 때 몽당연필처럼 짤막한 크레파스하고 이미 그린 그림이 있는 스케치북 뒷면으로 그림 연습을 할 수밖에 없었어. 우리 집 형편에 크레파스와 스케치북을 자꾸 사 달라고 하기도 힘든 일이고 아버지에게 염소가 많은 것도 아니었어. 게다가 내 동생이 넷이나 됐지.

미술이 별것 아니라는 생각도 들었지. 내 아버지는 동시로 전국적으로 유명한 천수기 선생님이 인정하는 화가의 재능을 타고났어. 내가 그 아버지의 아들이 틀림없는데 다른 평범한 아이들처럼 죽어라 연습할 필요는 없잖아. 나는 미술반 아이들과 함께 주 선생님을 따라 산과 들을 다닐 때 열에 여덟아홉은 스케치북을 펴지도 않았어. 가끔 주 선생님이 "관찰도 공부다."라고 하면서 자연과 주변의 물건들을 세세하게 봐 두라고 했지.

아버지, 아버지는 나한테 별 관심이 없는 것 같았어. 염소를 팔아서 크레파스와 스케치북을 사 주던 때, 그때는 아버지한테 좀체 잘 없는 특별한 순간이었던 것 같아. 다시 병석에 누운 할아버지와 우리 식구들 굶기지 않으려면 정신없이 일을 해야 했지. 생각하긴 싫지만 내가 태어나는 바람에 아버지가 화가가 되려는 꿈을 버려야 했는지도 몰라. 그래서 일부러 그림 쪽으로는 모른 척하는 건지도.

그러다가 다시 군민 체전이 열리는 5월이 돌아왔어. 군 전체 초중고 학생들이 참가하는 학예 대회도 당연히 함께 열렸지. 모든 게 작년하고 비슷했어. 내가 떳떳이 반 대표로 사생 대회에 참가하게 되었다는 것이나 대회 장소가 우리 학교라는 게 달랐지. 이번에 장원상을 받으면 상품으로 그림 연습을 마음껏 할 수 있게 될 거라고 생각했어. 크레파스 다섯 통과 스케치북 열 권을 다 쓰기도 전에 다음 대회가 열리게 되겠지.

지금 생각하면 참 우스워. 상으로 그림 도구를 받아서 그림을 제대로 잘 그릴 생각을 하다니. 그땐 전혀 우습지 않았어. 좀 긴장이 됐지. 차상, 차하도 돼. 크레파스하고 스케치북이 상품으로 나오긴 하니까 모자라는 대로 어떻게 되겠지. 그냥 특선이나 입선은 곤란하지. 공책이나 연필밖에 안 주니까. 상장 뒷면에 그림을 그릴 수도 없고.

나는 아버지가 사 준 크레파스를 들고 학교로 갔어. 한 해 전과는 다르게 크레파스 뚜껑이 달아나 버려서 습자지를 덮고 고무줄로 동여맸지. 한 해 전처럼 그림을 그려서 제출할 도화지를 받아 들고 뒷면에 미리 부여받은 내 번호를 적었지. 나는 124번이었어. 잊어버릴 수가 없는 번호야. 그 몇 해 전에 무장간첩들이 남한으로 내려왔는데 무장간첩을 훈련시킨 부대 이름이 124군 부대라서 그런 게 아냐. 하여튼 나는 도화지 뒤 네모난 보랏빛 칸에 검은색으로 번호를 124라고 분명히 적었어.

내 앞에는 언제부터인가 여자아이가 두 명 앉아 있었어. 한 아이는 낯이 익었어. 같은 반을 한 적은 없지만 천수기 선생님하고 같이 가는 걸 몇 번 본 적이 있었지. 자주색 원피스에 검은 에나멜 구두를 신고 있었고 머리에 푸른 구슬 리본을 매고 있는데 무척 얼굴이 희고 예뻤지. 나하고 한 반이었다고 해도 나 같은 촌뜨기에게는 말을 걸지도 않았겠지.

그 여자애와 나는 비슷한 점이 하나도 없었어. 크레파스부터 한 번도 쓰지 않은 새것, 한 번만 더 쓰면 더 쓸 수 없도록 닳은 것이라는 차이가 있었어. 처음부터 다른 길에서 출발해서 가다가 우연히 두어 시간 동안 같은 장소에서 비슷한 그림을 그리게 되겠지만 앞으로 영원히 만날 일이 없을 것 같은 사람이야. 그 여자아이도 그걸 의식하고 있는 것 같았어. 나를 한 번 힐끗 넘겨다보고는 코를 찡그리더니 더 이상 눈길을 주지 않았어. 자리를 뜰 것 같았는데 계속 그리기는 하더군. 나를 의식하기 전에 밑그림을 그렸던 게 아까웠겠지.

히말라야시다[5]가 쑥색 가지를 늘어뜨리고 있는 화단이 있고 화단 뒤에 나무 쪽을 붙인 벽이, 벽 위쪽에 흰 종이가 발린 유리창이 있는 교사가 있었어. 히말라야시다 앞에 키 작은 영산홍이 서 있고, 화단을 따라 발라진 시멘트 길에 햇빛이 하얗게 비치고 있었어.

축구 결승전이 열리고 있을 공설 운동장은 꽤 멀었지. 멀지 않다고 해도 나에게는 목표가 있었어. 장원, 그리고 다음 군 사생 대회까지 그림을 그릴 수 있는 크레파스와 스케치북. 나는 그림에 집중했지. 내가 생각해도 그림은 잘되었어.

마감 시간이 다 되어서 나는 그림을 제출했어. 그 여자아이는 진작에 가고 없었어. 그런 아이들이야 재미로 그리는 거니까 쉽게 빠르게 그리고 내 버렸을 거

---

5 히말라야시다(Himalayacedar) 소나뭇과의 상록 침엽 교목. 규범 표기는 '히말라야시더'이다.

라고 생각했지. 할아버지 말이 맞을지도 모르지. 그림 같은 건 돈 많은 사람들이 시간을 주체할 수 없어서 하는 놀이라고. 우리 같은 가난뱅이 농사꾼 무지렁이들이 무슨 예술을 하느니 마느니 개나발[6]을 불다가는 쪽박이나 차기 십상이라는 거지. 있는 쪽박이나 잘 간수하는 게 주제에 맞는다는 거야.

그림을 제출하고 나면 공설 운동장에 갈 수 있고 잘하면 축구 결승전 끄트머리를 볼 수 있을지도 모르지만 나는 그럴 생각이 전혀 없었지. 내가 정작 궁금한 건 심사 결과니까 말이야. 축구야 누가 우승하면 어때. 어차피 군민 체전이니까 군민들 중 누군가 이기는 거 아니겠어. 그런 생각을 하게 된 게 내가 1년 동안 퍽 성숙했다는 증거였어. 그렇게 되는 데 열 살짜리가 열한 살 이상이 참가하는 대회에 나가서 장원을 했다는 게 큰 작용을 한 건 당연하지.

오후부터 3층짜리 신축 교사 2층 교실 한곳에서 심사 위원들이 심사를 했어. 나는 예전에 함께 축구를 하던 아이들과 공을 차면서 시간을 보냈어. 이상하게 축구가 재미가 없었어. 자꾸 눈이 심사를 하고 있을 교실로 향하는 거야. 내가 골을 집어넣을 수도 있는 기회에서 엉뚱한 데 눈을 주니까 아이들이 정신을 어디다 파느냐고 화를 냈지. 나는 미안하다고 했고. 그러면서도 아, 이제 나한테 축구보다 더 중요한 게 생겼구나 하는 생각이 드는 거야. 사실 그건 크레파스나 스케치북 같은 상품이 아니야. 그건 내가 가지고 있는 재능, 아버지에게서 물려받은 천부적인, 천재적인 재능을 명백히 확인받고 싶다는 충동이었어. 내가 아버지의 아들이라는 확신을 가지고 싶었어. 아무리 시골구석에서 염소나 키우고 닭이나 거위를 장날에 내다 파는 사람이라고는 해도 내 아버지니까.

심사하는 데 그렇게 오랜 시간이 걸리는 줄은 몰랐어. 다리가 아프도록 축구를 하고 수도꼭지가 있는 곳으로 가서 몸을 씻고 다 말리도록 심사는 끝나지 않았어. 아이들이 풀빵을 사 먹으러 간다고 학교 밖으로 갈 때까지도. 나는 평소처

---

6 개나발 사리에 맞지 아니하는 헛소리나 쓸데없는 소리를 낮잡아 이르는 말.

럼 아이들을 따라가지 않았어. 고픈 배를 부여잡고 교사 앞에 앉아 있었어. 심사 결과를 알 수 있을 거라고 생각한 건 아니야. 그냥 어떤 기미라도, 결과의 부스러기라도 얻고 나서야 갈 수 있을 것 같았어.

아이들이 가 버리자 학교는 조용해졌어. 그러고도 한 30분은 있다가 다른 군의 학교에서 온 심사 위원들이 걸어 나왔어. 물론 나한테 관심을 가진 사람은 아무도 없었지. 주 선생님이 보였어. 심사를 한 건 아니고 우리 학교의 미술 지도 교사로 참관을 하고 있었던 것 같았어.

교문 조금 못 미친 곳에서 심사 위원들과 인사를 나눈 주 선생님은 뒤돌아서서 내가 앉아 있는 쪽으로 걸어왔어. 새하얀 시멘트 길에 떨어지던 새하얀 햇빛, 그 위에 또각또각 찍히던 그 발소리를 나는 아직도 잊지 못해. 선생님은 히말라야시다 앞 시멘트 의자에 숨은 듯이 앉은 내게 와서는 불쑥 손을 내밀었지.

"백선규, 축하한다."

나는 못 잊어.

"네가 장원이다."

나는 목이 메어서 아무 말도 할 수 없었어. 그렇게 목이 죄는 듯한 느낌은 평생 다시 없었어. 그 뒤에 수십 번, 이런저런 상을 받고 수상을 통보받았지만.

나는 선생님 앞에서 눈물을 보이고 말았어. 내가 우는 것을 보고 선생님은 무척 놀라고 당황했어. 하지만 곧 내 어깨를 잡고는 내 얼굴을 가슴에 가만히 안아 주었어. 그 따뜻하고 기분 좋은 냄새, 못 잊어.

1

나는 한 번도 상 같은 건 받아 본 적 없어. 학교 다닐 때 그 흔한 개근상도 못 받았으니까. 상에 욕심을 부려 본 적도 없었어. 내게는 모자란 게 없어서 그랬는지도 몰라. 어릴 때는 부유한 집안에서 단 하나밖에 없는 딸로 사랑을 받으며 자랐고 여자 대학에서 가정학을 공부하다가 판사인 남편을 중매로 만나서 결혼했지. 내가 권력이나 돈을 손에 쥔 건 아니라도 그런 것 때문에 불편한 적도 없어. 아이들은 예쁘고 별문제 없이 잘 자라 주었지. 큰아이가 중학교부터 미국에 가서 공부할 때는 적응에 힘이 들었지만 결국 학생 회장까지 지내서 신문에도 여러 번 났지. 나는 상을 못 받았지만 내가 타고난 행운, 삶 자체가 상이다 싶어.

그렇지만 단 한 번 상을 받을 뻔한 적은 있지. 스스로의 실수 때문에 못 받은 거니까 누구를 원망할 수도 없지만. 그 실수를 인정하고 내가 받을 상이 남에게 간 것을 바로잡을 수 있었을까. 할 수 있었을지도 몰라. 아버지에게 이야기했다면. 아니면 천수기 선생님한테라도.

왜 안 했을까. 그때 나를 스쳐 가던 그 아이, 그 아이의 표정 때문인지도 몰라. 땟국물이 흐르던 목덜미, 전신에서 풍겨 나던 뭔가 찌든 듯한 그 냄새, 그 너절한 인상이 내 실수와 잘못된 과정을 바로잡는 게 귀찮은 일이라는 생각을 갖게 했을 거야. 어쩌면 그 결과로 한 아이가 가지게 될지도 모르는 씻지 못할 좌절감이 내게도 약간 느껴졌는지도 모르지. 상관없어. 나는 그런 상하고는 담을 쌓고 살아도 행복해. 그런 스트레스를 받는 것 자체가 싫어. 왜 내가 그렇게 살아야 하는데?

0

나는 사생 대회 이틀 후, 월요일 아침 조회에서 전교생이 지켜보는 가운데 교단 앞으로 가서 장원상을 받았어. 글짓기, 서예, 밴드, 합창, 그림 등 전 분야를 통틀어 우리 학교에서 장원상을 받은 사람은 오직 나 하나뿐이었어. 게다가 4학년이니까 앞으로 2년간 더 많은 상을 학교에 안겨 주게 되겠지. 교장 선생님은 내가 4학년이라는 것, 장원이라는 것을 스무 번도 더 이야기했어.

크레파스 다섯 통, 스케치북 열 권은 혼자 들기에 좀 무거웠어. 글짓기에서 차하상을 받아서 앞으로 나온 6학년이 크레파스를 대신 들어 줬지. 나는 박수 소리가 끊이지 않는 중에 천천히 걸어서 내가 서 있던 자리로 돌아왔어. 조회가 끝나고 교실로 들어갈 때 옆에 있던 아이들이 상품을 대신 들어 줬고 나는 상장만 들고 갔어.

부임한 지 얼마 안 되어서 그런지 흥분한 교장 선생님은 전례가 없이 그해 학예 대회 입상작을 찾아와서 강당에서 전시회를 가지기로 결정했어. 나는 가 보지 않았어.

가서 내 그림을 보는 건 뭔가 창피할 것 같았어. 그런 데 가서 그림과 글짓기, 서예 작품을 보고 배워야 하는 아이들은 입상을 못 한 평범한 아이들이야. 창작의 재능이 없고 겨우 감상만 할 수 있는 아이들인 거야. 생각은 그렇게 했지만 일주일 동안 진행된 전시 마지막 날 오후, 나는 강당으로 걸음을 옮겼지. 모르겠어. 왜 갔는지.

강당에는 아무도 없었어. 벽에는 전시 작품들이 걸려 있었어. 글짓기는 원고지 여러 장에 쓰인 작품을 한꺼번에 벽에 압정으로 박아 놓고 넘겨 가며 읽도록 해 놨어. 차하상을 받은 동시는 아이들이 넘기면서 침을 묻히는 바람에 글씨가 다 지워지고 원고지 앞장 아래쪽은 먹지처럼 까매졌더군.

나는 천천히 그림이 전시된 곳으로 걸어갔지. 내 그림은 맨 안쪽에 걸려 있었어. 입선작 여덟 점을 지나서 특선작 세 점을 지나고 나서 황금색 종이 리본을 매달고 좀 떨어진 곳에, 검은색 붓글씨로 '壯元(장원)'이라고 크게 쓰인 종이를 거느리고, 다른 작품보다 세 뼘쯤 더 높이. 초등학교에 다니는 아이들이라면 우러러볼 수밖에 없는 높이에.

그런데, 그런데, 그런데, 그런데 그 그림은 내가 그린 그림이 아니었어. 풍경은 내가 그린 것과 비슷했지만 절대로, 절대로 내가 그린 그림이 아니야. 아버지가 사 준 내 오래된 크레파스에는 진작에 떨어지고 없는 회색이 히말라야시다 가지 끝 앞부분에 살짝 칠해져 있는 그림이었어. 나는 가슴이 후들후들 떨려서 두 손으로 가슴을 가렸어. 사방을 둘러봤지만 아무도 없었어. 나는 까치발을 하고 손을 최대한 쳐들어서 그림 뒷면의 번호를 확인했어. 네모진 칸 안에 쓰인 숫자는 분명히 124였어. 124, 북한에서 무장간첩을 훈련시킨 그 124군 부대의 124. 그렇지만 그건 내 글씨가 아니었어.

누가, 왜 제 번호를 쓰지 않고 내 번호를 썼을까. 실수로? 이런 실수를 하고, 제가 받을 상을 다른 사람이 받았다는 걸 알면 가만히 있을까. 그렇지는 않을 거야. 다른 학교에 다니는 아이라서 제 실수를 모르고 있는 거겠지.

아니야. 그 그림은 구도로 봐서 내가 그렸던 바로 그 장소에서 아주 가까운 데서 그린 그림이었어. 그 그림을 그린 아이는 천수기 선생님과 함께 다니던 그 아이인 게 틀림없었어. 그러니까 나와 같은 학교에 다니는 아이라는 거지. 그러면 그 아이는 제가 그린 그림을 봤을 거야. 그런데 왜? 왜 아무 말을 하지 않은 거지? 상품이 필요 없어서? 번호를 잘못 쓴 실수 때문에 벌을 받을까 봐? 나라면? 나라면 가만히 있었을까?

왜 내가 그린 작품은 입선에도 들지 않았을까? 비슷한 풍경이고 비슷한 구도인데도? 가만히 그 그림을 보고 있자니 정말 잘 그린 그림이라는 느낌이 들기 시작했어. 장원을 받을 수밖에 없는 그림, 같은 장소에 있었던 나로서는 발견할 수 없었던 부분, 벽과 히말라야시다 사이의 빈 공간의 처리는 완벽했어. 나는 모든 걸 그림 속에 욱여넣으려고만 했지 비울 줄은 몰랐어. 그건 나를 뛰어넘는 재능인 게 분명했어.

비슷한 그림에 같은 번호가 써진 걸 보고 심사 위원들이 당황했을 거야. 한 사람이 두 작품을 그릴 수는 없으니 누군가 실수를 했다고 단정 짓고는 혼동을 초래할지도 모르니까 둘 중 하나는 아예 시상 대상에서 제외를 하자고 했겠지. 그래서 심사에 오랜 시간이 걸렸던 것이고.

그러니까 내 그림은 번호를 착각한 아이의 그림에 못 미치는 그림으로 버려졌던 거야. 입선에도 들지 못하게 완벽하게. 누구의 생각일까. 주 선생님은 아니었어. 심사 위원이 아니니까. 아니, 심사 중에 불려 들어간 것일지도 몰라. 혼란스러워진 심사 위원들이 번호를 확인하고 그게 우리 학교 학생의 번호인 줄 알고 미술반 지도 교사를 오라고 했고……. 그래서 그 모든 것이 주 선생님의 조정으로 이루어졌고, 그래서 이례적으로 주 선생님이 그 결과를 미리 알게 된 것이고……. 그런데 나는 주 선생님 품에 안겨서 울었어! 내가 그리지도 않은 그림을 가지고 상을 탔다고 감격해서, 바보같이, 바보!

나는 가슴이 찢어질 것 같은 통증을 느끼면서 강당을 걸어 나왔어. 열 걸음쯤 떼었을 때 강당 문으로 어떤 여자아이가 걸어 들어왔어. 자주색 원피스를 입고 있었어. 검은색 에나멜 구두를 신고 있었지. 나는 그 여자아이를 지나칠 때 눈을 감았어. 눈을 감은 채 열 걸음쯤 걸어가서 다시 눈을 떴어.

내가 주 선생님을 찾아가서 말해야 했을까. 이건 내 그림이 아니라고. 다른 사람이 그린 그림이라고. 나는 그 사람만 한 재능이 없다고. 실수를 바로잡아 달라고. 나는 그렇게 하지 못했어. 주 선생님의 품에 안겨 울지만 않았더라도 찾아갈 수 있었어. 가능성이 높지는 않지만. 내 더러운 눈물로 주 선생님의 흰옷을 더럽히지만 않았더라도.

그림의 주인이 선생님을 찾아가서 그 그림이 자기 것이라고 주장한다면 부정할 도리는 없었겠지. 하지만 내가 먼저 선생님을, 주 선생님이든 천 선생님이든, 아버지도 할아버지도, 그 누구도 찾아갈 수 없었어.

그 뒤부터 나는 늘 나를 의심하면서 살았어. 누군가 나보다 뛰어난 재능을 가지고 있고 누군가 나와 똑같은 대상을 두고 훨씬 더 뛰어난 작품을 그렸고, 앞으로도 더 뛰어난 작품을 그릴 수 있다는 생각을 벗어나 본 적이 없어. 그러니까 어떤 작품이라도, 그게 포스터물감으로 그리는 반공 포스터라도 내가 가진 능력 전부를, 그 이상을 쏟아부어야 했지. 언제나, 어디서나. 그 결과가 오늘의 나일까. 의심의 결과, 좌절의 결과, 누군가 내 비밀을 알고 있다는 생각의 결과.

나는 화가가 된 후 풍경화를 그린 적은 없어. 나는 그림의 원형, 본질로 돌아갔어. 선과 원, 점, 그리고 바탕이 되는 사물의 원형, 본질을 최대한 추상화하고 이상화한 상태로 만들어 갔어. 내 모든 색깔의 원형은, 이상은 그날 그 하얀 시멘트 길과 그 위의 흰 햇빛이야.

1

　어라, 저기 걸어가는 저 사람, 백선규 같네. 저 사람 도대체 무슨 생각을 저렇게 골똘하게 하고 있을까. 인사를 해 볼까? 안녕하세요,라고 해야 하나? 그냥 안녕이라고? 그러고 나서 고향, 연도, 초등학교를 말하면 알아볼까? 아이, 귀찮아. 그런 걸 하면 뭘 해. 우리는 가는 길이 다른데. 나는 그림을 좋아하고 저 사람은 자신의 그림을 열심히 그리면 그만이지.

　점점 멀어지네.

　사라졌네.

　나는 여기에 있고.

　나도 곧 가야 하지만.

(2007년)

도도한 생활

김애란

김애란(1980~)

인천에서 태어나 충청남도 서산에서 자랐으며, 한국예술종합학교 연극원 극작과를 졸업했다. 2002년 제1회 대산대학문학상에 〈노크하지 않는 집〉이 당선되어 문단에 나왔다. 지은 책으로는 소설집《달려라, 아비》《비행운》, 장편 소설《두근두근 내 인생》 등이 있다. 〈도도한 생활〉에서는 '도도한 생활'과는 거리가 먼 남루한 '반지하방'에 사는 자매의 모습을 통해 현실의 불안함과 비애를 역설적으로 보여 준다.

학원에서 처음 배운 것은 도를 짚는 법이었다. 첫 번째 음이니까, 첫 번째 손가락으로 도. 내가 건반을 누르자, 도는 겨우 도- 하고 울었다. 나는 조금 전의 도를 기억하려 한 번 더 건반을 눌러 보았다. 도는 당황한 듯 다시 도- 하고 소리 낸 뒤 제 이름이 지나가는 동선을 바라봤다. 나는 음 하나가 깨끗하게 사라진 자리에 앉아, 새끼손가락을 세운 채 굳어 있었다. 녹색 코팅지가 발린 유리 벽 사이로는 오후의 볕이 탁하게 들어왔고, 피아노와 그것을 처음 만진 나 사이로 정적이 흘렀다. 나는 신중하게 고른 단어를 내뱉듯 작게, 중얼거렸다. 도…….

건반에 손을 얹는 법은 단순한 듯 어려웠다. 손에 힘을 풀고 뭔가 부드럽게 감아쥐는 모양을 만들어 보라는 것이었는데, 그때 나는 힘을 주지 않고도 뭔가를 움켜쥘 수 있다는 게, 또 세상에 그런 것이 존재한다는 게 믿겨지지 않았다. 나는 두 개의 손가락을 이용해 온종일 '도레 도레'를 연습했다. 낮은음과 높은음을 함께 눌렀을 때 낮은음이 더 오래간다는 사실은 나중에 알았다.

피아노 건반의 모양은 똑같았다. 그것은 희거나 검었고, 동일한 크기와 질감을 갖고 있었다. 나는 도의 위치를 자주 잊었다. 그것이 레가 아니라 도라는 것을, 미가 아니라 파라는 것을 만져 보기 전에 확신할 수 없었다. 내가 찾는 도는 왼쪽 가장자리 건반으로부터 스물네 손가락 떨어진 곳에 있었다. 건반 위에서 길을 잃을 때마다 1부터 24까지의 숫자를 일일이 세어 봐야 했다. 그렇게 도를 찾아낸 뒤 할 수 있는 일이란, 고작 도를 다시 치는 일일 수밖에 없었지만. 나는 덩치 크고 내성적인 악기가 처음으로 낸 소리, 완고하고 편안한 그 도— 의 울림을 좋아했다. 다행히 도를 찾고 나면 레를 짚기가 수월했다. 레는 도 바로 옆에 있었다. 미는 레 옆이고, 파는 미 다음이니까, 일단 도를 찾는 것이 중요했다.

연습실 문에는 죽은 음악가의 이름이 씌어 있었다. 나는 베토벤실에 앉아 '도레 도레'를 연습했다. 리스트 방에서는 '도레미'를, 헨델 방에서는 '도레미파솔'을 연주했다. 두 손가락만 사용했을 땐 '이만하면 할 만하네.' 싶었고, 세 손가락을 움직였을 땐 '시시하다.' 자만했고, 다섯 손가락을 써야 했을 땐 '이거 어려워서 못 해 먹겠다.' 소리쳤다. 내가 살던 시골 마을엔 음악 학원이 하나밖에 없었다. 그곳에선 어설프게 바이올린도 가르치고, 플루트도 가르치고, 웅변까지 지도했다. 다행히 바이올린이나 플루트를 신청하는 학생은 거의 없었다. 만일 배우고자 했다면 학원에서 먼저 말렸으리라. 동네에서 바이올린을 켤 줄 아는 아이는 음악 학원 원장의 딸 한 명뿐이었다. 그 애는 학예회에 날개 달린 원피스를 입고 나와, 초등학생이 듣기에도 참을 수 없는 연주를 했다. 그 애의 형편없는 연주를 들으며 나는 처음으로 누군가를 때리고 싶다는 충동에 시달렸다. 음악 학원에서 왜 웅변을 가르쳤는지는 모르겠다. 웅변은 음악이 아닌데. 그래도 수강생은 있는 듯했다. 교내 웅변 대회를 앞둔 학생이나, 소극적인 성격 탓에 부모 손에 끌려온 아이들이었다. 연습실에서 내가 친 음이 정갈하게 사라지는 느낌을 즐기고 있을 때면, 어디선가 찢어질 듯 "나는 공산당이 싫어요!"라는 외침이 들려오곤 했다. 베토벤은 귀가 먹어 그 소리를 못 들었겠지만. 나는 두 번째로 누군가를 때리고 싶다는 욕구에 시달렸다. 어쨌든 헨델이 없는 헨델 방이었고, 리스트가 없는 리스트 방이었다. 나는 그들이 누군지도 몰랐다.

연습이 지루할 때면 각 소리의 표정을 그려 봤다. 레는 곁눈질하는 느낌이고, 솔은 까치발 선 인상을 줬다. 미는 시치미를 잘 떼고, 파는 솔보다 낮지만 쾌활할 것 같았다. 나는 다섯 음에 적응해 갔다. 피아노는 건반 자체가 아닌 자기 내부의 어떤 것을 '때려서' 음을 만든다는 것도 이해했다. 높은음일수록 빨리 사라진다는 것도, 음마다 자기 시간을 따로 갖고 있다는 것도 말이다. 그러니 각 음이 모여 음악이 된다는 건, 여러 개의 시간이 만나 벌어지는 어떤 일일지도 몰랐다.

문제는 '라'에서부터 시작됐다. 라를 만나기 전 나는 근심에 싸여 있었다. 다섯 손가락으로 다섯 음을 연주하는 건 무난하고 상식적인 일이었다. 하지만 다섯 손가락으로 여섯 음 이상을 칠 땐 어떻게 해야 하는지 알 수 없었다. 그것은 오진법밖에 쓸 줄 모르는 문명인이 만난 십이진법 같은 거였다. 나는 라를 알고 싶었다. 하지만 라를 알게 되는 즉시 귀찮은 일이 생길 것 같아 두려웠다. 어려운 건 싫은데. 오음계로 된 노래도 많으니까, 평생 오음계만 연주해도 되지 않을까. 라를 배우던 날, 나는 선생님의 손동작을 숨죽여 바라보고 있었다. 선생님은 내 옆에서 도를 쳤다. 내가 치는 방식대로였다. 선생님은 레를 쳤다. 그것도 같은 방법이었다. 선생님은 예상대로 미를 짚었다. 나는 초조함을 느꼈다. 이윽고 선생님이 파를 치는 순간, 눈앞으로 뭔가 휙 지나가는 것이 보였다. 그녀는 약지로 파를 치지 않고, 파 자리에 재빨리 엄지를 옮겨 놓은 뒤, 두 번째 손가락으로 솔을 짚은 것이었다. 나머지 손가락들이 자연스럽게 라와 시를 건드렸다. 도레미파솔라시도. 완전한 칠음계였다. 나는 선생님의 손놀림을 보며 감탄한 듯 중얼거렸다. 이제, 음악이 뭔지 알 것 같다고.

만둣집을 했던 엄마가 어떻게 피아노를 가르칠 생각을 했는지 알 수 없다. 욕심이거나 뭔가 강요하려 한 것은 아니었다. 엄마는 배움이 짧았고, 자신의 교육적 선택에 늘 자신감을 갖지 못했다. 다만 그때 엄마는 어떤 '보통'의 기준들을 따라가고 있었으리라. 놀이공원에 가고, 엑스포에 가는 것처럼, 어느 시기에는 어떠어떠한 것을 해야 한다는 풍문들을 말이다. 돌이켜 보면 어릴 때 엑스포에 가고 박물관에 간 것이 그렇게 재밌었던 것 같지는 않다. 하지만 나를 엑스포에 보내 주고, 놀이공원에 함께 가 준 엄마에게 고마운 마음이 든다. 누구나 겪는, 평범한 유년의 프로그램 중 하나였을 뿐이지만, 무지한 눈으로 시대의 풍문들에 고개 끄덕였을, 김밥을 싸고 관광버스에 올랐을 엄마의 피로한 얼굴이 떠오르는 까닭이다. 이따금 내가 회전목마 위에서 비명을 지르는 동안, 한 손으로 얼굴을 가린 채 벤치에 누워 있던 엄마의 모습이 떠오르곤 한다. 신을 벗고 짧은 잠을 청하던 엄마의 얼굴은 도ー처럼 낮고 고요했던가 그렇지 않았던가. 엄마를 따라 하느라, 피아노 의자 위에 누워 있던 나를 보고, 선생님은 라ー처럼 놀랐던가 그렇지 않았던가. 일과 중 가장 중요한 일이 '엄마 100원만'인 줄 알았던 때이긴 했지만. 나는 헨델이 없는 헨델의 방에서 음악을 했고, 엄마는 베토벤같이 풀린 파마머리를 한 채 귀머거리처럼 만두를 빚었다. 마침 동네에 음악 학원이 생겼고, 엄마의 만두가 불티나게 팔리던 시절이라 가능했던 일인지도 모른다.

엄마는 내게 피아노를 사 줬다. 읍내서부터 먼짓길을 달려온 파란 트럭이 집 앞에 섰을 때, 엄마가 무척 기뻐했던 기억이 난다. 세탁기도 냉장고도 아닌 피아노라니. 어쩐지 우리 삶의 질이 한 뼘쯤 세련돼진 것 같았다. 피아노는 노릇한 원목으로 돼, 학원에 있는 어떤 것보다 좋아 보였다. 원목 위에 양각된 우아한 넝쿨무늬, 은은한 광택의 금속 페달, 건반 위에 깔린 레드 카펫은 또 얼마나 선정적인 빛깔이던지. 그것은 우리 집에 있는 가재¹들과 때깔부터 달랐다. 다만 좀 멋쩍은 것은 피아노가 가정집 '거실'이 아닌, 만두 가게 안에 놓인다는 사실이었다. 우리 가족은 생계와 주거를 한 건물 안에서 해결하고 있었다. 낮에는 방에 손님을 들이고, 밤에는 식구들이 이불을 펴고 자는 식으로 말이다. 피아노는 나와 언니가 쓰는 작은방에 놓았다. 안방은 주방을, 작은방은 홀을 마주 보고 있었다.

나는 오후 내 가게에 붙어 피아노를 연주했다. 울림 폭을 크게 해 주는 오른

---

1 가재 한집안의 재물이나 재산. 살림 도구나 돈 따위를 이른다.

259
도도한 생활

쪽 페달을 밟고, 멋을 부려 〈소녀의 기도〉나 〈아드린느를 위한 발라드〉와 같은 곡을 말이다. 찜통에선 수증기가 푹푹 나고, 홀에서는 장사꾼과 농부들이 흙 묻은 장화를 신은 채 우적우적 만두를 씹고 있는 공간에서, 누구라도 만두를 삼키다 말고 울고 가게 만들었을 그런 연주를. 쉽고 아름답지만 촌스러워서 누구라도 가게 앞을 지나다 얼굴을 붉히게 만들었을, 그러나 좀 더 정직한 사람이라면 만두 접시를 집어 던지며 '다 때려치우라 그래!' 소리쳤을 그런 연주를 말이다. 한번은 연주가 끝난 뒤 박수 소리가 들려 고개를 돌린 적이 있다. 홀에서 웬 백인 남자가 손뼉을 치며 "원더풀."이라 외치고 있었다. 외국인과 나 사이에 어정쩡한 침묵이 흘렀다. 나는 부끄러웠지만 수줍게 한마디 했다. 땡큐…… 집 안에선 밀가루 입자가 햇빛을 받으며 분분히 날렸고, 건반을 짚은 손가락 아래론 지문이 하얗게 묻어났다.

학원은 2년 정도 다녔다. 그사이 나는 《바이엘》 두 권을 떼고, 《체르니》와 《하농》에 입문했다. 체르니란 말은 이국에서 불어오는 바람 같아서, 돼지비계나 단무지란 말과는 다른 울림을 주었다. 나는 체르니를 배우고 싶기보단 체르니란 말이 갖고 싶었다.

엄마는 장사를 끝낸 뒤 작은방에 누워 피아노를 청했다. 나는 엄마의 발 박자에 맞춰 〈따오기〉나 〈오빠 생각〉을 연주했다. 허공에서 발 박자를 맞추던 엄마의 양말 앞코는 설거지물에 진하게 젖어 있었다. 그 발은 허공을 날아다니는, 엄마의 젖은 마음 한 조각 같았다. 노래는 아빠가 잘했는데 연주를 청한 건 늘 엄마였다. 아빠는 배달 일을 하고 있었다. 아빠는 동네 곳곳에 군만두와 찐만두와 물만두를 배달하며 이런저런 참견과 재미없는 농담을 하고 다녔다. 가게가 한창 바쁠 때 사라지는 일도 적지 않았는데, 그때마다 아빠는 배달 간 곳의 노름판에 끼어 있거나, 구멍가게 앞에서 인형 뽑기를 하고 있었다. 한번은 아빠가 온종일 가게에 나타나지 않아 엄마가 화를 냈던 적이 있다. 배달은 모두 취소됐고, 엄마는 정신없이 찜통과 전화 사이를 오갔다. 아빠는 해 질 무렵, 슬그머니 가게 문을 열었다. 아빠는 홀 안까지 와 놓고, 안방 문을 열지 못해 왔다 갔다 했다. 그러고는 무슨 생각에서였는지, 작은방서 놀고 있던 우리를 불러내 노래를 가르쳐 주겠다고 했다. 우리는 모처럼 다정하게 구는 아빠가 좋아 작은방서 꼬물꼬물 기어 나왔다. 아빠는 미닫이로 된 가게 문을 반쯤 열고 노래를 부르기 시작했다. 아빠가 한 소절을 부르면 우리가 따라 하는 식이었다. 아빠의 낮은 목소리가 저녁의 한적한 소읍[2] 위로 울려 퍼졌다. "고향 땅이 여기서 얼마나 되나, 푸른 하늘 저 하늘 여기가 거긴가……." 이상했다. 아빠의 고향은 여긴데, 마치 다른 고향이라도 있는 듯 아빠의 얼굴이 쓸쓸해 보였다. "아카시아 흰 꽃이 바람에 날리면……." 문밖으로 빠끔 나온 세 개의 머리통이 같은 노래를 부르는 동안, 안방에선 아무 기척도 나지 않았다. 엄마는 자신의 불운이 오래전, 노래 잘하는 남자를 좋아하게 된, 바로 그때부터 시작됐다 생각하고 있는지 몰랐다.

어쨌든 나는 아홉 살이었고, 내겐 연주를 할 시간보다 말썽을 피울 시간이 많았다. 와장창 유리 깨지는 소리가 나거나 언니의 비명이 들릴 때마다, 엄마는 만두피를 빚다 말고 잽싸게 달려와 우리를 두들겨 팬 뒤, 다시 쏜살같이 달려가 만두를 쪘다. 엄마는 늘 바빴다. 애들은 빨리 때려서 빨리 키워야 했고, 만두는 그보다 더 빨리 쪄 내야 했다. 엄마의 만두 방망이가 내 몸을 때릴 때마다 사방에선 풀썩풀썩 밀가루 먼지가 피어났다. 나는 음악을 좀 알았지만, 매 앞에선 여전히 입을 벌린 채 으앙- 하고 울었다. 한번은 피아노 악보 받침대가 부러져, 방망이 대신 그걸로 맞은 적도 있다. 나는 좀 컸다고 '으앙' 하고 울지 않고 '훌쩍훌쩍' 울어 댔다. 악기가 무섭게 보인 것은 그때가 처음이었다.

학원에는 피아노를 잘 치는 애들이 많았고 못 치는 애들은 그보다 더 많았다.

---

2 소읍 주민과 산물이 적고 땅이 작은 고을.

조율 안 된 중고 피아노는 모두 축농증에 걸려 있었다. 액자 속 베토벤과 모차르트는 초등학생들이 만들어 내는 소음 속에서 지루하기 짝이 없는 표정으로 앉아 있었다. 아이들은 산만했고 선생들의 태도는 형식적이었지만, 나는 피아노를 배우는 게 재미있었다. 손가락 관절 아래서 돋아나는 음의 운동도 즐거웠고, 내 속의 어떤 것이 출렁여 그리운 마음이 드는 것도 좋았다. 이상한 것은, 그런데도 '잘' 치고 싶다는 생각이 안 들었다는 거다. 나는 피아노를 적당히 치고 싶었다. 그리고 꼭 그 때문은 아니지만 엄마가 피아노 할부금을 다 부었을 즈음, 음악 학원을 그만두었다. 싫증이 난 것이 아니라 그만하면 족했던 것이다. 만족의 수위가 낮았던 걸 보니 분명 재능도 없었던 것 같다.

만두소를 먹고 자란 내 젖멍울은 어여쁘게 부풀어 올라 온몸에 이상한 메시지를 송신했다. 나는 75A 브래지어를 차고 중학교에 올라갔다. 피아노는 예전만큼 자주 치지 않았다. 나는 더 좋을 것도 나쁠 것도 없는 수준 안에서 고만고만한 악보를 사다 유행가를 연주했다. 드라마 주제곡이나 가요 프로그램에서 1위를 하던 노래들이었다. 피아노를 칠 때면, 페달을 밟고 음을 과장하는 법을 잊지 않았다. 그 왕왕거림 안에는 뭔가 환상적인 느낌이 주는 슬픔, 더 이상 가 볼 수 없는 체르니 세계 너머에 대한 미련과 향수가 어려 있었다. 나는 더 이상 사교육을 받지 않은 채 고등학교에 들어갔다. 내가 진로에 대해 물으면, 엄마와 아빠는 서로 빤히 쳐다보다, 뭔가 잘못한 것 같은 표정을 지어 보이곤 했다. 우리는 그저 당시의 '소문'들을 믿어 보는 수밖에 없었다. 이과가 취직이 잘 된다더라, 여자 직업으로는 선생님이 좋다더라, 서울 삼류에 가느니 지방 국립이 낫다더라와 같은. 그런 말을 들을 때마다 나는 정말 중요한 정보인 듯 심각한 표정을 짓다가 금세 잊어버리곤 했다. 불규칙한 내신 등급과 달리, 내 브래지어 후크[3]는 꾸준히 한 칸

---

3 후크 '훅(단추 대신 쓰는 작은 쇠갈고리)'의 잘못.

씩 늘어 갔다. 피아노는 가게 구석에서 먼지를 뒤집어쓴 채 잊혀 갔고, 나는 더 이상 피아노를 치지 않았다. 그리고 한참의 시간이 지난 어느 날, 이불을 이고 집을 떠나온 이후, 주머니에 손을 찔러 넣고 복작이는 사람들 사이를 걷다 그런 생각이 들었다. 이 방에서, 이 거리에서, 이 시장과 저 공장에서, 이 골목과 저 복도에서, 그늘에서, 창 안에서, 세상 사람들은 가끔 아무도 모르게 도- 도- 하고 우는 것은 아닐까 하고. 사람들 저마다 자기도 모르게 까닭 없이 낼 수 있는 음 하나 정도는 갖고 태어나는 게 아닐까 하고. 어쩌다 어릴 때 음악 따윌 배워 그 울음의 이름을 알게 됐으니, 조금은 나도 시대의 풍문에 빚지고 있는지 모르겠다.

*

만두소에는 무말랭이가 들어갔다. 엄마는 그걸 물에 불린 뒤 광목으로 싸 '짤순이'에 넣고 돌렸다. 짤순이는 탈수 기능만 되는 날씬한 금성 세탁기였다. 탈수기 호스는 광에서 주방 하수구까지 길게 이어져 있었다. 엄마는 이삼일에 한 번씩 광으로 들어가 탈수기를 돌렸다. 엄마가 광에만 들어갔다 하면 탈수기 호스에선 엄청난 양의 물이 쏟아져 나왔다. 그래서 나는 그곳이 울음 방인 줄만 알았다. 철이 든 뒤 그것이 오해였다는 걸 깨달았지만. 몇 년 후 엄마는 정말 그 안에서 무릎에 고개를 묻고 있었다. 내가 서울로 올라가기 전인 고3 겨울 방학 때였다. 여느 때와 같이 무말랭이를 짜고 있던 엄마는 전화벨이 울리자 주방으로 나왔다. 엄마는 수화기에 대고 뭐라 해명하고 애원하는 것 같았다. 나는 화장실에 가다 그 모습을 보았다. 한바탕 점심 장사가 끝난 뒤라, 가게에서는 탈수기 진동음만 미세하게 들려오고 있었다. 엄마는 다시 광으로 들어갔다. 엄마는 탈수기 옆에 쪼그리고 앉아 '탈탈탈탈' 울었다. 단풍놀이에 간 아빠는 설악산에 있었고, 언니는 휴학계를 썼고, 나는 저쪽 어둑함과 연결된 호스에서 물이 졸졸 새어 나오는 모습을 보며, 문득 우리 집이 망했다는 걸 깨달을 수 있었다.

그즈음, 나는 서울권 대학에 합격했다. 4년제 대학의 컴퓨터학과였다. 컴퓨터에 관해서라면 고작 자판 치는 것밖에 몰랐지만, 졸업하면 취직이 잘 될지도 모른다는 막연한 기대에서였다. 그즈음 내 친구들은 대부분 그렇게 대학에 갔다. 막연하게 국문과에 가고, 막연하게 사대[4]에 가고, 막연한 열패감이나 우월감을 갖고 졸업을 하고 진학을 했다. '적성'이 아닌 '성적'에 맞춰 원서를 쓰는 일도 잦았지만, 대부분 잘 기획된 삶에 대해 무지했고, 자신이 뭘 하고 싶어 하는지 몰랐다. 나보다 두 살 많은 언니는 서울에 있는 전문 대학에서 '치기공'을 배우고 있었다. 주로 치아 보철물의 제작 기술을 배우는 학과였다. 언니는 원서를 쓰기 바로 전날까지도, 자신이 평생 누군가의 이[齒] 모형을 만들며 살게 되리라 상상하지 못했다고 했다. 나는 한동안 대학에 붙었다는 말도 못 한 채, 신입생 환영회 때 부를 노래만 연습하고 있었다.

엄마는 차압[5] 딱지가 붙기 전, 값나가는 물건을 팔아 버리자고 했다. 아빠와 나는 고개를 끄덕이며 열심히 고가품을 찾아 움직였다. 그러나 10분도 지나지 않아, 우리는 우리 집서 값나가는 물건이 피아노밖에 없다는 걸 깨달았다. 그것도 팔면 80만 원이 안 되는 물건이었다. 엄마는 고민하더니, 다시 피아노를 팔지 말자고 했다. 나는 손사래를 치며 "나 때문이면 괜찮다."고 했다. 피아노를 치지 않은 지 한참 됐고, 진심으로 미련도 없었다. 피아노 위에 올려진 인형들은 말똥말똥한 표정을 짓고 있었다. 모두 아빠가 뽑아 온 것이었다. 엄마는 고민하다 피아노는 일단 갖고 있자고 했다.

"어떻게?"

엄마가 천천히 입을 열었다. 네가 서울로 갖고 가 주었으면 좋겠다고.

"……."

---

4 사대 '사범 대학'을 줄여 이르는 말.
5 차압 '압류'의 잘못.

나는 눈을 둥그렇게 뜨고 말했다.

"거기 반지하야, 엄마."

엄마가 그 사실을 모를 리 없었다. 나는 계속 피아노를 팔자고 설득했다. 사실 그것은 우리에게 아무 쓸모도 없었다. 엄마는 그게 무슨 기념비라도 되는 양, "사정이 좋아질지도 모르니까……" 하고 말끝을 흐렸다. 결국 나는 피아노를 이고 상경해야 했다. 내가 집을 떠나던 날, 아빠는 오토바이 '쇼바'를 잔뜩 올린 채 도로 위를 달리며 울고 있었다. 아빠는 오토바이 속도가 최절정에 다다랐을 때, 앞바퀴를 들며 "얘들아 너흰 절대 보증 서지 마!"라고 오열했고, 비닐하우스 옆에서 머리를 조아리며 속도위반 딱지를 뗐다고 했다. 벌금은 고스란히 만두 가게서 일하는 엄마 앞으로 전가됐다.

언니의 표정은 뜨악했다. 외삼촌이 담배를 피우는 사이, 나는 사정을 설명하느라 애를 먹었다. 엄마가 다 얘기한 줄 알았는데, 언니는 아무것도 모르고 있었다. 언니가 답답한 듯 말했다.

"여기, 반지하야."

나는 조그맣게 대꾸했다.

"나도 알아."

우리는 트럭 앞에 모여 피아노를 올려다봤다. 그것은 몰락한 러시아 귀족처럼 끝까지 체면을 차리며 우아하고 담담하게 서 있었다. 외삼촌의 트럭은 길 한가운데를 막고 있었다. 우리는 서둘러 목장갑을 꼈다. 외삼촌이 피아노의 한쪽 끝을, 언니와 내가 반대쪽을 잡았다. 외삼촌이 신호를 보냈다. 나는 깊은 숨을 쉰 뒤 피아노를 번쩍 들어 올렸다. 1980년대산(産) 피아노가 잠시 세기말 도시의 하늘 위로 비상했다. 그 모습이 꽤 아름다워 하마터면 탄성을 지를 뻔했다. 우리는 한 걸음씩 이동했다. 다리가 후들거리고 진땀이 났다. 사람들이 우리를 흘깃거렸다. 뒤에서 승용차 한 대가 비켜 달라는 듯 경적을 울려 댔다. 곧 건물 2층에 사는 집주인이 체육복 차림으로 내려왔다. 동글동글한 체구에, 아침 체조를 빼먹지 않을 것같이 생긴 50대 중반의 사내였다. 그는 집 앞에서 벌어진 풍경이 믿기지 않는다는 듯 아연한 표정으로 서 있었다. 나는 피아노를 든 채 어색하게 웃으며 목례했다. 언니 역시 눈치껏 사내에게 인사했다. 좁고 가파른 계단 아래로 피아노가 천천히 머리를 디밀고 있었다. 세탁기도, 냉장고도 아닌 피아노라니. 우리 삶이 세 뼘쯤 민망해지는 기분이었다. 갑자기 쿵- 하는 소리가 났다. 외삼촌이 피아노를 놓친 모양이었다. 우당탕탕- 피아노가 계단을 미끄러져 나갔다. 언니와 나는 다급하게 피아노 다리를 붙잡았다. 윙- 하는 공명감 사이로, 악기 속 여러 개의 시간이 뭉개지는 소리가 났다. 피아노 넝쿨무늬가 고장 난 스프링처럼 흔들리고 있는 모습이 보였다. 충격 때문에 몸에서 떨어져 나간 모양이었다. 그제야 나는 내가 오랫동안 양각된 거라 믿어 온 문양이 사실은 본드로 붙여져 있던 것이라는 걸 깨달았다. 우리는 외삼촌의 안색을 살폈다. 외삼촌은 괜찮다는 신호를 보낸 뒤 다시 계단을 내려갔다. 나는 외삼촌의 부상이나 피아노의 상태가 걱정되지 않았다. 그보다는 쿵- 소리, 내가 처음 도착한 도시에 울려 퍼지는 그 사실적이고, 커다랗고, 노골적인 소리에 얼굴이 붉어졌다. 집주인은 어이없고 못마땅하다는 표정으로 언니와, 나와, 피아노와, 외삼촌과, 다시 피아노를 번갈아 쳐다봤다.

"학생."

주인 남자가 언니를 불렀다. 언니는 재빨리 계단을 올라갔다. 출구 쪽, 네모난 햇살 아래 뭔가 열심히 설명하고 있는 언니의 모습이 보였다. 언니는 승용차 운전자에게도 양해를 구했다. 우리는 결국 관리비를 더 내고, 피아노를 절대 치지 않겠다는 조건으로 집주인을 돌려보냈다. 집주인은 돌아서며 한마디 했는데, 치지도 않을 피아노를 왜 갖고 있느냐는 거였다.

그날, 저녁으로 만두를 먹었다. 엄마가 아이스박스에 넣어 보내 준 거였다. 김이 무렵 나는 만두를 식도로 밀어 넘기며 언니는 새삼 '몸이 진정되는 기분'이라고 말했다. 언니는 만두를 삼킬 때마다 엄마를 삼키는 기분이 든다고 했다. 나는 두 손으로 왕만두를 갈랐다. 당면과 부추, 두부, 돼지고기로 채워진 속살이 폭죽처럼 튀어나오며 뿌연 김을 내뿜었다. 문득, 스무 해를 넘긴 언니와 나의 육체는 엄마가 팔아 온 수천 개의 만두로 빚어진 게 아닐까 하는 생각이 들었다.

"그런데 아빠, 왜 그랬대?"

언니가 사이다를 들이켜며 물었다. 나는 대충 아는 대로 설명했다. 아빠의 친구가 고기 뷔페를 차린다고 대출을 받으면서 보증을 부탁했다. 몇 해 전부터 동네 외곽에 크고 작은 공장이 들어섰는데, 아빠 친구는 "그 사람들이 여기서 한두 번만 회식해도 흑자는 문제없다."고 자신했다. 그즈음, 아빠의 선배도 노래방을 개업했다. 사람들이 회식을 하면 고기만 먹고 헤어지겠냐는 거였다. 아빠는 이중으로 보증을 섰다. 그런데 어느 순간 공장들이 하나둘 문을 닫았고, 고기 뷔페가 망하자 노래방도 간판을 내렸다. 말하자면 보증의, 보증의, 보증이 도미노처럼 꼬리를 물고 무너져 만두 가게 앞에서 멈춰 선 것이었다. 소읍 전체가 서로에게 빚을 지고 있는데, 그 빚은 누구도 만져 본 적 없는 유령 같은 거였다. 언니가 젓가락을 빨며 물었다.

"그럼 누구 잘못이야?"

나는 모른다고 했다. 다만 그것이 아주 투명한 불행처럼 느껴진다고, 실감이 안 난다고 덧붙였다. 그것은 당장 내가 내일부터 아르바이트를 하고 어마어마한 피로감을 느낀다 해도, 저 너머 도미노의 끝을 상상할 수 없고, 원망할 수 없는 것과 비슷한 느낌이었다.

"언니, 학교는 왜 쉰 거야?"

언니는 거품이 사그라져 가는 사이다를 보며 말했다.

"집 사정도 그렇고. 이걸 계속해야 할지 알 수 없어서."

나는 이 상황에 '적성'을 생각하고 있는 언니에게 서운함을 느꼈다. 누군가 빨리 자리를 잡아 짐을 덜어 줬으면 하는 바람이었다. 언니는 취업이 잘 된다는 말에 서둘러 원서를 쓴 게 후회된다고 말했다. 자질이나 작업 환경에 대해서는 고민하지 못했다고. 학습실서 가스 폭발 사고가 난 후로 두려움이 들고, 허리 디스크와 기침 때문에 고생을 한다고도 했다. 나는 좀 미안한 마음이 들었다.

"학교 선배가 그러는데, 요즘 계급을 나누는 건 집이나 자동차 이런 게 아니라 피부하고 치아라더라."

나는 "정말?" 하고 반문한 뒤, 그러고 보니 그런 것도 같다고 생각했다.

"그런데 좀 징그럽지 않니? 이빨이 계급을 표시한다는 게."

나는 멍하니, 상품(上品)의 소가 입을 벌리고 있는 우시장을 떠올렸다.

"근데 그 말을 들은 뒤부터 나도 모르게 자꾸 사람들 이를 보게 되는 거야. 전공 탓도 있지만, 연예인들 치아는 모두 하얗고 가지런해서 그게 보통의 기준인 것처럼 착각하게 돼."

나는 '온전히 고른' 치아란 게 사실은 없지 않나 갸웃거렸다. 언니는 남자 친구 얘길 꺼냈다. 나이 차가 많이 나, 연애가 끝날 때까지도 엄마는 몰랐던 사람이다. 며칠 전 그가 만취해 집에 찾아왔었다고 한다. 서로 마음이 정리되지 않아 힘들었을 땐데, 언니가 현관문을 열자마자 바닥으로 고꾸라졌다고.

"그래서?"

"신을 벗기고 방으로 옮기려는데 꼼짝도 안 해. 그래서 한참 그 앞에 웅크리고 있었어. 그런데 갑자기 나도 모르게 그 사람 얼굴 위로 손을 뻗더라. 그런 뒤 입술을 벌려, 내가 그 사람 이를 살펴보고 있는 거야."

"이를?"

"응. 내가 그런 짓을 하는 게 싫고 미안하면서도, 그 사람 이가 꼭 보고 싶은 거야. 나, 그 사람 2년 넘게 만났는데, 그렇게 자세하게 들여다본 건 처음이었어. 벌어진 입술 사이로 열 개 넘는 조그마한 치아가 보였어. 누르스름하고 고르지 않은, 작고 오래된 이들이."

나는 언니의 얼굴을 쳐다보았다.

"그런데 그렇게 쪼그려 앉아, 30년간 밥 씹어 온 그 사람 이를 보는 순간, 이상하게 서글픈 생각이 들더라."

"실망했어?"

"그런 게 아니야."

언니는 말을 고르듯 머뭇거렸다.

"학교에서 치아 틀을 뜨다 보면 사람이 참 짐승 같구나 하는 생각이 들 때가 있는데. 그날은 뭐랄까, 애인이 아니라 나와 가장 가까운 짐승을 안고 있는 기분이 들었어."

"……."

이불을 펴고 자리에 누웠다. 방바닥엔 두 사람이 겨우 몸을 뉠 만한 자리밖에 없었다. 피아노 위로는 헤어드라이어와 라디오, 다리미 등 잡동사니가 올려졌다. 방 안은 무슨 중고 가게 같았다. 창밖으로 지상의 길들이 전신주처럼 길게 드리워져 있는 모습이 보였다. 그 길은 행인들의 발굽이 닿을 때마다, 새가 앉았다 날아간 자리처럼 가볍게 출렁였다. 문득 나의 하늘은 당신의 천장보다 낮다는 생각이 들었다. 나는 돌아누우며 언니에게 속삭였다.

"어쩐지 여기, 서울 같지 않아."

언니가 잠 묻은 말투로 대꾸했다.

"서울 다 이래. 네가 아는 서울이 몇 곳 안 되는 것뿐이야."

언니는 금세 곯아떨어졌다. 나는 도시의 지하에 반듯이 누워 있었다. 창 사이론 자동차 불빛이 아른거리고, 피아노 그림자가 내 얼굴 위로 드리워졌다 사라졌다. 어둠 속에서 나는 이따금 내 이를 만져 보다 잠이 들었다.

*

언니의 컴퓨터는 엄마가 대학 입학 선물로 사 준 거였다. 언니는 같은 과 친구를 따라 용산에서 조립식 컴퓨터를 샀다. 친구는 전자 상가 직원과 암호 같은 말을 주고받은 뒤, 마지막으로 언니에게 본체 케이스를 골라 보라고 했다. 상가 한쪽에는 여러 종류의 케이스가 궤짝처럼 쌓여 있었다. 언니는 그중 하나를 수줍게 가리켰다. 전투 로봇의 갑옷처럼 번쩍하니 투박하게 생긴 거였다. 친구가 놀란 표정으로 "여자애가 왜 그런 걸 고르냐?"고 묻자, 언니는 얼굴을 붉히며 "저게 가장 21세기적인 느낌 같아서……."라고 답했다 한다. 언니는 가장 21세기적인 컴퓨터와 함께 반지하에 살게 되었다. 21세기가 얼마나 '슬림'한 것인지를 알게 되는 데는 많은 시간이 필요하지 않았겠지만, 그것은 방 한쪽에 불룩하게 자리를 잡았다.

나는 아르바이트를 시작했다. 인쇄소와 연결돼 학원 교재나 시험지를 만드는 일이었다. 처음엔 커피숍이나 호프집에서 서빙을 할 생각이었다. 이제 막 스무 살이 된 내 상식으로 아르바이트란 무릇 그런 것이었다. 그러나 나는 구인 광고란에 적힌 '준수한 외모'라는 말의 진정한 뜻을 모르고 있었다. 나는 준수할까 말까 한 '귀여운' 외모로, 다른 일을 찾아 벼룩시장을 훑어 나갔다. 터무니없이 많은 돈을 준다는 곳과 믿을 수 없이 적은 돈을 준다는 곳 사이에, A4지 한장당 1,500원을 주는 곳이 있었다. 그 돈이 많은 건지 적은 건지는 알 수 없었지만, 워드 작업 정도면 나도 할 수 있을 거라는 생각이 들었다.

일은 생각만큼 쉽지 않았다. 어깨도 결리고, 눈이 아픈 데다, 타자 치랴, 오·탈자 확인하랴, 도표 갖다 붙이랴, 영어에, 한자 표기까지 정신이 없었다. 인쇄소에서는 오·탈자가 날 경우 돈을 줄 수 없다고 했다. 그곳에선 정해진 시간에 결코 소화할 수 없는 양의 일을 주고, 아무렇지 않게 3일 안에 해 달라고 했다. 나는 '당장 저만큼이면 얼마 벌 수 있겠다.'란 생각에 덥석 일을 안고 와 시뻘게진 눈으로 밤을 새웠다. 언니의 컴퓨터는 디귿 키가 잘 먹지 않아 작업 속도를 떨어트리곤 했다. 나는 신나게 손가락을 놀리다 번번이 디근 키 앞에서 멈춰 섰다. 나는 도로 위로 뛰어든 사슴이라도 본 양 디근만 보면 긴장했고, 그제야 세상에 디근이 들어가는 글자가 얼마나 많은지 깨달으며 한탄해야 했다. 나는 목을 길게 뺀 채 모니터 앞에 붙박여 있었다. 언니는 "흑백은 눈에 가장 피로를 많이 주는 색이라던데."라며 나를 걱정스럽게 바라봤다. 100년 전 사람들은 상상하지 못할 정도로 진보적인 기계 앞에서, 내 등은 네안데르탈인처럼 점점 굽어 갔다.

언니는 편입 시험을 준비하고 있었다. 언니는 4년제 영문과에 들어가 어학연수도 가고, 취직도 하고 싶다 했다. 나는 '재수'나 '전학'이라는 말과 달리 '편입'이란 말은 묘한 빈곤감을 준다고 생각했다. 언니는 "세상에 영어 하나만 돼도 주어지는 기회가 얼마나 많은 줄 아느냐."며 훈수를 뒀다. 나는 언니가 '영어 하나만 돼도 주어지는 기회가 많다.'는 걸, 어째서 20대 초반이 다 지나서야 깨달은 것일까 의아했다. 언니는 문제집을 잔뜩 안고 와, 단어를 외우고 테이프를 청취했다. 내가 미친 듯이 타이핑을 하는 동안, 언니는 피아노 위에 문법 책을 펼쳐 놓고 외국어를 웅얼거렸다. 밤마다, 조그마한 불빛이 새어 나오는 이곳 반지하에는 타자 소리와 영어 단어 외우는 소리가 끊이지 않았다. 어느 날 언니는 도저히 이해가 안 된다는 듯 볼펜을 집어 던지며 소리쳤다.

"야, '미래'가 어떻게 '완료'되냐?"

나는 지층 단면도를 따다 붙이다 말고, 키보드에 머리를 박으며 외쳤다.

"아! 과학이 제일 싫어!"

초여름이었다. 이따금 비가 오다 그쳤고, 다시 내렸다. 창밖, 보도 위의 빗방울들이 수많은 원을 그리며 내 머리 위에 아름답게 떠 있었다. 비는, 하늘이 아닌 지상에서 내리는 것 같았다. 나는 입안에 건포도를 털어 넣으며 창밖을 바라봤다. 건포도는 내가 가장 좋아하는 간식이었다. 그걸 먹으면 왠지 까맣게 졸아붙은 캘리포니아 햇빛을 씹어 먹는 기분이었다. 언니는 번화가에 있는 프랜차

이즈 식당에서 계산대 보는 일을 하고 있었다. 언니는 새벽마다 어깨에 쌀 포대만 한 졸음을 이고 학원에 갔고, 주말이면 다리 사이에 그 포대를 끼고 한없이 깊은 잠을 잤다. 언니는 종종 옛 애인과 통화했다. 그는 홀쩍이며 집 앞에 찾아오기도 하는 모양이었다. 이따금 비가 오다 그쳤고, 다시 내렸다. 나는 티브이 앞에 앉아 '오늘의 날씨'를 경청했다. 언니가 집을 비우면, 청소를 하고 손쉬운 반찬을 만들고 햇빛 알갱이가 들어 있다는 합성 세제로 빨래를 했다. 티브이에선 곧 장마가 시작될 거라는 소식을 전해 왔다. 나는 플라스틱 통에 든 습기제거제를 사다 싱크대 안쪽과 옷장, 신발장에 넣어 두었다. 저축한 돈이 있으니 사소한 재해쯤이야 아무래도 좋다는 마음이었다.

나는 어서 학교에 가고 싶었다. 얼추 한 학기 등록금을 모았고, 무엇보다도 사람들과 관계 맺으며 '피로'나 '긴장'을 느끼고 싶었다. 긴장되는 옷을 입고, 긴장된 표정을 짓고, 평판을 의식하며, 사랑하고, 아첨하고, 농담하고, 험담하고, 계산적이거나 정치적인 인간도 한번 돼 보고 싶었다. 나는 누군가에게 좋은 사람일 수도 있고 나쁜 사람일 수도 있지만, 사실 아무것도 될 수 없었다. 지금 나를 둘러싸고 있는 것들은 가전제품뿐이었다. 나는 냉장고에게 잘 보이거나, 전기밥통을 헐뜯고 싶지 않았다. 첫 월급을 탔을 때 누구를 만나, 어떻게 돈을 써야 할지 몰라 당황했었다. 이대로 아무도 모르게, 아무도 모르는 일만 하다 죽을 수는 없다고, 매일 어깨에 의자를 이고 등교하는 아이처럼 평생 아르바이트만 하고 살 순 없다고 생각했다. 가끔은 손가락이 나뭇가지처럼 기다랗게 자라나는 꿈을 꾸기도 했다. 나는 손가락만 진화한 인간 타자수가 되어 '다음 중 맞는 답을 고르시오.'라는 문장을 끊임없이 치고 있었다. 그리고 산더미만 한 문제지를 들고 인쇄소에 찾아가면, 그걸 전부 나더러 풀라는 것이었다. 나는 건포도를 오물거리며 '가을이 얼마 남지 않았으니까.' 하고 안도했다. '8월에는 동대문에 옷을 사러 가야지. 화장은 언니에게 배우고, 아르바이트는 반드시 집 밖에서 하는 걸로 해야겠다.' 도 다음엔 레가 오는 것처럼 여름이 끝난 후 반드시 가을

이 올 것 같았지만, 계절은 느릿느릿 지나가고, 우리의 청춘은 너무 환해서 창백해져 있었다.

　방 안은 눅눅했다. 자판을 치다 주위를 둘러보면, 습기 때문에 자글자글 운 공기가 미역처럼 나풀대며 날아다니는 것 같았다. 벽지 위론 하나둘 곰팡이 꽃이 피었다. 피아노 뒤에 벽은 상태가 더 심했다. 건반 하나라도 누르면 꼭 그 음의 파동만큼 날아올라, 곳곳에 포자를 흩날릴 것 같은 모양이었다. 나는 피아노가 썩을까 봐 걱정이었다. 몇 번 마른걸레로 닦아 봤지만 소용없었다. 우선 달력 몇 장을 찢어 피아노 뒷면에 덧대 놓는 수밖에 없었다. 그러다 곧 피아노 건반을 확인해 보고 싶은 마음이 들었다. 시골에서부터 이고 온 것인데, 이대로 망가지면 억울할 것 같았다. 한날 마음을 먹고 피아노 의자 위에 앉았다. 그런 뒤 두 손으로 건반 뚜껑을 들어 올렸다. 손안에 익숙한 무게감이 전해져 왔다. 내가 알고 있는 무게감이었다. 곧 88개의 깨끗한 건반이 눈에 들어왔다. 악기는 악기답게 고요했다. 나는 건반 위에 손가락을 얹어 보았다. 손목에 힘을 푼 채 뭔가 부드럽게 감아쥐는 모양을 하고. 서늘하고 매끄러운 감촉이 전해졌다. 조금만 힘을 주면 원하는 소리가 날 터였다. 밖에선 공사 음이 들려왔다. 며칠 전부터 주인집을 보수하는 소리였다. 문득 피아노를 치고 싶은 마음이 들었다. 이사 후 처음 있는 일이었다. 그리고 일단 그런 마음이 들자, 주체할 수 없는 감정이 솟구쳤다. 한 음 정도는 괜찮지 않을까. 소리는 금방 사라져 아무도 모를 것이다. 나는 용기 내어 손가락에 힘을 주었다.

　"도-"

　도는 방 안에 갇힌 나방처럼 긴 선을 그리며 오래오래 날아다녔다. 나는 그 소리가 아름답다고 생각했다. 가슴속 어떤 것이 엷게 출렁여 사그라지는 기분이었다. 도는 생각보다 오래 도-

하고 울었다. 나는 한 음이 완전하게 사라지는 느낌을 즐기려 눈을 감았다. 밖에서 문 두드리는 소리가 났다. 쿵쿵쿵쿵. 주먹으로 네 번이었다. 나는 얼른 피아노 뚜껑을 덮었다. 다시 쿵쿵 소리가 들렸다. 현관문을 열어 보니 주인집 식구들이었다. 체육복을 입은 남자와 그의 아내, 두 아이가 나란히 서 있었다. 사내아이는 아빠와, 계집아이는 엄마와 똑 닮아 있었다. 외식이라도 갔다 오는지 그들 모두 입에 이쑤시개를 물고 있었다. 남자가 입을 열었다.

"학생, 혹시 좀 전에 피아노 쳤어?"

나는 천진하게 말했다.

"아닌데요."

주인 남자는 고개를 갸웃거리며 물었다.

"친 거 같은데⋯⋯?"

나는 다시 아니라고 했다. 주인 남자는 의심스러운 표정을 짓다가, 내가 곰팡이 얘길 꺼내자 "지하는 원래 그렇다."고 말한 뒤, 서둘러 2층으로 올라갔다. 나는 방으로 돌아와 피아노 옆에 기대어 앉았다. 그런 뒤 무심코 휴대 전화 폴더를 열었다. 휴대 전화는 번호마다 고유한 음이 있어 단순한 연주가 가능했다. 1번은 도, 2번은 레, 높은음은 별표나 영을 함께 누르면 되는 식이었다. 더듬더듬 버튼을 눌렀다. 미 솔미 레도시도 파, 미 솔미 레도시도 레레레 미⋯⋯ '원래 그렇다.'는 말 같은 거, 왠지 나쁘다는 생각이 들었다.

저녁부터 폭우가 내렸다. 언니는 아르바이트 때문에 늦는다고 했다. 벌써 퇴근했어야 하는 시간인데 정산을 잘못한 모양이었다. 언니는 계산서를 처음부터 끝까지 살펴본 뒤, 안 맞을 경우 다시 계산기를 두드리고, 같은 일을 반복하며 밤을 새울 터였다. 나는 만두라면을 먹으며 연속극을 보고 있었다. 볼륨을 한껏 높였는데도 배우들의 목소리가 잘 들리지 않았다. 리모컨을 잡으니 뭔가 축축한 게 만져졌다. 한참 손바닥을 들여다본 후에야 그것이 빗물이란 걸 깨달았다. 나는 화들짝 자리에서 일어났다. 현관에서부터 물이 새고 있었다. 이물질이 잔뜩 섞인 새까만 빗물이었다. 그것은 벽지를 더럽히며 창틀 아래로 흘러내렸다. 벽면은 검은 눈물을 뚝뚝 흘리는 누군가의 얼굴 같았다. 허둥지둥 언니에게 전화를 걸었다. 언니는 한참 만에 전화를 받았다. 언니는 의외로 담담했다. 언니는 그런 적이 몇 번 있다고, 걸레로 닦아 내면 괜찮을 거라고 말한 뒤 바쁜 듯 전화를 끊었다. 언니가 그렇게 말해 주니, 섭섭하면서도 안심이 되는 기분이었다. 나는 멍하니 서 있다, 양말을 벗고 바지를 걷어 올렸다. 현관 앞 신발들을 모두 신발장 안에 넣고, 컴퓨터와 티브이 등 가전제품의 콘센트를 뽑았다. 피아노 주위엔 마른 수건 몇 장을 단단히 둘러놓았다. 방바닥에 고인 물은 걸레로 훔쳐 내면 될 일이었다. 나는 걸레로 바닥을 닦은 뒤 세숫대야에 물을 짜내고 훔쳐 내는 일을 반복했다. 구정물은 화장실에 버리고, 마른 수건으로 한 번 더 물기를 없앴다. 순서대로 일을 처리하다 보니 언니 말대로 별일 아닌 것처럼 느껴졌다. 조금쯤 내가 어른이 된 것 같은 기분도 들었다. 한바탕 집 안을 정리하고 숨을 돌리며 허리를 폈다. 그리고 상쾌한 표정으로 주위를 둘러봤다. 조금 전 물기를 닦아 낸 곳에 다시 빗물이 고여 있었다. 아까보다 더 많은 양이었다. 나는 하얗게 질려 언니에게 전화했다.

"언니."

언니가 주위 눈치를 보는 듯 조그맣게 대꾸했다.

"왜?"

나는 울먹이며 말했다.

"비 와."

언니가 한숨을 쉬며 답했다.

"그래, 아까도 말했잖아."

나는 아이처럼 훌쩍였다.

"응, 근데 자꾸 와."

언니는 조용히 나를 타이르며 집으로 갈 테니, 그때까지만 참으라고 했다.

"언제 올 건데?"

언니는 모르겠다고, 하지만 곧 가겠다는 말만 반복했다. 나는 전화를 끊고 손등으로 눈물을 훔쳤다. 물은 발등까지 차올랐다. 빗물에서 매캐하고 비릿한 도시 냄새가 났다. 주인집에 도움을 청할까 싶었지만, 너무 늦은 시간이었다. 어쨌든 다시 일을 시작해야 했다. 우선 컴퓨터 전선을 한데 묶어 서랍장 위에 올려놓았다. 그리고 쓰레받기를 이용해 빗물을 퍼내기 시작했다. 물은 계단과 창문을 타고 자꾸자꾸 들어왔다. 안 되겠다 싶어 쓰레받기 대신 바가지를 이용했다. 내 손은 기계적으로 움직이고 있었다. 온몸에 땀인지 빗물인지 모를 것이 흘러내렸다. 밖에선 천둥소리가 났다. 무모한 일을 하는 것 같아 힘이 빠졌지만, 가만히 있을 수만도 없었다. 방에서 휴대 전화 벨소리가 났다. 재빨리 달려가 폴더를 열었다.

"언니야?"

전화기 너머, 나직한 목소리가 들려왔다.

"아빠야."

나는 당황했다. 아빠가 우리에게 먼저 전화하는 경우는 드물었다. 나는 이마에 땀을 훔치며 대답했다.

"어? 어……"

아빠는 내게 "잘 지내냐."고 물었다. 잠시 고민하다 "그렇다."고 답했다. 말주변이 없는 아빠는 통화할 때마다 늘 같은 말만 물어 왔다. 다음 말은 아마 '저녁 먹었냐?'쯤 될 것이다.

"저녁 먹었니?"

나는 그렇다고 했다. 아빠는 뜸을 들이다 "뭘 먹었냐."고 물었다. 나는 시시한 대꾸를 한 뒤 침묵했다. 아빠는 내게 아르바이트는 잘하고 있는지, 언니는 어떻게 지내는지, 집에는 언제 내려올 건지 물었다. 나는 어색한 듯 예의 바르게 말을

이었다. 침묵이 흘렀다. 누군가 서둘러 작별 인사를 하거나, 다른 화제를 꺼내야 했다. 아빠가 먼저 입을 열었다. 돈 얘기였다. 도와달란 말은 없었지만, 도와달란 말이었다. 나는 한참 동안 아빠 말을 경청했다. 얼추 내 등록금과 맞먹는 돈이었다. 나는 물에 불은 맨발을 방바닥에 비벼 댔다. 그러곤 "어떻게 해 보겠다."고 한 뒤 전화를 끊었다. 세상은 비 닿는 소리로 가득했다. 바가지를 든 채 우두커니 서 있는데 밖에서 인기척이 났다. 나는 현관으로 달려가 반갑게 소리쳤다.

"언니야?"

웬 그림자 하나가 스윽- 나타났다. 무서운 얼굴을 한 사내였다. 나는 뒤로 자빠지며 엉덩방아를 찧었다. 손등 위로 출렁 빗물이 느껴졌다. 사내는 초점 없는 눈으로 나를 바라봤다. 나는 후들후들 떨며 "누구세요?"라고 말했다. 폭우에, 부채에, 겁탈까지 당할 생각을 하니 뭐 이따위 인생이 다 있나 서러워지려는 참이었다. 사내는 나를 노려보다 신발장 옆으로 고꾸라졌다. 그러더니 신발장에 볼을 비비며 중얼거렸다.

"미영아……."

언니의 이름이었다. 나는 그가 언니의 예전 애인이라는 걸 알아챘다. 그는 조그마한 체구에 순한 얼굴을 가지고 있었다. 자세히 보면 조금 귀염성 있는 얼굴이기도 했다. 나는 조심스럽게 사내에게 다가갔다. 그리고 손끝으로 사내의 어깨를 건드렸다. 사내는 도- 하고 울지 않고, 음냐- 하고 뒤척였다.

"저기요."

사내는 꼼짝하지 않았다. 나는 다시 사내를 깨웠다.

"저기요."

사내는 눈을 크게 뜨더니, 멍청하게 나를 바라봤다. 여기가 어딘지, 내가 누군지 모르는 눈치였다.

"여기 이렇게 계시면 안 돼요. 일어나세요."

사내는 빗물에 흠뻑 젖어 있었다. 사내는 고개를 끄덕이며 다시 눈을 감았다.

사내를 옮기고 싶었지만, 곳곳에 물이 흘러 어떻게 해야 할지 몰랐다.

'그냥 둘까?'

사내가 현관 앞에 있으면 물을 퍼낼 수 없었다. 언니에게 전화를 걸까 싶었지만, 눈치를 보며 쉬쉬 말하던 목소리가 떠올랐다. 곧 온다고 했으니까, 오면 다 알아서 할 테니까 사내를 우선 옮겨 놓는 게 좋을 것 같았다. 주위를 살폈다. 피아노 의자가 눈에 들어왔다. 저 위라면 웬만큼 물이 차지 않는 이상 안전할 것 같았다. 사내를 부축해 일으켜 세웠다. 사내는 문어처럼 흐느적거렸다. 어깨에 사내의 팔을 걸치고 한 발 한 발 자리를 옮겼다. 사내는 무너지고, 쓰러지고, 주저앉았다.

"아저씨!"

사내는 고꾸라진 뒤, 차가움에 놀라 부르르 떨다 다시 코를 골았다.

"저기요!"

그는 '음냐' 하고 몸을 뒤척였다. 성질이 났지만 그대로 둘 순 없었다. 물은 정강이까지 올라와 있었다. 책장 아래 칸의 책들은 빗물에 퉁퉁 불어 가고 있었다. 그중에는 언니가 아직 풀지 못한 영어 문제집도 있었다. 나는 가까스로 사내를 옮겨 피아노 의자 위에 누일 수 있었다. 사내는 평온한 표정을 지었다. 몸통이 기역 자로 꺾여, 발목은 물에 잠긴 채였다. 나는 한숨을 쉰 뒤 사내를 바라봤다. 양 볼이 불그스레한 게 좀 모자라 보였다. 한참 사내의 얼굴을 보고 있자니, 언니가 말한 이 얘기가 떠올랐다. 그러자 나도 사내의 이를 보고 싶다는 마음이 들었다. 신속하게, 잠깐만 보면 괜찮지 않을까 하고. 나는 사내의 입술을 향해 조심스럽게 손을 뻗었다. 그는 자세가 불편한지 돌아누웠다. 나는 다급히 손을 거두며 스스로를 책망했다. 셋방이 물에 잠겨 가는데 무슨 짓인가 싶었다. 빗물은 어느새 무릎까지 차 있었다. 나는 피아노가 물에 잠겨 가고 있다는 걸 깨달았다. 저대로 두다간 못 쓰게 될 게 분명했다. 순간 '쇼바'를 잔뜩 올린 오토바이 한 대가 부르릉─ 가슴을 긁고 가는 기분이 들었다. 오토바이가 일으키는 흙먼지 사이로 수천 개의 만두가 공기 방울처럼 떠올랐다 사라졌다. 언니의 영어 교재도, 컴퓨터와 활자 디귿도, 아버지의 전화도, 우리의 여름도 모두 하늘 위로 떠올랐다 톡톡 터져 버렸다. 나는 피아노 뚜껑을 열었다. 깨끗한 건반이 한눈에 들어왔다. 건반 위에 가만 손가락을 얹어 보았다. 엄지는 도, 검지는 레, 중지와 약지는 미 파. 아무 힘도 주지 않았는데 어떤 음 하나가 긴 소리로 우는 느낌이 들었다. 나는 나도 모르게 손가락에 힘을 주었다.

"도−"

도는 긴 소리를 내며 방 안을 날아다녔다. 나는 레를 짚었다.

"레−"

사내가 자세를 틀어 기역 자로 눕는 모습이 보였다. 나는 편안하게 피아노를 연주하기 시작했다. 하나둘 손끝에서 돋아나는 음표들이 눅눅했다.

"솔 미 도레 미파솔라솔⋯⋯."

물에 잠긴 페달에 뭉텅뭉텅 공기 방울이 새어 나왔다. 음은 천천히 날아올라 어우러졌다 사라졌다.

"미미 솔 도라 솔⋯⋯."

사내의 몸에서 만두처럼 김이 모락모락 피어났다. 빗줄기는 거세졌다 잦아지길 반복하고, 검은 비가 출렁이는 반지하에서 나는 피아노를 치고, 발목이 물에 잠긴 채 그는 어떤 꿈을 꾸는지 웃고 있었다.

(2007년)

김애란, 《침이 고인다》(문학과지성사, 2007)

처삼촌 묘 벌초하기

성석제

성석제(1960~)

성석제는 해학과 풍자 혹은 과장과 익살을 통해 인간의 다양한
국면을 그려내는 작가로 알려져 있다. 〈처삼촌 묘 벌초하기〉는
처가의 문중 선산에 딸린 밭을 빌려 과수원을 임대하는 동순이,
처가 어른들의 연락에 급하게 벌초를 마치고 뿌듯함과 후련함을
느끼지만 이내 허탈함으로 반전되며 유쾌한 웃음을 안겨 주는
작품이다.

사과를 가득 실은 트럭이 떠나 버리고 난 직후에 동순의 가슴팍에 걸려 있던 휴대 전화가 울렸다. 손위 처남의 이름이 액정에 찍혀 있었다. 동순은 급히 전화기에 귀를 댔다.

　"아이고 형님요, 우엔 일이십니까."

　"어이 동상[1]. 잘 있었는가? 아그[2]들도 잘 크고잉?"

　"그라모예. 형님 염려 덕분에 잘 먹고 잘 싸고 우렁차게 잘 울면서 잘 크고 있심다."

　"그려, 나가 처서도 지나고 추석도 다가오고 혀서 말이시. 증조할부지, 할부지, 작은아부지 산소가 잘 있는가 매급시[3] 궁금하더랑게. 혀서 큰아부지하고 아부지 모시고 내일모레 한번 선산에 가 볼라고 허네. 새로 쓴 작은아부지 산소도 별일 없겠지?"

　"아, 벌써 그래 됐십니까. 그라마 그러시소. 지가 늘 어르신들 산소를 지 조상 산소처럼 돌보고 있으니까네 염려는 붙들어 매 놓으셔도 될 낀데."

　"자네가 요즘 부쩍 농사일에 재미를 붙여서 집으서 얼굴도 보기 힘들다고 옥희가 그러던디 그럴 시간이 있었는가?"

　"하여튼 염려하실 거 하나도 없심다. 어르신들 모시고 찬차이[4] 내리오시소."

　전화를 끊은 동순은 한숨을 푹 내쉬었다. 1200평짜리 사과 과수원 위 3000평

1　동상 '동생'의 방언.
2　아그 '아이'의 방언.
3　매급시 '맥없이(아무 까닭도 없이)'의 방언.
4　찬차이 '찬찬히'의 방언.

282
문학을 열다: 한국 현대 소설 베스트 4

은 될 웅장한 규모의 선산이 올려다보였다. 수십 기의 무덤에 군데군데 집채만 한 바위까지 섞여 있는 선산은 처가의 12대조 산소부터 모셔져 있었다. 동순과 결혼한 지 15년을 넘긴 옥희의 아버지는 종손이 아니었고 따라서 동순 부부가 문중 선산을 마음대로 빌려 쓸 수는 없었다. 하지만 옥희의 오빠인 대수가 워낙 문중 대소사를 잘 챙기고 문중 어른들의 신임을 톡톡히 받아 온 터에 7년 전 동순이 실직을 하고 실의에 빠져 있을 때 문중 선산의 아래쪽에 있던 밭을 맡겨 농사라도 지어 먹게 했던 것이다.

그러나 사무실에서 손가락을 놀리며 살아온 동순으로서는 농사가 거저먹기일 수가 없었다. 수삼 년의 시행착오 끝에 별수 없이 처가 쪽 사람의 소개로 알게 된 과수 업자에게 밭을 맡기고 임대료를 받아먹는 처지가 되었다. 얼마 전 첫 수확이 있었고 일을 따라 거들면서 겨우 첫걸음을 뗀 기분을 느끼고 있던 참이었다. 물론 이런 일은 모두 처가 쪽에는 비밀이었다.

당장 모레 처가 쪽의 어른들이 총출동한다니 직계 선조의 산소라도 벌초를 해야 할 참이었다. 동순은 농협 근처 담벼락에 붙어 있던 '벌초 대행해 드립니다'라는 문구를 떠올리고는 농협 사업부에 전화를 걸었다. 하지만 농협에서는 그 문구는 작년에 써 붙인 것이고 아직 추석이 다가오지 않아서 사업 시행을 할 사람을 구하지 않았다고 했다. 그러면서 정 급하면 조경 회사에 전화를 해 보라고 했다.

말이 조경 회사이지 마당만 한 공터에 나무 수십 그루 심어 놓고 매일 놀고 지내는 것 같던 그곳 업체들은 좀체 연락이 되지 않았다. 114에 전화 걸기를 세 번, 처음으로 연결된 조경 회사에서는 일이 바빠서 그런 걸 해 줄 수 없다고 했다. 동순이 애걸하다시피 하자 인력 공급을 하는 업체에나 알아보라고 하는 것이었다. 오기가 난 동순은 자신이 직접 예초기를 들고 벌초를 해 보리라 작정했다.

다음 날 아침 동순은 몇 번 사용해 보지도 않은 새 예초기를 들고 처갓집 선산으로 향했다. 주변의 충고에 따라 장화를 신고 마스크와 선글라스, 장갑, 모자로 중무장을 했으니 아침부터 더워서 죽을 지경이었다. 과수원과 연결된 선산 출입로는 아까시나무가 숲을 이루고 있었다. 웬만한 풀도 키 높이로 자라 있었다. 일반 예초기 날로는 베기가 어려울 듯해서 동순은 미리 준비해 온 체인 톱으로 날을 갈아 끼웠다. 어떻든 예초기는 윙윙거리는 소리를 내며 풀과 나무를 베기 시작했다.

처음에는 조심스러웠지만 일이 손에 익자 동순의 팔에는 힘이 붙었다. 그러나 선산은 너무 넓고 가팔랐다. 게다가 위로 올라갈수록 산소가 두 배씩은 커지는 듯해서 모두 합쳐서 수백 평은 될 묘역은 좀체 줄어들지 않았다. 뉴스에서 남 이야기인 양 들어 넘겼던, 벌초를 하다가 말벌에 쏘여 죽었다는 사람의 이야기가 자꾸 생각났다. 장화를 신고 있긴 해도 독사가 있지 않은지, 독사의 이빨이 장화를 뚫고 들어와 독액을 내뿜지나 않을지 두려웠다. 예초기의 날이 바윗돌에 부딪혀 부러져 날아와 오금에 박혔다는 이웃 농부들의 경험담도 신경이 쓰였다. 가장 큰 적은 땀과 더위였다.

점심때가 되어서 동순은 아래로 내려와 과수원 작업장에서 몸을 대충 씻고 도시락을 먹었다. 아무것도 묻지 않고 수굿하게[5] 도시락을 싸 준 아내가 고마웠다. 경상도 머스마와 전라도 가시내로 만나 남들이 어떻게 보든 간에 그럭저럭 순탄하게 살아온 세월이 나쁘지는 않다는 생각이 들었다.

잠시 낮잠을 자고 난 뒤 동순은 다시 산소에 들러붙었다. 봉분[6]에 들이박힌 나무가 그렇게 미울 수가 없었다. 산에서 넘어 들어온 덩굴들을 잘라 낼 때는 쾌감마저 들었다. 예초기 날을 갈아 끼우고 잔디를 깎기 시작하자 일은 더욱 더뎌졌다. 서툴렀기 때문이었다. 날에 풀이 끼어서 엔진 소리만 높아지고 곧 고장이라도 날 듯했다. 도와줄 사람은 아무도 없었고 땀에 젖은 선글라스로는 아무것

---

5 수굿하다 꽤 다소곳하다.
6 봉분 흙을 둥글게 쌓아 올려서 무덤을 만듦. 또는 그 무덤.

도 보이지 않았다. 그럴수록 동순의 오기는 강해졌다. 미친 듯 산소 위를 헤매다녔다. 마침내 해가 저물 무렵에야 일이 끝났다.

"언 놈이 처삼촌 산소 벌초를 대충한다카노. 앞에 있으마 귀때기라도 한 대 올리붙이야 속이 시원할따."

동순은 성취감과 함께 힘들었던 하루에 대해 뿌듯함을 느끼며 이렇게 아내 앞에서 큰소리를 쳤다. 기다렸다는 듯 전화가 걸려 왔다. 손위 처남이었다.

"아이고 동상. 아부지가 날 더운데 김 서방 고상한다고 다음에 가자고 하시는 구먼. 머 한 보름쯤 있다가 가실랑가 모르겠네."

다음 날 아침 동순이 일어나 보니 코피가 쏟아졌다. 잇몸이 아파 음식을 씹을 수가 없어 치과에 갔더니 의사는 과로 탓이라면서 한두 달 치료해야 할 것이라고 말했다. 온다던 사람들은 보름 후에도, 두 달 후에도 오지 않았다. 다음 해 아카시아가 다시 자라 숲을 이룰 때까지도 오지 않았다.

(2010년)

스노우맨

서유미

서유미 (1975~)

서울에서 태어나 단국대학교 국문학과를 졸업했다. 지은 책으로 장편 소설 《판타스틱 개미지옥》《끝의 시작》《쿨하게 한걸음》, 소설집 《모두가 헤어지는 하루》에세이 《한 몸의 시간》 등이 있다. 〈스노우맨〉은 폭설을 뚫고 회사에 출근하기 위해 홀로 고군분투하는 인물을 통해 경쟁 사회를 살아가는 현대인의 비극을 그리고 있다. 제목인 '스노우맨'은 고단하고 냉혹한 현실 속에서도 억지웃음을 지으며 살아가야 하는 현대인을 상징한다고 볼 수 있다.

새해 첫날이 토요일이라는 건 좋은 징조 같았다. 직장에 매인 사람들은 몇 달 전부터 연휴에 대한 기대감으로 들떠 있었다. 여행사들은 발 빠르게 기획 상품을 출시했고 그것들은 불티나게 팔려 나갔다. 많은 사람들이 자동차나 고속버스, 기차, 비행기를 타고 짧거나 긴 여행을 떠났다. 도시에 남은 사람들은 각종 모임에 참석해서 송년과 신년의 분위기를 즐겼다. 과음과 과식 이후에도 숙취와 소화 불량을 해소해 줄 휴일이 하루 더 남아 있다는 건 근사한 일이었다.

　새해의 첫날, 도시는 일찍부터 깨어 움직였다. 새해에는 늦잠을 자지 않겠다고 다짐한 사람들도 많았지만 간밤의 여흥에 젖어 아침까지 번화가와 유흥가 근처를 배회하는 사람들도 많았다. 날이 밝자 브런치 약속이 있는 사람, 가족 단위로 식사를 하고 영화를 보려는 사람, 새해 첫날을 색다르게 시작하고 싶어 하는 사람 들이 거리로 쏟아져 나왔다.

　기상 이변 때문에 추운 날씨가 계속되었지만 해가 기울고 가로등이 불을 밝히자 도시는 한결 따뜻해 보였다. 눈송이는 먼지나 보푸라기처럼 사뿐하게 내려 앉았으나 그걸 발견한 사람들은 소란스러웠다. 누군가는 요란하게 침을, 누군가는 입버릇이 되어 버린 욕을 내뱉었다. 그리고 대부분의 사람들이 눈 오는 장면을 찍기 위해 휴대폰을 꺼내 들었다. 흐지부지 내리다 만 첫눈 이후 도시에 처음 내리는 눈이었다. 거리를 걷던 사람들은 물론이고 까페나 술집에 앉아서 창밖을 내다보던 사람들도 와, 하며 입을 벌렸다. 새해 첫날 저녁, 고요하게 나부끼는 눈송이는 꽤 괜찮은 이벤트처럼 보였다.

남자는 다른 날보다 서둘러 출근 준비를 마쳤다. 새해 첫 출근인 데다 긴 연휴 끝의 출근이라 얼굴도장을 제대로 찍어 둘 필요가 있었다. 12월 초부터 흘러나온 인사 발령에 대한 소문은 몸집을 계속 부풀려 가는 데다 실체도 또렷해졌다. 남자는 이번 발령에 내심 기대를 걸고 있었다. 더 이상 승진에서 밀려나면 곤란했다.

이발한 머리와 말끔하게 면도한 턱, 새하얀 셔츠와 잘 다린 양복을 입고 거울 앞에 선 남자의 모습은 패기 넘치고 믿음직스러웠다. 그러나 빌라 출입문 앞에서 남자의 어깨는 단번에 처졌다. 밤새 눈이 얼마나 많이 내렸는지 유리로 된 공동 현관문의 3분의 2 높이까지 쌓여 있었다. 한눈에 봐도 남자의 허리를 넘어서는 높이였다. 눈 더미가 바리케이드처럼 버티고 있어서 문이 열리지 않았다. 온 힘을 다해 밀어붙여 봐도 유리문과 그 너머의 눈은 꼼짝도 하지 않았다. 몇 번 더 시도하다가 포기하고 남자는 숨을 몰아쉬었다. 혼자 힘으로는 도저히 안 될 것 같았다.

남자는 101호와 102호의 문을 번갈아 쳐다보았다. 왼쪽에는 70대의 노파가, 오른쪽에는 유도 선수 같은 인상을 한 30대의 남자가 살고 있었다. 안면은 없지만 밖에서 담배를 피우고 들어가는 모습을 몇 번 본 적이 있었다. 시간을 확인한 다음 남자는 102호의 벨을 눌렀다. 세 번 네 번 눌렀는데도 대답이 없었다. 초조하게 기다리다가 남자는 다시 현관의 유리문을 밀어 보았다. 반응이 없기는 유리문 쪽도 마찬가지였다. 급한 마음과 상관없이 시간은 정확하고 고요하게 흘러가고 있었다. 이제 그다지 여유 있다고 할 만한 상황이 아니었다.

아내라도 부르려고 휴대폰을 꺼내는데 102호의 문이 열렸다. 102호 남자가 문밖으로 고개를 빼꼼히 내밀었다. 잠이 깨지 않아 눈이 반쯤 감긴 얼굴이었다. 문틈에서 따듯하게 데워진 술 냄새가 새어 나왔다.

"……벨 누르셨어요?"

"주무시는데 깨워서 죄송합니다."

"……누구세요? ……무슨 일로?"

"4층 사는 사람인데 지금 밖에 눈이 너무 많이 와서 현관문이 열리질 않아요. 힘을 합치면, 저도 그렇고, 이따가 출근하실 때 수월할 것 같아서요."

102호 남자가 슬리퍼를 챙겨 신고 밖으로 나왔다.

"와…… 눈이 정말 많이 왔네요. 근데…… 죄송하지만 다른 분께 도움을 청하시는 게 빠를 것 같습니다. 전 이제 출근할 일이 없거든요. 31일부로 그렇게 됐습니다."

102호 남자가 하품을 하며 말하는 동안 남자는 어떻게 반응해야 할지 몰라 잠자코 있었다. 상대의 이기적인 태도에 화가 나기도 하고 잠을 깨워서 미안하기도 하고 젊은 나이에 안됐다는 생각도 들었다.

"문을 연다고 해도…… 출근하기는 힘들 것 같은데요."

102호 남자가 거리를 쓱 훑어보더니 한마디 덧붙이고 집으로 들어갔다. 그 말을 무시하고 남자는 유리문을 몇 번 더 밀어 보았다. 문이 아니라 벽을 상대하는 것 같았다.

현관문 너머는 지나치게 고요했다. 평일 이 시간 빌라 앞은 출근하는 사람들로 북적거렸다. 이 길이 버스 정류장으로 가는 지름길인 데다 이 지역의 인구 밀도가 꽤 높기 때문이다. 그런데 지금 거리에는 아무도 없다. 비현실적인 두께의 눈 위에는 어떤 발자국이나 흔적도 남아 있지 않았다. 소리와 움직임이 사라져서 문밖은 정지된 화면처럼 보였다. 빌라 밖의 생명체가 모두 사라졌거나 생명 활동을 멈춰 버린 것 같았다. 바람이 불자 쌓여 있던 눈만 황량하게 흩날렸다.

그래도 남자는 시무식에 늦어 부장에게 한 소리 들을까 봐 조마조마했다. 입 김이 나오고 손가락이 곱을 정도로 추운데도 겨드랑이의 땀샘은 활발하게 활동했다. 남자는 회사 동료의 번호를 찾아서 눌렀다. 신호가 가는 동안 그가 다른 도시에 산다는 사실이 기억났고 그쪽 사정은 어떨지 궁금했다. 동료의 전화에서는 '지금은 통화 중이오니……'라는 기계음이 흘러나왔다. 다시 걸어도 마찬가지였다. 어디에 전화를 걸어야 하나. 남자는 119와 112 사이에서 고민하다가 민

원 신고 센터 번호를 생각해 내곤 재빨리 전화를 걸었다. 하지만 기억해 낸 보람도 없이 '현재 모든 상담원이 통화 중이오니……'라는 기계음만 들을 수 있었다. 남자는 휴대폰을 든 채 몸으로 계속 유리문을 들이받았다. 지각이 거의 확실시되자 남자는 이 사태가 이 지역의 특수한 상황이 아니라 상사가 납득할 수 있는 보편적이고 범지역적인 재앙이기를 진심으로 바랐다. 그가 움직임을 멈추자 주위가 다시 고요해졌다. 주머니 속에 든 휴대폰의 진동이 여진(餘震)처럼 느껴질 정도였다. 과장의 전화가 반가운 건 입사 이래 처음이었다.

"김 대리, 어, 나도 현관문 앞에서 발이 묶였어. 아파트라 야간 근무한 경비들이 몇 있긴 한데 그 사람들로는 어림도 없지. 연휴가 길었잖아. 암튼 상황을 좀 지켜보자고. 일단 출근은 무리인 것 같으니까…… 무슨 조치가 있겠지. 변동 사항이 있으면 연락이 갈 거니까……."

남자는 네네, 하며 경직돼 있던 얼굴을 풀었다. 땀에 푹 젖은 러닝셔츠와 와이셔츠가 비로소 불쾌하게 느껴졌다.

집에 들어가자 네 살배기 딸에게 밥을 먹이고 있던 아내가 놀라며 쳐다봤다.

"뭐 놓고 갔어?"

"아니, 눈이 너무 많이 와서 출근 못 할 것 같아."

아내는 숟가락을 내려놓고 창문부터 열었다. 옮긴 지 1년밖에 안 된 회사였다. 눈이 많이 왔다는 사실보다 출근을 못 하겠다는 말이 그녀를 더 불안하게 만드는 게 분명했다.

"회사 전체가 쉬는 거니까 걱정하지 마."

"세상에……."

창밖으로 고개를 내민 아내가 탄성인지 탄식인지 모를 소리를 내뱉었다. 남자도 옆에 서서 밖을 내다봤다. 하룻밤 사이에 거리의 색감이 완전히 달라져 있었다. 폭설은 땅 위의 것을 공평하고 동등하게 덮어 버렸다. 하얗게 빛나는 눈더미 속에 건물들의 하체가 고스란히 묻혀 있었다. 누군가 눈에다 전봇대와 가로수를 듬성듬성 꽂아 놓은 것 같았다. 1미터가 넘게 쌓인 눈은 밟으면 뽀드득 뽀드득 소리가 나는 보드라운 존재가 아니라 단단한 콘크리트 덩어리처럼 보였다. 그쳤던 눈이 다시 흩날리기 시작했다.

텔레비전 속은 평화로웠다. 예정돼 있던 광고가 이어졌고 녹화된 드라마의 타이틀이 차질 없이 올라갔다. 뉴스는 연휴 동안 있었던 사건 사고 소식을 간추려 전했다. 고속 도로에서 일어난 3중 추돌 사고와 A시의 한 공장에서 일어난 화재, 그리고 이 도시에 사상 최대의 폭설이 쏟아졌다는 소식이 이어졌다. 눈이 쌓여서 도로가 마비된 화면은 확보하지 못했는지 함박눈이 쏟아지는 모습만 몇 장면 등장했다. 눈이다! 화면 속의 눈을 보고 딸애는 환호성을 지르며 팔짝팔짝 뛰었다.

"저것 봐. 뉴스에도 나오잖아. 저래서 지금 출근을 못 한다니까. 눈 때문에 빌라 현관문이 안 열리면 말 다 한 거지."

수긍이 간다는 듯 아내도 고개를 끄덕거렸다.

남자는 원래 연휴가 하루 더 남아 있었던 것처럼 소파에 길게 드러누웠다. 한 일이 아무것도 없는데 배가 몹시 고팠고 피곤이 밀려왔다. 아이의 밥을 다 먹인 아내가 남자를 위해 밥을 새로 안쳤다.

다음 날 남자는 일어나자마자 공동 현관문으로 내려가 보았다. 다행인지 불행인지 눈의 높이는 어제와 비슷해 보였고 유리문은 밖으로 좀 더 밀렸다. 하지만 네다섯 살 된 애가 겨우 드나들 수 있을 정도의 틈이라 출근은 무리일 것 같았다. 남자는 유리문에 바짝 붙어서 밖을 내다봤다. 어둑한 거리, 불 꺼진 상점, 발자국 하나 없이 깨끗하지만 녹을 기미가 보이지 않는 완강한 눈 더미, 집 밖은 공동묘지처럼 음산했다. 남자는 손을 겨드랑이에 끼고 어깨를 웅크렸다. 변동 사항이 있으면 연락이 갈 거라고 했던 과장의 말이 떠올랐다. 출근을 하는 것과 하지 않는 것 중에서 어느 쪽이 변동 사항에 해당하는지 잠시 혼동이 됐다.

추운 겨울날 가족들이 한집에 옹기종기 모여 있는 장면은 따뜻해 보이지만 실상이나 속내까지 따뜻한 건 아니다. 연휴 동안에도 세 사람은 집 안에서만 뱅뱅 맴돌았다. 딸아이의 감기가 심해서 나들이나 여행을 떠날 수가 없었다. 저녁 외식을 하러 집 근처의 갈빗집에 간 게 유일한 외출이었다. 연휴 내내 남자는 텔레비전을 보거나 온라인 게임을 하면서 시간을 보냈다. 그러면 아내는 청소기를 돌린다 빨래를 넌다 하면서 종종거리며 움직였다. 게임하는 아빠 옆에 있어 봐야 재미없다는 걸 아는지 딸애는 엄마 뒤만 졸졸 따라다녔다. 그게 귀엽기도 하고 간만에 아빠 노릇 좀 하고 싶어서 장난을 걸면 딸애는 입을 삐죽거리다가 "아빠 싫어." 하고는 고개를 홱 돌려 버렸다. 아내가 집안일을 마치고 앉아서 쉬려고 하면 남자는 이상하게 배가 고팠다. 밥때여서 그런 건데도 남자는 자신의 시장기가 불법처럼 느껴졌다.

딸애의 감기 때문에 보일러는 하루 종일 작동 중이었다. 집 안의 온도는 필요 이상으로 높았다. 덥지 않다고 하면서도 아내의 얼굴은 붉었다. 딸아이가 다니는 어린이집은 크리스마스 전부터 방학이었다. 그때부터 아이와 지내면서 씨름해야 했던 아내는 남자의 휴일까지 길어지자 더운 한숨을 토해 냈다. 밥때가 가까워지면 아내는 손으로 부채질을 했다. 한 끼는 라면으로 때우는데도 아내의 얼굴은 점점 더 붉어지고 부채질 횟수는 늘어났다. 아내가 한숨을 쉬면 남자는 슬그머니 일어나서 베란다로 나갔다.

남자는 어쩐지 집이 자꾸 좁아지는 것 같았다. 소파에 앉아 있으면 천장이 내려오고 벽이 다가와서 나중에는 옴짝달싹도 할 수 없게 되었다. 컴퓨터가 있는 방으로 옮겨도 마찬가지였다. 사방이 밀폐 용기처럼 꽉 막혀 있었다. 남자와 아내, 딸애 세 사람은 밀폐 용기에 담긴 김치처럼 각자의 상태와 부피에 맞게 발효되고 부글부글 끓어올랐다. 밀폐 용기는 터지기 직전까지 팽창하다가 남자가 담배를 피우러 나가거나 아내가 전화로 누군가와 수다를 떨 때 한숨처럼 공기를 뱉어 내며 아슬아슬하게 모양을 유지했다. 집에 있는 시간이 길어질수록 남자는 사무실에 있는 자신의 자리가 그리워졌다. 자신의 진짜 자리는 거실 소파나 컴퓨터 앞 의자가 아니라 그 딱딱한 철제 책상과 흡연자들끼리 모여서 시시껄렁한 농담을 주고받던 비상구 계단인 것 같았다. 찬 바람이 들어온다고 아내가 잔소리를 했지만 남자는 자꾸 베란다에 나갔다.

담배를 입에 물고 불을 붙이는데 건너편 빌라의 현관문 앞에 사람의 모습이 보였다. 이틀 만에 처음 보는 외부인이었다. 검은 외투를 입은 여자는 빌라 안으로 들어가기 위해서 필사적으로 눈을 파헤치고 있었다. 여행에서 돌아왔는지 발치에 트렁크와 짐 가방이 놓여 있었다. 손이 얼고 힘이 빠지기 전에 문을 열기 위해서 여자는 안간힘을 썼다. 뚫어 놓은 구멍으로 팔을 집어넣어 손잡이를 당기려다 뜻대로 되지 않자 몸으로 밀고, 그마저도 여의치 않자 허둥대다가 눈 더미에 발이 걸려 넘어지기도 했다. 여자는 이따금 주위를 둘러보며 도움을 청할 만한 사람을 찾는 것 같았지만 거리에는 아무도 없었다. 혼자라는 걸 깨달은 여자는 체념하고 다시 눈 더미와 씨름했다. 담배를 다 피운 후에도 남자는 눈을 퍼내는 여자에게서 눈을 떼지 못했다. 그 모습은 생크림 케이크 위에서 허우적거리는 한 마리의 개미처럼 보였다.

"내 친구네 남편은 오늘 출근했다는데……. 당신도 나가 봐야 되는 거 아냐?"

저녁을 먹는 동안 아내가 한 말은 그것뿐이었다. 무심한 듯 눈을 내리깔고 있지만 얼굴에는 의혹과 불안, 원망 같은 게 서려 있었다. 출근하는 게 나았겠다고 생각했으면서도 아내의 말이 야속하게 들렸다. 하지만 남아 있는 저녁 시간의 평화를 위해 남자는 잠자코 있었다.

사상 최대의 폭설로 완전히 마비되었던 도로와 거리가 경찰과 군부대, 시민들의 도움으로 조금씩 숨통을 터 가고 있습니다.

헬기에 올라탄 기자가 도시 곳곳을 비추었다. 무릎까지 오는 장화와 안전모를 착용한 사람들이 삽을 들고 부지런히 눈을 퍼내고 있었다. 화면 속의 그들은 레고 병정 같았다.

빌라의 공동 현관문이 열려 있는 걸 보고 남자도 출근 준비를 마쳤다. 현관 앞에는 어른 한 사람이 눈을 퍼내면서 걸어간 흔적이 있었다. 몇 호의 누가 어떤 방법으로 문을 열고 나갔는지 궁금했지만 알아낼 길은 없었다.

남자는 심호흡을 한 다음 그 길을 따라 걸어갔다. 길은 얼마 가지 않아 끊어졌다. 대로변으로 나가려면 왼쪽으로 꺾어야 하는데 눈이 파인 길은 오른쪽으로 이어져 있었다. 남자는 막힌 길 앞에 서서 주위를 두리번거렸다. 쌓인 눈 때문에 도로와 인도도 구분할 수 없었다. 경찰과 군부대는 어디에서 제설 작업을 하고 있다는 건지 이곳은 여전히 눈이 점령하고 있었다. 방송에서는 도로 곳곳에 삽과 안전모를 비치해 두었다고 했지만 그마저도 찾을 수 없었다. 어쩔 수 없이 남자는 가죽 장갑을 낀 손으로 눈을 퍼내며 조금씩 앞으로 나갔다. 아무리 둘러봐도 사람 그림자조차 보이지 않았다. 도시가 멈춰 버리고 남자와 거대한 눈 더미만 남은 것 같았다. 사람들이 모두 사라져 버린 건 아니겠지. 남자는 엊그제 새벽에 본 재난 영화를 떠올리며 침을 꿀꺽 삼켰다. 며칠 동안 스스로의 무게에 눌려 있던 눈은 흙처럼 육중하고 단단했다. 가죽이 젖어서 장갑 안이 금세 축축해졌다.

눈 더미 속에서 제설함과 삽 한 자루가 나왔다. 근처를 다 팠는데도 안전모는 찾지 못했다. 시민들을 위해 준비한 거라고 하기에 삽은 너무 낡고 녹슬었다. 하지만 남자는 젖은 장갑 대신 삽을 쥐었다. 벌겋게 언 손이 욱신거렸다.

새해 첫 출근을 위해 차려입은 양복과 넥타이 때문에 남자의 동작은 굼떴다. 일할 때 그는 언제나 양복 차림이었다. 불편하다고 말하면서도 그는 양복을 즐겨 입었다. 어느새 양복은 가장 자주 입는 옷, 그에게 가장 잘 맞는 옷이 되었다. 재킷과 바지가 흉하게 구겨졌지만 남자는 양복바지를 양말 안에 쑤셔 넣거나 재킷 소매를 마구 걷어붙이지는 않았다. 작업이 힘들지만 이 눈을 헤치고 회사에 출근하면 얘깃거리도 생기고 남자에 대한 상사들의 인식도 바뀔 거라고 생각하며 참았다. 한 삽을 퍼내면 한 발짝 앞으로 나갈 수 있다는 점에서 지루하지만 정직한 작업이기도 했다. 세상에 혼자 남아 전설이 된 영화 속 주인공을 떠올리면서 남자는 눈을 퍼냈다.

평소 걸음으로 10분이면 왔을 곳을 한 시간이 지나서야 도착했다. 익숙하지 않은 노동에 남자는 금세 지쳤다. 집에서 회사까지는 대중교통으로 한 시간 남짓 걸리는 거리였다. 이런 속도로 언제쯤 회사에 도착할 수 있을지 가늠하기도 어려웠다. 몸을 움직이면서 흘린 땀 때문에 셔츠가, 허리까지 쌓인 눈 때문에 구두와 바지, 속옷이 다 젖었다. 남자의 삽은 점점 느려졌고 눈이 쌓인 길은 끝이 없어 보였다. 삽을 쥐었던 손바닥엔 어느새 물집이 잡혔다. 고개를 돌리자 그가 파고 온 길이 삐뚤빼뚤 이어져 있었다. 앞이 아니라 지그재그로 가고 있는 것처럼 보였다. 바람이 불 때마다 삽으로 퍼낸 눈 뭉치들이 원래의 자리로 굴러떨어졌다.

아득히 먼 곳에서 포클레인 같은 기계음이 들려왔다. 남자는 삽질을 멈추고 주위를 둘러보았다. 하지만 여전히 아무도, 아무것도 보이지 않았다. 귀를 기울이면 그 소리는 기계음이 아니라 먼 데서 불어오는 바람 소리 같기도 했다. 그래도 남자는 그게 도로 위의 눈을 치우는 기계 소리라고 믿고 싶어졌다. 도시의 제설 작업은 멈추지 않았고 이곳의 눈을 치우기 위해 돌진 중이다, 하루 이틀쯤 집에서 버티다 보면 분명히 길이 뚫릴 것이다, 언제 눈이 내린 적이 있었냐는 듯 도로 위로 차들이 달리고 교통 체증에 시달리게 될 것이다, 그렇게 믿는 편이 이 눈을 헤치면서 출근하는 것보다 쉬울 것 같았다. 어차피 지금은 공장이나 거래처도 다 쉬고 있어서 출근해 봐야 할 일도 없을 텐데, 이렇게까지 하면서 갈 필요가 있을까. 남자는 슬그머니 삽을 내려 놓았다. 출근하고야 말겠다던 야심 찬 계획은 어느새 흐물흐물 녹아내리고 말았다.

전화벨은 기막힌 타이밍에 울렸다. 발신 번호를 확인한 남자가 인상을 확 구겼다.

"네, 부장님, 새해 복 많이 받으십시오. 제가 먼저 안부 전화 드렸어야 하는데 죄송합니다."

"김 대리, 내가 지금 그런 인사 받자고 전화했는지 알아? 너 지금 어디야? 우리 사업부에서 너만 출근 안 했어."

"네? ……아, 지금 가는 중입니다. 눈 때문에 현관문이 안 열려서……."

"야, 너 사는 데만 눈 왔냐? 지금 세상천지가 눈이야. 이 새끼가 빠져 가지고. 며칠 시간을 줬으면 미리미리 눈도 치워 놓고 출근 준비를 해야 될 거 아니야. 넌 그러니까 안 되는 거야. 새끼가 눈치도 없지, 근성도 없지, 네 나이에 대리 달고 있는 거 쪽팔리지도 않냐? 새해부터는 잘해 보겠다며. 이 새끼는 맨날 술 마실 때만 열심히 한다 그러지. 회사가 우습냐? 먹고사는 게 우스워?"

부장은 속사포처럼 퍼부어 댔다. 아닙니다, 무섭습니다……라는 말 대신 남자의 입에서 흘러나온 건 거의 다 왔으며 무조건 빨리 가겠다는 거짓말이었다. 삽으로 눈이 아니라 머릿속을 퍼낸 것처럼 정신이 없었다. 전화를 끊고 나서 남자는 시간을 확인했다. 부장이 제시한 데드라인까지는 두 시간 정도 남아 있었다. 허리까지 쌓인 눈을 마주했을 때보다 더 막막해졌다. 남자는 양복바지를 양말 안에 쑤셔 넣고 재킷의 소매를 아무렇게나 걷어붙였다. 사람들이 보이지 않은 건 그들이 사라졌기 때문이 아니라 지난밤에 출근을 시작했기 때문이었다. 빌라의 현관문이 열려 있었던 것도 밤새 누군가가 근성을 갖고 밀어붙인 결과였다. 남자는 자신의 안일함과 무능력함을 자책하며 삽을 들었다.

눈을 부드러운 솜사탕이나 포근한 솜이불에 비유하는 건 눈에 대해 잘 모르기 때문이다. 언 눈 속에서 삽질을 몇 번만 해 보면 그동안 눈의 낭만적인 표면에 대해서만 알고 있었다는 걸 깨닫게 된다. 얼어붙은 눈은 유리 조각처럼 날카롭고 위험하다. 부딪히거나 긁히기만 해도 바로 피가 맺힌다. 손등에 난 피를 혀로 핥고 나서 남자는 발로 삽을 꾹 눌렀다. 군 복무 시절 무릎까지 쌓인 눈을 치울 때도 지금보다는 수월했다. 그 눈은 물에 젖은 모래처럼 무겁긴 했어도 남자의 앞길을 막거나 목을 조르지는 않았다. 폭설이 이 도시가 아니라 남자의 인생에 쏟아져 내린 것 같았다. 팔다리에 힘이 빠질수록 남자는 한 마리의 두더지가 되고 싶었다.

"김 대리, 지금 어디야? ……아직 거기밖에 못 왔어? 나도 혹시나 해서 와 봤더니 상황이 이렇더라고. 안 왔으면 좆될 뻔했지. 지금 누구랑 오고 있어?"

혼자라고 하자 과장이 한숨을 크게 내쉬었다.

"이런 비상사태에 혼자서 움직이면 어떡해. 비상 연락망은 폼으로 줬는지 알아? 이럴 때 쓰라고 준 거 아냐. 왜 그렇게 융통성이 없어. 사람들이 어떻게 제시간에 출근했을까 생각을 좀 해 봐. 이틀 동안 개인적으로 판 다음에 가까이 사는 동료들끼리 만나서 같이 뚫고 온 거 아냐. 그게 사회생활이고 회사 생활이잖아. 혼자 할 일이 있고 협력해서 해야 할 일이 있고, 그 정도는 말 안 해도 알아서 해야지. ……암튼 서둘러 오라고. 다들 기다리고 있으니까."

사업부 전체에서 출근하지 않은 사람은 남자와 제2사업부의 유 대리 두 사람뿐이라고 했다.

"유 대리야 평소에 점수 따 놓은 것도 있고 그쪽 부장이 무르니까 내일까지는 괜찮을 거 같은데, 알잖아, 이쪽은 지랄 같은 거. 거기다 넌 찍힌 몸 아니냐. 오기만 하면 갈아 마실 거라고 벼르고 있어. 부장 그 새끼 지기 싫어하는 거 모르냐? 아직도 그런 게 파악이 안 돼?"

출근은 했지만 할 일이 없는 과장은 잔소리를 길게 늘어놓았다.

"내가 누누이 말하잖아, 사회생활의 99퍼센트가 인간관계라고. 눈치도 좀 보고 고개도 좀 숙이고 비위도 맞춰 가면서, 응? 더럽고 치사해도 말이야. 솔직히 우리가 회사 생활 아름다워서 하는 건 아니잖냐."

땀이 마르면서 남자의 몸은 차갑게 식어 갔다. 어쩔 수 없이 남자는 한 손으로는 휴대폰을 쥐고 한 손으로 어설프게 삽질을 했다. 불행 중 다행이라면 유 대리의 집이 남자의 집과 회사의 중간쯤에 있다는 점뿐이었다.

유 대리가 출근하지 않은 건 좀 의외였다. 그는 제2사업부의 유력한 과장 후보였다. 초고속이라고 할 순 없지만 만년 대리, 만년 과장이 많은 회사의 분위기를 볼 때 확실히 빠른 승진이었다. 일밖에 모르는 타입이라 인간관계가 좋은 건 아니지만 평판이 나쁜 편도 아니었다. 남자는 유 대리가 사무실에 남아 야근하는 걸 여러 번 보았다. 컴퓨터 앞에서 모니터를 들여다보고 있는 유 대리의 옆모습은 움직임이 없어서 컴퓨터 책상과 한 세트 같았다. 저녁 먹고 대충 시간 때우다가 퇴근하는 인간들하고는 질적으로 달랐다.

점심시간이 지나서 남자의 눈앞에 나타난 것은 회사 건물이 아니라 눈을 열심히 파내고 있는 다른 삽이었다. 그건 남자의 삽보다 크고 견고해 보였다. 초록색 삽은 쉬지 않고 눈을 퍼냈다. 남자가 파 놓은 길에 다다라서야 상대는 고개를 들고 숨을 몰아쉬었다. 20대 후반이나 30대 초반으로 보이는 젊은 남자였다. 아웃도어 브랜드의 이름과 로고가 새겨진 기능성 재킷으로 무장하고 있어서 에베레스트산에 던져 놓아도 끄떡없을 것 같았다. 그가 쓴 고글 위로 햇빛이 반짝거렸다. 남자는 젖었다가 마르기를 반복한 주름진 양복이 부끄러웠지만, 눈으로 뒤덮인 허허벌판에서 누군가를 만났다는 사실이 반가워서 어색하게 눈인사를 건넸다.

"출근하는 길이신가 봐요."

젊은 남자가 땀을 닦으면서 먼저 입을 열었다.

"네, 회사에서는 빨리 안 온다고 난리가 났는데 몸이 안 따라 주네요."

"저랑 비슷하시네요. 천재지변인데 출근해야 되냐고 물었다가 팀장한테 엄청 깨졌거든요. 삽자루 들고 이게 뭐 하는 짓인지 모르겠습니다."

젊은 남자는 생수를 한 모금 마시고 남자는 담배를 한 대 피워 물었다. 두 사람은 상대적인 빈곤감을 느끼게 했던 황금연휴와 기상청도 감지하지 못한 폭설에 대해 몇 마디 나눴다. 세상이 점점 더 팍팍해지고 사는 게 녹록지 않다는 이야기도 했다.

"월급은 그대론데 물가는 자꾸 오르지, 일할 수 있는 건 몇 년 안 되는데 평균 수명은 길어지지, 병원비는 계속 오르지, 범죄는 늘어나지, 툭하면 이상 기후에……."

랩처럼 이어지는 상대의 불평을 들으며 남자는 고개를 끄덕거렸다. 모르는 사람과 사심 없이 대화를 나누는 게 얼마 만인가 생각했고 뜻밖에도 말이 잘 통한다는 것에 위안을 받았다. 이야기는 단박에 열기를 띠었다.

"맞아요. 사는 게 전쟁입니다. 위에서 누르지 밑에서 치고 올라오지 옆에서 밀지, 버티고 서 있는 것도 힘들어 죽겠는데 폭설까지 내려서 출근이 이렇게 힘들어질지 누가 알았겠습니까. 이래 가지고 오늘 안에 출근할 수 있을지 모르겠어요."

"제가요, 이런 개고생 안 하려고 학교 다닐 때 기를 쓰고 공부하고 발버둥 쳐서 대기업에 들어온 거거든요. 근데 달라진 게 별로 없는 것 같아요. 한마디로 인생에 여유라는 게 없습니다. ……그때 A그룹으로 갈 걸 그랬어요. 그쪽은 오늘 출근 안 하거든요. 그런 게 진짜 대기업이죠."

대기업이라는 말에 따뜻하게 배어 있던 땀이 급격하게 식어 갔다. 남자가 부끄러워해야 할 것은 녹슨 삽이나 구겨진 양복 따위가 아니었다.

"이것도 인연인데, 근처 오면 전화 주세요. 술 한잔하죠. 말도 잘 통하고 처지도 비슷한 것 같은데."

남자는 상대가 건네는 명함을 받아 들었다. 익숙한 대기업의 로고가 선명하게 찍혀 있었다. 남자는 명함이 다 떨어졌다고 얼버무린 다음 서둘러 삽을 잡았다. 말은 잘 통하는지 모르겠지만 처지가 비슷하지 않아서 마음이 냉랭해졌다. 고글을 쓴 젊은 남자는 왼편으로 멀어져 갔다. 뒷모습이 스키장에서 보드를 타는 사람 같았다. 그새 눈이 두 배쯤 단단하고 무거워진 기분이었다.

옆으로 누운 음식물 쓰레기 수거함과 주차 금지 입간판 같은 것들이 눈 속에서 나왔다. 삽 끝에 뭔가 걸릴 때마다 남자의 입에서는 욕이 튀어나왔다. 출근길의 방해물은 눈 더미만으로도 충분했다. 몇 번 더 통화를 시도했지만 유 대리는 전화를 받지 않았다. 신호음이 지루하게 이어졌다.

여름에도 폭우 때문에 도시 전체가 마비될 정도로 큰 물난리가 났었다. 도로가 물에 잠기고 지하철 일부 노선의 운행이 중단돼서 출근길이 몹시 혼잡했다. 한 시간 늦은 사람부터 점심때 출근한 사람까지, 제시간에 출근 카드를 찍은 사람이 거의 없었다. 속옷까지 다 젖을 정도로 뛰었는데도 남자는 11시에 도착했다. 회사 전체에서 출근 시간을 정확하게 지킨 사람은 유 대리뿐이라는 소문이 돌았다.

"시간 맞춰 온 게 아니라 전날 밤 회사에서 잤대. 비 오는 거 보니까 출근 못 할 것 같아서 아예 퇴근을 안 했다는 거야."

박 대리가 담배를 꺼내 물었다.

"역시 유 대리네."

구 대리는 말끝에 감탄인지 야유인지 애매한 추임새를 넣었다.

"근데 말이다, 제시간에 출근하는 게 그렇게 중요한 거냐?"

남자가 투덜거리자 박 대리가 손에 든 종이컵을 우악스럽게 구겨 버렸다.

"그래서 너보고 김새는 김 대리라고 하는 거야. 저쪽은 유능한 유 대리고."

그 말에 구 대리가 한숨을 내뱉듯 웃었다. 박 터지는 박 대리와 구박받는 구 대리의 말이라 남자도 그냥 웃어넘겼다.

그렇게 열성적이던 유 대리가, 출근에 목숨 거는 사람이 아직 출근을 하지 않았다는 게 믿어지지 않았다. 하지만 속사정이야 어떻든 남자의 입장에서는 같이 출근할 동료가 남아 있다는 게 다행스러운 일이었다. 유 대리를 만나야 출근이 수월해질 텐데. 전화를 계속 안 받는 걸 보면 유 대리도 출근하기 위해서 눈을 퍼내고 있을 가능성이 컸다. 유 대리가 먼저 회사에 도착할까 봐 남자는 마음이 급해졌다.

시내 쪽으로 나오자 눈을 퍼내면서 움직이는 사람들이 하나둘 눈에 띄었다. 유 대리가 사는 오피스텔은 남자가 있는 곳에서 그리 멀지 않았다. 지난봄에 대리들 몇이 거기 몰려가서 새벽까지 술을 마셨다. 지은 지 얼마 안 된 오피스텔은 깨끗하고 인테리어가 고급스러웠다. 이런 건 얼마냐? 실평수는 어떻게 돼? 집을 둘러보며 다들 질문을 던졌다. 이런 데서 혼자 살았으면 좋겠다. 남자는 술에 취해서 중얼거렸다. 그때도 유 대리는 빈 병이 늘어날 때마다 출근 걱정을 해서 사람들의 빈축을 샀다.

중심가라 그런지 주상 복합 오피스텔의 입구는 말끔하게 치워져 있었다. 남자는 출입문 앞에서 호수를 누르고 유 대리가 대답하기를 기다렸다. 하지만 뚜우, 뚜우 신호만 갈 뿐 응답이 없었다. 집에 있을 리가 없지. 남자는 유 대리가 멀리 가지 않았기를 간절히 바랐다. 담배도 한 대 피울 겸 통화 버튼을 여러 번 눌렀지만 유 대리는 전화를 받지 않았다.

'빨리 안 오고 뭐 해.' 과장의 문자가 도착했다. 어느새 2시였다. 남자는 삽을 쥐고 기계적으로 움직였다. 눈을 치우는 속도가 점점 빨라졌다. 하지만 그만큼 빨리 지쳤다. 눈 속에 앉아서 쉬고 있으면 드러누워서 눈을 붙이고 싶은 마음이 간절해졌다. 그 순간에는 눈이 딱딱하고 차갑게 느껴지지 않고 그저 공원에 있는 나무 벤치 같았다. 심지어 솜이불처럼 포근하게 느껴져서 안으로 한없이 파고들어 가고 싶어지기까지 했다. 남자는 쭈그리고 앉아서 꾸벅꾸벅 졸다가 한기 때문에 경기하듯 깨어났다.

남자의 삽 끝에 폐지 묶음이 걸렸다. 얼어붙은 종이 뭉치는 돌덩이처럼 무거웠다. 삽으로 떠내는데 그 사이에 들어 있던 중국집 스티커가 남자의 구두 위에 툭 떨어졌다. 손바닥만 한 광고지에는 짜장면과 짬뽕, 볶음밥 사진이 인쇄되어 있었다. 하얀 눈 위에서 그 까맣고 빨간 색상은 너무나 선명했다. 남자는 자신이 아침 점심도 거른 채 삽질을 했다는 걸 깨달았다. 머릿속에서 짜장면과 짬뽕의 냄새가 천천히 피어올랐다. 그건 아주 먼 옛날에 먹었던 것처럼 아득하고 그리운 맛이었다. 입안에 따뜻한 침이 고였다. 짜장면 곱빼기 한 그릇만 먹고 나면 회사까지 갈 힘이 생길 것 같았다. 다 먹고살자고 하는 일 아닌가. 남자는 홀린 듯 휴대폰을 꺼냈다.

배달이 될까 의심하면서도 밑져야 본전이라는 심정으로 번호를 눌렀다. 신호가 가는 소리가 길어지자 절대로 전화를 받을 리가 없다는 확신이 들었다. 그가 전화를 하는 건 짜장면을 먹을 수 없다는 걸 확인하기 위해서인 것 같았다. 그래서 "여보세요."라는 굵직한 목소리가 튀어나왔을 때 남자는 당황해서 아무 말도 하지 못했다. "여보세요." 상대가 한 번 더 말한 뒤에야 "거기가 중국집 맞습니까?" 하고 물었다.

"네, 진성각입니다."

"혹시, 지금 배달이 됩니까?"

"주소가 어떻게 되세요?"

중국집 주인은 도시가 눈으로 덮여 버렸다는 걸 모르는 것처럼 태연하게 물었다. 여기 주소가…… 남자는 주변을 둘러봤다.

"가정집이 아니라 대로변인데 가능하겠습니까? ……근처에 ○○병원하고 부동산이 있습니다."

"아, 거기요. 예, 배달됩니다. 짜장 곱빼기 하나요? 네, 알겠습니다."

전화를 끊은 뒤에도 남자는 한동안 멍하게 서 있었다. 배 속에서 나는 꼬르륵 소리가 요란했다. 통화하면서 나눈 말들은 모두 장난이고 배고픔만 진짜인 것 같았다. 배달을 기다리는 동안 시간은 흐르지 않고 어깨 위에 차곡차곡 쌓였다. 이대로라면 무게를 견디지 못하고 어깨가 뚝 부러져 버릴 것 같았다.

남자는 주위를 두리번거렸다. 차가 사라지고 상가들이 문을 닫은 도시는 고요했다. 어디에서도 짜장면을 싣고 오는 오토바이 소리는 들리지 않았다. 짜장면이 정말 올까. 휴대폰을 꺼내서 시간이 얼마나 흘렀는지 확인했다. 눈 때문에 출근도 못 하는데 배달이 될 리가 없지. 남자는 눈을 한 주먹 떠서 입에 쑤셔 넣었다가 도로 뱉었다. 가만히 서서 기다리고 있는 자신이 미친놈 같았다.

그때 오른쪽 골목 끝에서 안전모를 쓴 사람이 나타났다. 그 사람은 빠른 속도로 눈을 퍼내면서 걸어왔다. 그 사람이 삽으로 퍼내는 것은 언 눈이 아니라 가볍고 보드라운 밀가루인 것 같았다. 노를 젓는 것처럼 몸의 움직임이 유연하고 리

듬감이 넘쳤다. 덕분에 남자와의 거리는 금세 가까워졌다. 안전모에는 '신속 배달'이라고 쓰여 있었다. 안전모를 쓴 배달원이 남자를 보곤 오른팔을 번쩍 들었다. 거짓말 같은 상황에 남자는 눈만 껌벅거렸다. 안전모에 쓰인 문구 그대로 신속하고 정확한 배달이었다.

철가방을 내려놓고 안전모를 벗은 배달원은 뜻밖에도 머리가 희끗희끗한 중년이었다. 눈 속을 뚫고 오느라 어깨와 신발이 눈투성이였다.

"먹고 그릇은 그냥 버리시면 됩니다."

"대단하시네요. 이런 날까지 배달을 하시고……."

"눈이 와도 먹고는 살아야죠."

배달원은 그릇을 건네자마자 다시 안전모를 쓰고는 바쁘게 걸어갔다. 짜장면 위에 쿠폰 한 장이 단정하게 놓여 있었다.

손이 얼어서 젓가락은 짝짝이로 쪼개졌다. 짜장의 고소한 냄새와 일회용 용기의 따뜻함은 너무 생생해서 오히려 비현실적이었다. 젓가락을 쥐고 짜장면을 비비면서 남자는 코를 훌쩍거렸다. 엉거주춤하게 서서 짜장면을 먹는 동안 남자는 세상이 자신을 상대로 몰래카메라를 찍고 있는 게 아닌가 의심했다. 자신처럼 보잘것없는 사람에게 관심이 있어서가 아니라 별 볼 일 없는 사람이 다급한 상황에 처했을 때 보여 줄 법한 우스꽝스러운 행동을 즐기기 위해서. 정말 그런 거라면 남자는 지금 자신이 그들의 기대에 충분히 부합하고 있다고 생각했다. 줄줄 흐르는 콧물을 손등으로 닦으면서 젓가락질을 했고 그릇까지 먹어 치울 기세로 허겁지겁하다 젓가락을 한 짝 떨어뜨리기까지 했으니까. 그걸 찾으려고 눈 속을 파헤쳤지만 결국 찾지 못하고 남은 짜장면은 젓가락 한 짝으로 긁어 먹었다. 그래도 양념까지 깨끗하게 비웠다. 부끄러움이나 자괴감 같은 걸 느낄 겨를도 없었다.

회사까지의 거리는 이제 3분의 1쯤 남아 있었다. 남자는 과장의 문자와 부장의 전화를 한 번씩 씹었다. 그것과는 전혀 다른 이유로 아내의 전화도 받지 않았다. 남자는 그저 파고 걸었다. 쉴 때는 허리를 펴고 목을 좌우로 돌리면서 거리를 천천히 둘러보았다. 전화는 씹었지만 누군가와 이야기를 나누고 싶은 마음은 어느 때보다 간절했다.

맞은편에 불 꺼진 편의점이 있었다. 편의점 간판을 보자 온장고에 든 따뜻한 캔 커피가 마시고 싶어졌다. 얼마 전까지 일상이었던 것들이 지금은 손이 닿지 않는 저 눈 밑에 파묻혀 버렸다. 누가 만들어 놓았는지 편의점 앞에는 남자의 키만 한 눈사람이 서 있었다. 동그란 눈과 웃는 입 모양을 한 눈사람이었다. 그 웃는 얼굴을 보고 남자는 잠시 멈춰 섰다. 눈이 재앙이 되고 눈 때문에 일상이 무너진 곳에 서 있는, 웃는 얼굴의 눈사람은 김새는 농담 같았다. 남자는 자신도 모르게 그 입 모양을 흉내 냈다. 말라붙어 있던 입술이 툭 터져서 피가 찔끔 새어 나왔다.

한참 속도를 내고 있는데 삽 끝에 딱딱한 게 또 걸렸다. 시간은 촉박하고 마음은 급한데 발로 눌러도 삽날이 더 이상 들어가지 않았다. 남자는 1미터쯤 떨어진 곳에 다시 삽을 꽂았다. 한 삽 떠내고 나자 또 삽이 들어가지 않았다. 생활 정보지함이나 자전거가 쓰러진 게 아니라 공룡이라도 묻혀 있는 것 같았다. 하는 수 없이 방향을 옆으로 틀어서 팠다. 그때 어디선가 메아리처럼 음악 소리가 들려왔다. 가느다란 목소리의 여자가 부르는 곡인데 멜로디가 익숙했다. 남자는 잠시 손을 멈추고 그 소리에 귀를 기울였다. 비록 벨소리이긴 하지만 그날 처음으로 듣는 음악이었다. 주머니 속에서 휴대폰의 진동이 울렸지만 남자는 무시해 버렸다. 음악 소리는 멈추었다가 눈을 퍼내자 다시 시작되었다. 아까와 같은 멜로디였고 눈을 퍼낼수록 소리가 점점 커졌다. 남자는 길이 아니라 소리를 찾아서 삽을 움직였다. 손으로 눈을 쓸어 낸 뒤에야 소리의 진원지를 찾아낼 수 있었다. 그것은 눈 속에 파묻힌 누군가의 휴대폰이었고 공교롭게도 빳빳하게 언 양복바지 안에 들어 있었다.

남자는 무릎을 꿇고 앉아서 삽과 손으로 눈을 파냈다. 판박이 스티커를 천천히 벗겨 낼 때처럼 눈 속에서 검은색 구두와 발, 모직으로 된 양복바지가 차례대로 모습을 드러냈다. 남자는 코를 훌쩍거리면서 언 손으로 조심스럽게 눈을 파헤쳤다. 입에서는 입김이 쉴 새 없이 쏟아져 나왔다. 양복 차림의 사람은 눈의 중간쯤에 화석처럼 묻혀 있었다. 양복 재킷과 와이셔츠는 주름을 그대로 간직한 채 얼어붙었고 검붉은색의 실크 넥타이는 오래전에 흘린 피처럼 굳어 있었다. 양손 다 눈을 그러쥐고 있어서 손가락은 보이지 않았다. 전체적으로 몸을 둥글게 말고 있는 모습이지만 상반신의 일부는 아직도 눈 속에 묻혀 있었다. 쌓인 눈의 두께로 봐서는 그가 쓰러진 뒤에도 눈이 계속 내렸다는 걸 알 수 있었다.

해가 빠르게 기울고 있었다. 몸은 추운데 남자의 얼굴은 땀범벅이 되었다. 흘러내리는 땀을 닦으며 남자는 조심스럽게 눈을 치웠다. 고대 유물을 발굴하는 고고학자처럼 손이 떨렸다. 눈을 쓸어 내자 어깨와 목, 안경을 쓴 얼굴이 차례로 나타났다. 혹시라도 맥박이 뛰는지 확인하려던 남자가 바닥에 그대로 주저앉았다. 눈 속에서 화석이 된 사람은 집에도 없고 전화도 받지 않던 유 대리였다. 이봐. 남자는 유 대리의 몸을 흔들었다. 턱에서 땀이 툭 떨어졌다. 일어나. 휴대폰에서 다시 익숙한 멜로디의 노래가 흘러나왔다. 이봐! 유 대리를 부르는 남자의 목소리가 떨렸다. 유 대리의 전화기를 주워 귀에 댔지만 남자는 아무 말도 하지 못했다. 여기, 눈 속에, 유 대리가 있어요. 하지만 그 말은 입 밖으로 나오지 않고 남자의 입안에서 딱딱하게 굳었다.

해가 기울고 주위는 어느새 어둑어둑해졌다. 이대로 한 시간 정도만 파고 가면 회사에 도착할 수 있을 것 같은데. 남자는 회사 쪽을 쳐다보았다. 그리고 자신이 파고 온 길을 돌아보았다. 앞으로 나아가기에도 다시 돌아가기에도 만만치 않은 거리였다. 게다가 남자는 너무 지쳐 있었다. 그는 유 대리의 옆에 쪼그리고 앉아서 숨을 골랐다. 졸음이 밀려왔지만 졸지 않으려고 눈을 부릅떴다. 눈 더미는 딱딱하거나 차갑게 느껴지지 않고 그저 공원에 있는 나무 벤치 같았다. 시야가 구겨진 종이처럼 뭉개지고 있었다.

(2011년)

서유미, 《당분간 인간》(창비, 2012)

고양이가 기른 다람쥐

이상권

이상권(1964~)

한양대학교 국문학과를 졸업하고 계간 〈창작과 비평〉에 〈눈물 한 번 씻고 세상을 보니〉라는 소설을 발표하면서 작가가 되었다. 〈고양이가 기른 다람쥐〉를 비롯 《아름다운 수탉》과 《새를 보면 나도 날고 싶어》(새 박사 원병오 이야기)는 교과서에 수록되었다. 지은 책으로 《개 재판》《숲은 그렇게 대답했다》《서울 사는 외계인들》등이 있다. 〈고양이가 기른 다람쥐〉는 다람쥐에 대한 애정 때문에 먹이를 구해 주지만 도리어 다람쥐의 야생 본능을 빼앗고 만 이야기이다. 이를 통해 동식물의 생존이 곧 사람의 생존임을 강조하며, 생태 문제를 다시 돌아보게 한다.

•

　　•

1996년 12월 13일.

그날은 어머니의 생신이었다. 우리 5남매 중에서 어머니 생신이라고 내려온 사람은 우리 식구뿐이었다. 아내와 딸, 그리고 나.

12월이라지만 고향은 따뜻했다. 양지바른 길가에는 냉이꽃이 하얗게 피었다. 그만큼 남쪽의 겨울은 따뜻했다. 다른 지방에서라면 봄에나 피는 꽃이 겨울에 필 정도로.

집 뒤란에는 감나무들이 빨간 감을 주렁주렁 매달고 있다. 어린 시절 내내 내 입맛을 달래 주던 감이다. 하지만 이제 아무도 감을 따지 않는다. 돌아가신 우리 할아버지보다 나이가 많은 감나무도 여러 그루다. 그런 나무에도 서너 가마니 이상은 딸 만큼 감이 열려 있다.

나는 딸을 데리고 감나무 밑으로 가다가 걸음을 멈춘다. 뭔가 감나무 위로 올라간다. 밤색 줄무늬가 또렷한 놈이다.

'아니, 아직까지도 겨울잠에 들지 않았단 말인가?'

아무리 겨울이 따뜻하다고 해도 믿어지지 않는다. 하지만 이렇게 겨울이 봄날 같다면 동물들이 겨울잠 자는 일도 없어지리라.

다람쥐는 빨간 감을 따서 입에 물고는 내려온다. 능숙한 솜씨다. 제 머리통보다 큰 감이건만 무겁지도 않은 모양이다. 다람쥐는 장독대 옆으로 해서 부엌 옆에 달린 보일러실로 들어간다.

나는 어머니에게 다람쥐가 보일러실에서 사는 모양이라고 속삭인다.

어머니는 알고 있다는 표정으로 헛기침을 하신다.

"허허, 그 녀석도 내 생일을 아는 모양이구먼. 나한테 선물 주려고 그러는 모양이다."

"아니, 다람쥐가 어머니 생신을 알아요? 무슨 말씀인지 저는……."

아내는 농담도 잘하신다는 표정으로 웃는다.

"사실이야. 두고 봐라. 그 녀석이 감을 들고 올 테니까."

다람쥐에게 '그 녀석'이라고 말하는 품이 정겹게 느껴진다. 어머니는 다정한 눈빛으로 다람쥐를 내려다보고는 다람쥐에 대한 이야기를 들려주신다.

자식 같은 동물

맨 처음 다람쥐가 나타난 것은 1994년 3월이다.

어머니는 마당에서 씨고구마[1]를 고르고 있었다. 추위에 약한 고구마는 조금만 찬 바람을 맞아도 얼어서 썩어 버린다. 물론 따뜻한 방에다 보관하지만 봄이 되면 썩은 게 절반이다.

환갑을 넘긴 어머니는 점점 농사를 줄이는 중이지만, 자식들에게 부쳐 줄 농사는 최소한으로 지으신다. 고구마, 감자, 고추, 콩, 팥, 쌀농사 따위다. 쌀농사야 기계로 한다지만, 밭농사는 모두 손으로 해야 한다. 고구마를 좋아하는 자식은 둘째인 나다. 어머니는 나 때문에 해마다 고구마 농사를 짓는다.

그날따라 어머니는 내 생각으로 눈을 감고 있었다. 그런데 뭔가 발등을 타고 넘어갔다. 눈을 떠 보니 아주 귀여운 다람쥐다. 숱하게 보아 온 동물이지만 그날은 특별하게 보였다.

사람이 나이 들면 동물을 좋아한다는 말이 있다. 자연과 가까워진다는 뜻이다. 자연과 가깝다는 말은 죽을 날이 가까워졌다는 뜻도 된다.

아무튼 평소에는 거들떠보지도 않던 동물이지만 어머니는 다람쥐를 유심히

---

1 씨고구마 씨앗으로 쓸 고구마.

바라다보았다. 겨울잠에서 깬 후 충분히 먹지 못했는지 여위어 보였다. 하긴, 아직은 다람쥐들이 배고픈 계절이다.

"옜다, 이거 먹으렴."

어머니는 고구마 한 개를 반으로 쪼개서 던져 주었다. 다람쥐가 어머니 눈치를 살폈다. 어머니가 웃어 주었다.

"괜찮다, 어서 먹으렴. 나는 너를 잡을 만큼 빠르지도 않단다. 너를 잡아서 키울 만큼 부지런하지도 않고, 너를 잡아서 팔 만큼 욕심도 없단다. 그러니까 안심하고 먹으렴."

어머니는 다람쥐가 사람 말을 알아듣는다고 생각했다. 그것은 어머니의 어머니가 가르쳐 준 진리였다. 사람하고 가깝게 살아가는 동물 앞에서는 말을 함부로 하지 말라고.

"특히 집에서 기르는 짐승들은 사람 말을 알아들어. 소도 알아듣고, 돼지, 개, 닭, 염소도……. 쥐는 사람이 기르지는 않지만 사람과 같이 살지. 그래서 쥐도 사람 말을 알아듣는단다."

어머니는 우리에게도 그런 말을 자주 하셨다.

과연 다람쥐는 어머니의 말을 알아들었다. 어머니가 옆에 가도 도망치지 않았다.

하루 이틀 날이 가고, 어머니는 그날 일을 까마득히 잊어버렸다.

한 달쯤 지났을까. 어머니가 씨감자를 고르고 있을 때 그 다람쥐가 다시 나타났다.

"오냐, 너로구나. 그래, 잘 왔다. 배고플 텐데, 자 먹으렴. 이제 조금만 참으면 배고픈 계절은 지나간단다. 그러니까 부지런히 일해서 식량을 모아 둬야지. 그래야 겨울부터 봄까지 굶주리지 않거든. 다람쥐는 개미보다 더 부지런하다고 들었는데, 안 그러니? 식량 창고를 수십 개나 만들어 둔다던데. 괜찮다. 올해부터

부지런히 일하면 되니까."

어머니는 하도 반가워서 은연중에 다람쥐를 쓰다듬었다. 그러다가 어머니는 놀라 일어섰다. 아무리 작은 동물이라고 해도 그놈은 야생 다람쥐가 아닌가. 잘못 건드리다가는 물릴 수도 있다. 다람쥐는 이빨 독이 있는지라 물리면 잘 낫지도 않는데……

하지만 다람쥐는 어머니를 전혀 경계하지 않았다. 그제야 어머니는 다람쥐에게 미안함을 느꼈다.

"미안하다. 사람이란 이래. 늘 의심하고, 걱정하고, 두려워하고, 남을 못 믿고……. 그렇게 평생을 살거든. 그래서 늙으면 교활해지지. 이해하렴."

커다란 집에서 혼자 사는 어머니는 마치 말벗을 만난 듯했다.

다음 날 아침이었다.

부엌에서 혼자 밥을 먹는데 그 다람쥐가 나타났다. 어머니는 놀라면서도 반가워했다.

"허허, 너로구나. 아직 밥 안 먹었지야? 자, 가만있자……. 이 밥그릇은 우리 막내가 먹던 것이란다. 이 수저도……. 참, 너는 수저질을 할 수가 없지."

막내를 서울로 떠나보낸 지도 10년이 넘는다. 자식들은 철들기도 전에 모두 서울로 떠났다.

어머니는 갑자기 눈시울을 문질렀다. 눈물이 났다. 외로움 때문이다. 그리움 때문이다. 다람쥐가 어머니의 가슴속에 있는 그리움을 불러낸 셈이다.

"자아, 많이 먹어라. 아침이 든든해야 해. 요즘 젊은 것들은 아침을 빵에다 우유로 때운다고 하더라만, 사람은 아침이 든든해야 써. 내일도 오너라, 알았지?"

어머니는 꼭 자식을 보는 심정이었다. 어머니는 자식들을 키우는 데 평생을 바쳤다. 하지만 자식들이 커 버리자 이상하게도 허탈했다. 모두 손에 잡히지 않는 곳으로 떠나가 버린 듯했다.

그날부터 다람쥐는 매일 어머니를 찾아왔다.

어머니는 다람쥐에게 많은 이야기를 들려주었다. 자식들 이야기, 농사일 이야기, 세상 돌아가는 이야기. 못 할 이야기가 없다. 다람쥐는 어머니를 비웃지 않는다. 항상 어머니의 이야기를 들어 준다.

전에는 밤늦게 일에 지쳐서 들어오면 그냥 쓰러져 잤다. 손발도 씻지 않았다. 밥상 차릴 기운도 없었다. 그런데 다람쥐가 반기면서부터 달라졌다. 어머니는 아무리 몸이 고달파도 밥을 먹는다. 막내의 밥그릇을 차지한 다람쥐는 이제 하찮은 동물이 아니다. 언제부턴가 어머니는 외롭지 않다는 생각을 하였다. 그러고 보니 외로움도 별게 아니었다. 누군가와 이야기를 하니까 쉽게 없어지니 말이다.

어머니는 개보다 다람쥐에게 정을 더 느꼈다. 개는 사람을 좋아하지만, 사람의 말을 진지하게 들어 주지는 않으니까.

그러던 어느 날, 어머니는 아침부터 허둥댔다. 다람쥐가 보이지 않았기 때문이다. 그런 일은 한 번도 없었다. 불안했다. 혹시 고양이나 개한테 물려 죽은 건 아닐까? 족제비나 담비에게 당했을지도 모른다. 부엉이나 올빼미의 짓일지도 모르고. 아, 그러고 보니 다람쥐를 노리는 눈이 너무 많았다.

'왜 그 생각을 못 했을까? 불쌍한 것……'

어머니는 그날 종일토록 아무 일도 하지 않았다. 밥도 들어가지 않았다. 서울에 있는 자식들에게 전화를 해도 마찬가지였다. 그래서 옛날 사람들은,

"동물한테 정을 주면 못쓴다. 어차피 동물은 사람이 잡아먹을 수밖에 없는 운명이여. 그런데 동물한테 정을 주면 그런 자연의 이치가 무너지거든……."

하고 말했던가.

그날 밤 어머니는 눈물까지 흘렸다. 자식들을 하나씩 서울로 보낼 때마다 흘리던 눈물이다. 어머니는 다람쥐에게 너무 많은 정을 주었다. 어머니는 술을 마셨다. 그래야만 잠을 잘 수 있을 것 같았다.

술기운으로 막 잠이 들 참이었는데, 방문을 긁는 소리가 들렸다. 아, 다람쥐였다.

"오매, 이놈아! 어디 갔다가 이제 오냐? 나는 부엉이한테 잡아먹힌 줄 알았다!"

어머니는 한 줌도 안 되는 다람쥐를 안고 울었다.

다람쥐는 한동안 어머니를 바라보다가,

'이쪽으로 와 보세요.'

하듯이 부엌으로 뛰어갔다.

어머니가 움직이지 않자, 다람쥐는 몇 번이나 그 행동을 되풀이했다. 그제야 어머니는 다람쥐를 따라갔다.

다람쥐는 부엌 밖으로 나갔다. 부엌 밖에는 자그마한 문이 있다. 보일러실이다. 그곳도 예전에는 부엌이었다. 다만 부엌을 고치면서 보일러실 겸 창고로 칸막이했을 뿐이다.

다람쥐는 보일러실 구석으로 가더니 땅바닥에 조그마하게 나 있는 구멍으로 들어갔다.

어머니는 호미로 그 구멍을 팠다. 그러자 판자가 보였다. 판자를 들어내자 커다란 독이 나왔다. 술독이었다. 그제야 어머니는 머리를 끄덕거렸다.

"술독이 어디에 묻혔나 했더니 여기에 있구먼. 그래, 다행이구나. 너희가 술독에서 편안히 살고 있으니 말이다. 이 술독은 우리 집 대대로 내려온 것이지. 옛날에는 집에서 술을 만들었단다. 술이 워낙 비싸서 사다 먹을 수가 없었거든. 그런데 정부에서는 술을 만들어 먹지 못하게 했어. 발각되면 벌금을 많이 물었지. 그래서 이렇게 술독을 숨겨 놓고 술을 만들었단다. 우리 집에서는 시우 할아버지가 돌아가시면서부터 술독이 필요 없어졌어. 그러다 보니 잊어버렸구나. 아무튼 잘됐다."

깜깜한 술독 안을 손전등으로 비춰 본 어머니는 깜짝 놀랐다. 지푸라기로 동그랗게 만들어진 둥지 안에 다람쥐 새끼들이 있었기 때문이다.

"옳아, 새끼를 낳았구나. 허허허, 경사로군. 금줄을 만들어야겠다. 금줄은 왼새끼[2] 줄로 만들지. 금줄을 치면 나쁜 병이나 무서운 동물이 들어오지 못한단다."

어머니는 보일러실 문에다 왼새끼 줄을 꼬아서 금줄을 걸었다.

어미 잃은 새끼들

어머니는 다람쥐 어미를 정성스럽게 보살폈다. 보고 들은 경험으로 다람쥐의 먹이를 구하고, 밥도 주었다. 묵은 밤도 구해다 주었다. 열매라고 생겼으면 무엇이든지 따다 주었다.

사실 지난봄부터 다람쥐는 스스로 먹이를 구하지 않았다. 애써서 먹이를 구할 필요가 없었다. 어머니가 다 구해다 주었기 때문이다.

어머니는 다람쥐의 식성을 잘 알았다. 곤충도 먹고, 생선도 먹는다. 가끔씩 풀도 먹고 물도 마셔야 한다.

새끼들은 무럭무럭 자랐다.

수컷 다람쥐는 서너 번 보이더니 사라졌다. 다른 동물들에게 당한 모양이다. 그래서 암컷 다람쥐는 더욱 먹이를 어머니에게 의존했는지 모른다.

어머니는 암컷 다람쥐가 얼마만큼 게을러져 있는지 몰랐다. 다람쥐는 먹이를 구하려는 노력을 전혀 하지 않았다. 야생 동물이 먹이 구하는 본능을 잃어 간다는 사실이 얼마나 큰 불행을 가져오는지 어머니는 미처 생각하지 못했다. 다람쥐도 마찬가지였다.

그해 늦여름.

어머니는 오랜만에 서울 나들이를 하였다. 처음에는 큰아들, 작은아들네 집에서 하룻밤씩 자고 오려고 했다. 하지만 뜻대로 되지 않았다. 자식들이 며칠만 더

---

2 왼새끼 왼쪽으로 꼰 새끼.

쉬고 가라고 물고 늘어졌다. 게다가 서울에 있는 친척들마저 어머니를 붙들고 여기저기 구경 다녔다. 그러다 보니 열흘이 지났다.

그제야 퍼뜩 다람쥐를 떠올린 어머니가 시골집으로 내려왔을 때는 끔찍한 비극이 기다리고 있었다.

갓 눈을 뜬 다람쥐 새끼들이 애타게 어미를 찾고 있었다. 새끼들은 몸을 가누지도 못했다. 겨우 숨만 쉬고 있는 놈도 있었다. 적어도 사흘 이상은 굶었을 것 같았다. 순간 어머니는 눈앞이 캄캄했다.

'죽었구나. 아, 내 실수야. 내가 먹을 것을 충분히 주고 갔어야 하는데……'

어머니는 자신의 책임이라고 가슴을 쳤다.

배가 고픈 어미 다람쥐는 애타게 어머니를 기다렸으리라. 그러나 어머니는 하루 이틀이 지나도 돌아오지 않았다. 젖조차 말라붙은 어미 다람쥐는 어쩔 수 없이 밖으로 나갔다. 하도 오랜만에 밖으로 나와서 먹이를 구하려고 하니 쉽지 않았다. 야생의 세계에서 살려면 반드시 지켜야 할 규칙들도 다 잊어버렸다. 그러니 다른 동물들에게 잡아먹히는 건 시간문제였으리라.

어머니는 감나무 밑에 한 무더기 떨어진 부엉이 똥을 발견했다. 그 속에는 커다란 다람쥐 머리뼈가 들어 있었다. 어머니는 신을 원망했다.

"죽은 어미야 어쩔 수 없다고 쳐도, 새끼들은 어떻게 합니까? 신은 공평하다고 했습니다. 강한 동물에게는 약한 새끼를 주시고, 약한 동물에게는 강한 새끼를 주신다고 했지요. 그래서 사람이나 사자, 호랑이 새끼들은 아주 약하고, 자라는 데 시간이 오래 걸리지요. 반대로 노루같이 약한 동물은 태어나자마자 뛰어다닐 수 있을 정도로 강하고, 자라는 속도도 빠릅니다. 그런데 노루나 토끼보다 약한 다람쥐에게는 왜 불공평합니까? 당연히 다람쥐 새끼도 태어나자마자 눈을 뜨고, 어미처럼 뛰어다닐 수 있도록 하셔야지요……"

어머니는 다람쥐 새끼를 볼 때마다 안타까웠다.

모든 생명체는 자기들이 가장 살기 좋게 진화하는 법이다. 그런데 다람쥐의 자손 번식 본능만큼은 미련스러울 만큼 진화되지 않았다. 사실 다람쥐는 아주 약한 동물이다. 강한 이빨이나 발톱도 없고 소처럼 무서운 뿔도 없다. 그런 동물의 새끼는 갓 태어난 아기와 비슷하다. 갓 태어난 다람쥐 새끼는 눈도 뜨지 못하고, 어미가 보살피지 않으면 금방 죽는다. 사람이나 호랑이 새끼도 마찬가지다. 그러나 호랑이에게 잡아먹히는 노루 새끼는 태어나면서 눈을 뜨고, 곧장 뛰어다닌다. 다람쥐도 그런 새끼를 낳아야 한다. 그래야 살아남을 확률이 더 높다. 다람쥐 새끼는 태어나면서부터 자기 몸을 지킬 만큼 진화했어야 한다는 뜻이다.

어머니는 잠을 이루지 못했다. 다람쥐 새끼들 때문이었다. 새벽에 나가 보니 세 마리가 죽어 있었다. 이제 남은 새끼는 두 마리뿐. 그놈들도 살 가망이 없어 보였다. 그렇다고 어머니가 할 수 있는 일도 없었다. 이제는 다람쥐 새끼들의 죽음을 지켜보는 수밖에. 가끔씩 고양이 울음소리에 깜짝깜짝 놀라서 뛰쳐나갔을 뿐이다.

그런데 다음 날 믿어지지 않는 일이 벌어졌다. 죽은 새끼들이나 묻어 주려고 보일러실로 들어간 어머니는 깜짝 놀라고 말았다.

"야옹, 야옹!"

갑자기 술독에서 시커먼 고양이 한 마리가 뛰쳐나온 것이다.

어머니는 그 고양이가 다람쥐 새끼들을 다 잡아먹었으리라고 생각했다.

하지만 놀랍게도 어머니의 손전등을 받으며 꿈틀거리는 다람쥐 새끼들이 있었다. 고양이 새끼들도 보였다. 놀랍게도 고양이가 다람쥐 둥지에다 새끼를 낳은 모양이었다. 고양이 새끼는 네 마리였다.

고양이는 다람쥐의 무서운 천적이다. 그래서 더욱 믿어지지 않았다. 고양이가 다람쥐 새끼를 죽이지 않고 자기 새끼로 생각한다는 점이 꿈만 같았다.

　순간적으로 어머니는,

　"신이야말로 공평하십니다."

하면서 두 손을 모았다.

　어머니도 가끔씩 텔레비전이나 소문으로 염소가 송아지를 키우고, 개가 호랑이 새끼를 키웠다는 소리를 듣긴 했지만, 고양이가 다람쥐 새끼를 키웠다는 소리는 듣지 못했다.

　고양이는 다람쥐 새끼를 친자식처럼 키워 주었다.

　한 달이 지나자 어미 고양이는 술독을 떠났다.

　다람쥐와 고양이의 생활은 전혀 다르다. 다람쥐는 어느 한 곳에다 보금자리를 정해 놓고 생활하는 반면, 고양이는 일정한 보금자리가 없다. 이 집 저 집, 이곳저곳을 돌아다니면서 잠을 잔다.

　어머니는 다람쥐 새끼를 고양이한테서 뺏을 생각도 하였다. 하지만 의붓어미 격인 고양이의 슬픔을 생각하니 그럴 수가 없었다. 그 대신 다람쥐 새끼들을 가깝게 두려고 하였다. 새끼 때부터 매일 들여다보았는지라 다람쥐 새끼들도 어머니를 따랐다.

　어머니는 고양이한테 전혀 간섭하지 않았다.

　고양이는 자기 방식대로 다람쥐를 교육시켰다. 음식도 육식을 강요하였다. 다람쥐 새끼들도 도토리나 밤 대신 고기만 먹었다. 주로 쥐였다. 게다가 찍찍 울어야 하건만 야옹야옹 하려고 들었다. 그러다 보니 '찌웅찌웅' 하는 소리가 되었다.

　쥐나 참새를 사냥하는 방법도 배웠지만 발톱이 날카롭지 않은 다람쥐 새끼들은 번번이 실패하였다. 그럴 수밖에 없는 것이, 고양이는 예민한 코로 쥐를 찾아낸다. 그러나 다람쥐는 귀가 밝지만 코는 무딘 편이다. 그러다 보니 고양이와는 어울릴 수가 없었다.

안타깝게도 다람쥐들에게는 다람쥐만의 생활을 가르쳐 줄 어미가 없었다. 다람쥐 새끼들은 개나 다른 고양이들을 보아도 도망치지 않았고, 쥐를 보면 고양이처럼 공격을 하였다.

그러다가 다람쥐 한 마리가 이웃집 고양이한테 물려 죽었다. 나머지 한 마리도 부엉이의 공격을 받았다. 다람쥐는 부엉이가 무서운 적이라는 사실도 몰랐다. 부엉이가 아무리 사나워도 고양이를 당해 낼 수는 없었기 때문이다. 다람쥐는 자신을 고양이라고 생각했던 것이다. 부엉이 발톱에 할퀴어 큰 부상을 당한 다람쥐는 어머니에게 발견되었다.

인간과 야생 동물

어머니는 그 다람쥐를 잘 치료해 주었다. 다람쥐는 빠르게 회복되었다.

어머니는 술독에다 다람쥐를 넣어 주었다. 다람쥐의 미래는 불확실하다. 그놈은 비록 몸은 다람쥐이지만 생각은 고양이이기 때문이다.

어머니는 고민하기 시작했다. 다람쥐가 다람쥐처럼 생활할 수 있도록 도와주어야 한다. 하지만 사람이 다람쥐의 생활을 가르칠 수는 없다. 그렇다고 다른 방법도 없었다. 일단 알아듣든 못 듣든 간에 어머니는 직접 가르치기로 하였다.

"자, 너는 다람쥐야. 고양이가 아니란다. 자, 고기보다 도토리가 더 맛있을 거야. 먹어 봐. 옳지. 고양이는 다람쥐를 잡아먹는 무서운 동물이야. 그러니 고양이를 보면 일단 도망쳐야지. 어디로? 나무 위로 도망쳐야지. 너는 나무를 잘 타니까. 물론 고양이도 나무를 잘 타지만, 너만큼 빠르지는 못해."

하지만 고양이 젖을 먹고 자란 다람쥐에게 고양이가 적이라는 말은 소용없었다. 아침에 이웃집 고양이한테 혼쭐이 나고도, 고양이만 보면 달려 나갔다. 아슬아슬한 순간이 한두 번이 아니었다. 개나 족제비, 부엉이는 무서워하면서도 오직 고양이만은 철석같이 믿었다.

어머니는 야생에서 자란 다른 다람쥐를 만나게 해야 한다고 생각했다.

가을 수확 철이 되었다.

어느 날 마을 사람들이 탈곡기 안에 숨어든 다람쥐 한 마리를 잡았다. 어머니는 그 다람쥐를 달라고 하였다. 그리고 술독에서 사는 다람쥐와 함께 사흘간 가둬 놓았다.

그 후 술독을 열어 놓아도 야생 다람쥐는 도망치지 않았다. 그놈은 암컷이었고, 고양이 젖을 먹고 자란 다람쥐는 수컷이었으니까.

야생 암다람쥐는 수놈에게 하나씩 교육을 시켰다.

우선 겨울 준비를 해야 한다고 했다. 알밤과 도토리를 모아다가 식량 창고를 만들었다. 식량 창고는 돌 틈이나 땅속에다 마련했다. 10여 개의 도토리나 밤을 모아 놓고 흙을 덮어 수십 개의 창고를 만든다. 지푸라기나 낙엽도 물어 날랐다. 그래야만 겨울을 따뜻하게 나기 때문이다.

또 겨울이 오기 전에 많이 먹어 두어야 한다는 사실도 알려 주었다. 겨울잠 자는 곰이나 오소리는 덩치가 크기 때문에 지방을 몸에다 많이 모아 놓을 수 있다. 몸이 작은 다람쥐는 그만큼은 못하더라도 최대한으로 지방을 모아 놓아야만 한다.

천적에 대해서도 가르쳐 주었다. 고양이나 개, 족제비, 담비 같은 천적은 주로 코를 이용하니까 그런 동물이 나타나면 무조건 도망치지 말고 바람을 이용하라는 것이다. 절대로 바람을 등져서는 안 된다고 단단히 일러 주었다. 그리고 부엉이나 올빼미들은 귀가 아주 밝다는 점을 강조하였다. 그들의 귀는 아주 미세한 움직임까지 알아내고는 먹이를 정확하게 발톱으로 움켜쥔다. 그들이 고양이 같은 육식 동물보다 더 무섭다.

어머니는 다람쥐의 생활을 지켜보기만 하였다. 이제는 절대로 밥을 주지 않았다. 하지만 고양이 젖을 먹고 자란 수다람쥐는 여전히 어머니를 무척 따랐다.

"애야, 나가서 네 짝이랑 자거라. 너는 다람쥐야. 사람하고 가까워질수록 너는 나약해져."

어머니는 그 말을 버릇처럼 내뱉었다.

눈이 펑펑 내리던 날이었다.

그날도 어머니 옆에서 재롱을 부리던 수다람쥐가 갑자기 졸기 시작하였다. 꼭 어린아이가 잠드는 모양이었다. 그러더니 아무리 흔들어도 다람쥐는 깨어나지 않았다. 겨울잠 잘 때가 되었다는 뜻이다. 어머니는 잠든 다람쥐를 술독에다 넣어 주었다. 술독에는 이미 야생 암다람쥐가 잠들어 있었다.

겨울잠에 든 다람쥐들은 사흘에 한 번씩 깨어난다. 그들은 술독에다 쌓아 둔 도토리를 먹은 다음 밖으로 나와서 물을 마신다. 그러고는 다시 잠을 잔다.

가끔씩 다람쥐들은 입을 헤벌리고 코를 골았다. 물론 사람의 코 고는 소리처럼 크지는 않다. 어머니는 잠자는 모습까지도 사람하고 똑같다는 느낌을 받았다. 그런 모습을 보니, "사람은 죽어서 다른 생명체로 태어난단다. 뱀으로 태어날 수도 있고, 소로 태어날 수도 있지……." 하고 늘 말씀하시던 시어머니 얼굴이 스쳐 갔다.

다람쥐 부부는 무사히 겨울을 났다. 술독이 워낙 컸으므로 식량 걱정은 하지 않았다. 술독에다 식량을 충분히 모아 두었기 때문이다. 다른 곳에다 모아 둔 식량은 손도 대지 않았다. 어머니는 그들의 식량 창고에다 막대기를 꽂아서 표시해 두었다. 나중에 식량이 부족해질 때 가르쳐 줄 생각이었다.

다람쥐 부부는 일곱 마리의 새끼를 낳았다.

고양이 젖을 먹고 자란 수컷은 부지런히 먹이를 찾아다녔다. 풀, 도토리, 도마뱀도 있었다. 하도 안쓰러워서 식량 창고를 가르쳐 주기도 했지만, 어머니는 그런 간섭도 필요 없다는 판단이 들었다.

사람이든 동물이든 힘든 시절이 필요하다. 그 시절을 겪어야만 좀 더 성숙해지니까. 일의 필요성을 느끼고, 고통을 참고 이겨 내는 방법을 깨닫기 때문이다.

어머니와 다람쥐에 대한 이야기가 소문나기 시작하였다.

처음에는 마을 사람들이 와서 구경하였다. 마을 사람들은 아주 경사스러운 일이라고 하였다. 특히 술독에서 살아가는 것으로 보아 우리 집 조상이 다람쥐로 태어난 모양이라고 입을 모았다.

어머니에 대한 이야기는 읍내에서 발행되는 지역 신문에도 소개되었다. 그러자 국회 의원, 군 의원, 조합장, 면장 같은 사람들이 찾아왔다. 그들은 어머니와 함께 사진을 찍고 싶어 했다. 그러고는 다람쥐 새끼를 키워 보겠다고 하였다. 어머니는 거절할 수가 없었다.

면장에게 두 마리를 주었을 때만 해도 이런 부탁은 마지막이겠지 했다. 하지만 어머니를 만나는 사람들은 은근히,

"우리 아이들이 다람쥐를 키워 보고 싶어 해서요. 요즘 서울 사람들도 다람쥐를 많이 키운답니다. 우선 기르기가 쉽고, 무엇보다도 귀여우니까요."

하면서 다람쥐 새끼를 달라고 하였다. 조합장, 조합 직원, 지서 주임, 군청 공무원, 심지어 학교 선생님까지도 그랬다.

다람쥐 부부는 두 달 간격으로 새끼를 낳았고, 어머니는 열두 마리의 다람쥐를 사람들에게 주었다.

지난달에는 면장 집에 초대되기도 했다. 면장의 손자들이 다람쥐를 키우고 있었다. 다람쥐 집은 앵무새를 키웠던 작은 철창 집이었는데, 그 철창 안에 작은 쳇바퀴가 있었다. 다람쥐는 그 속에서 재롱을 부렸다.

그날 어머니는 하마터면 울 뻔하였다. 이상하게도 눈물이 났다.

물론 사람들은 애완동물이라고 했다. 텔레비전에서는 돼지를 집 안에서 키우는 사람들 이야기도 나왔다. 목욕도 시키고, 옷도 입히고, 잠도 침대에서 잤다. 뱀이나 원숭이도 사람처럼 키운다. 하지만 그런 사람들도 반성해야 한다고 어머니는 중얼거렸다. 동물이 사람처럼 살 수는 없기 때문이다. 돼지들은 침대에서 자고 싶어 하지 않는다. 원숭이는 욕실에서 목욕하면서 살기를 원하지 않는다.

더러운 돼지우리일지언정, 무서운 천적들이 도사린 숲속일지라도, 동물들은 그곳에서 자유롭게 살고 싶어 한다.

어머니는 그날 집에 오면서 많은 생각을 했다.

야생 동물의 자유를 알아야만 사람도 진정으로 자유로울 수 있다는 것. 그 사실을 사람들은 왜 모를까? 귀여워서 갖고 싶을수록 놓아주어야 한다. 동물은 야생에서 스스로 살아갈 때 가장 행복하고 아름답기 때문이다.

그 후 어머니는 다람쥐 새끼를 한 마리도 사람들에게 주지 않았다. 그래서 아주 곤란해진 적도 있고, 이상한 오해를 받기도 하였다. 심지어 읍내에 사는 어머니의 조카 손주가 와서 매달려도 고개를 흔들었다. 그 아이는 울고 난리가 났다. 어머니가 아무리 설명해도 알아듣지 못했다. 조카도 화를 냈다.

"이모, 그까짓 다람쥐가 뭔데 이러세요! 제가 돈 주고 사겠다는데요. 얘가 잠도 안 자고 밥도 안 먹어요. 이모, 이렇게 제가 부탁할게요. 두 마리만 파세요."

그래도 어머니는 들어주지 않았다. 마음이 아팠지만 어쩔 수 없었다.

아무리 사람이 야생 동물을 행복하게 해 줘도, 야생 동물은 결코 행복해질 수 없다. 어머니는 그 말을 몇 번이나 되풀이하였다.

한번은 면 소재지에 있는 초등학교 교장이 와서,

"아이들 교육용으로 기를 테니, 몇 마리만 잡아서 기증해 주십시오."

하고 부탁한 일도 있다. 어머니가 거절하자, 교장은 아이들 교육보다 더 중요한 것이 있냐고 했다. 그래도 어머니는 머리를 흔들었다.

여름휴가 때 아이들을 데리고 고향을 찾아온 사람들도,

"시우 어머니, 우리가 잘 키울게요. 두 마리만 파십시오."

하고는 많은 돈을 내밀었다. 어머니가 거절하자, 밤에 몰래 와서 잡아가는 사람도 있었다. 심지어 다람쥐에게 총을 쏘고 도망치는 사람도 있었다 한다. 그게 다 사람들의 부질없는 욕심 때문이다.

어머니는 내 딸을 안더니,

"우리 강아지가 크면 다람쥐 덕을 보게 될 거야. 다람쥐는 여름내 부지런히 일하지. 밤도 모으고, 도토리도 모으고, 창고를 수십 개 만들어서 밤이나 도토리를 저장하거든. 허허허, 그런데 말이야, 그 녀석들은 그 많은 식량 창고를 다 기억 못 해. 그래서 어떤 건 땅에 그대로 묻혀 있게 돼. 땅에 묻힌 밤이나 도토리는 싹을 틔운단다. 우리 집 뒤란에도 그렇게 해서 싹을 틔운 밤나무가 많아. 바로 그 밤나무가 자라면 우리 강아지도 따 먹을 테니까……."
하시며 달궁달궁[3] 흔들면서 재우기 시작하셨다.

(2013년)

---

3 달궁달궁 '달강달강'의 잘못.

씬짜오, 씬짜오

최은영

최은영(1984~)

경기도 광명에서 태어났다. 2013년 중편 〈쇼코의 미소〉로 〈작가세계〉 신인상을 받으며 문단에 나왔다. 소설집 《쇼코의 미소》 《내게 무해한 사람》 등을 출간했다. 〈씬짜오, 씬짜오〉는 '한국이 베트남에 어떻게 사죄하고 보상할 수 있을까?'라는 거대하고 어려운 문제를 사람과 사람 사이의 문제로 풀어 가는 소설이다. 개개인의 차원에서 우리가 어떻게 베트남 전쟁 피해자들의 고통을 헤아리고 사죄해야 하는지 생각해 보게 한다.

·

·

1995년 1월, 우리는 다시 독일로 돌아왔다. 92년에서 93년까지 베를린에서 살다 한국으로 돌아온 지 겨우 1년이 지나서였다. 우리가 도착한 곳은 플라우엔이라고 불리는, 5년 전까지만 해도 동독 지역이었던 작은 도시였다. 버려진 건물들, 황량한 공원, 술 냄새를 풍기며 전차 정류장에 앉아 있던 남자들…… 그곳은 내가 알던 독일의 모습과 거리가 멀었다.

호 아저씨의 저녁 초대를 받은 날, 엄마는 평소에는 입지 않던 예쁜 투피스를 꺼내 다려 입고 화사하게 화장했다. 말 꼬리마냥 껑충 묶은 내 머리를 풀어 짱짱한 디스코 머리로 땋고 결혼식 때 입는 검은색 코르덴 원피스를 입게 했다. 두 살짜리 동생에게도 새 옷을 입혔다. 오랜만에 화장을 한 엄마의 모습이 어린 내 눈에는 꽤나 예뻐 보였다. 엄마는 건물 유리창을 몇 번이나 보며 자기 모습을 점검했다. 플라우엔에 온 지 세 달 만에 다른 집에 초대받은 것이어서 기분 좋은 긴장감을 느끼는 것 같았다.

"씬짜오." 엄마는 현관 앞으로 나온 응웬 아줌마에게 외워 둔 베트남어로 인사했다. 나도 따라 "씬짜오." 하고 인사하자 응웬 아줌마는 반갑게 웃었다. 아줌마는 오래 만나지 못했던 친구들을 만난 것처럼 우리를 환영해 줬다. 부엌에는 호 아저씨가 있었다. 볼이 붉고 얼굴에 아이 같은 장난기가 어려 있던 아저씨가 나는 한눈에 좋아졌다. 아저씨는 아빠와 같은 회사에서 일하는 동료였고, 내가 아저씨 아들 투이와 같은 반이 된 것을 알고는 우리 가족을 아저씨네로 초대했다.

호 아저씨의 요리는 담백하고 편안했다. 음식을 두고 편안하다고 말할 수 있는 것인지는 모르겠지만 내게 아저씨의 요리는 그 말로밖에 설명이 안 된다. 토마토를 넣어 뭉근하게 끓인 고깃국, 향긋한 쌀밥, 구운 새우, 볶음 야채와 반으로 자른 라임을 뿌려 먹는 짭조름한 튀김만두의 맛이 그랬다.

밥을 다 먹고 나서 어른들은 술을 마시기 시작했고, 나는 투이를 따라 책장 쪽으로 갔다. "내가 여섯 살 때부터 모은 거야." 투이는 만화책을 골라 줬는데 모두 스누피 시리즈였다.

"저기서 읽을래?" 투이가 좌식 소파를 가리켰다. 스웨이드 재질의 소파는 부드럽고 폭신했다. 나는 손등으로 소파를 쓰다듬으며 만화를 읽기 시작했다. 우드스탁과 나란히 개집 지붕에 앉아 노닥거리는 스누피는 꼭 투이처럼 보였다. 학교에서 본 투이는 그런 애였으니까. 그 애는 모두와 잘 지내고 항상 명랑했다. 키가 큰 애든, 작은 애든, 활발한 애든, 내성적인 애든 모두 투이를 좋아하는 것처럼 보였다.

"넌 애 닮았어." 투이가 우드스탁을 가리키며 웃었다. "너 처음 봤을 때 우드스탁인 줄 알았어." 내가 작고 못생겨서 그렇게 말하나 싶었지만 악의 없는 얼굴로 천진하게 웃는 그 애에게 화를 낼 수는 없었다.

"나 너 겨울에 봤었어. 주말 벼룩시장에서." 투이가 말했다.

"걔가 나라는 걸 어떻게 아냐?"

"공원 맞은편에서도 봤어. 거기 너희 집 아니야?"

"그게 뭐."

나는 다시 만화책으로 눈길을 돌렸다. 우리 집 창문으로 그 애를 훔쳐본 일이 부끄러워졌다. 투이와 한 반이라는 것을 알았을 때 몰래 반가워했던 마음까지도 그 애가 다 알고 있을 것 같았다.

독일에서의 일은 이제 뿌연 유리창으로 보는 바깥 풍경처럼 희미하다. 그런데도 처음 투이네 집을 방문했을 때를 떠올리면 그때 느꼈던 감정이 생생히 되살아난다. 투이네 식구 모두가 우리를 반갑게 맞아 주던 일, 그 환대에 기뻐하던 엄마의 모습, 어떤 조건도 없이 받아들여졌다는 따뜻한 기분과 우리 두 가족이 같은 공간에 모여 음식을 나눠 먹던 공기를 기억한다. 어떻게 그렇게 여러 사람의 마음이 호의로 이어질 수 있었는지 나는 모른다. 고작 한 명의 타인과도 제대로 연결되지 못하는 어른이 된 나로서는 그때의 일들이 기이하게까지 느껴진다.

플라우엔에서 보낸 첫 번째 여름, 엄마는 건조한 날씨 때문에 고생했다. 하얀 각질이 뱀 비늘처럼 팔다리를 덮었고 자다가도 몸을 긁느라 몇 번이나 일어난다고 했다.

"저도 처음 독일 왔을 때 그랬어요. 한국도 여름이 습하죠? 여기는 반대니까. 뭘 발라도 건조하더라구요."

응웬 아줌마는 엄마에게 직접 만든 크림을 줬다. 샤워한 후에 꾸준히 바르면 가려움이 줄어들 거라고. 엄마는 아줌마의 크림 덕분에 남은 여름을 수월하게 보낼 수 있었다. 아줌마는 우리가 말하지 않아도 어디가 불편한지 알고 있었고, 배관공을 부르거나 집주인과 이야기해야 할 때도 나서서 일을 해결해 줬다. 무엇보다도 그녀는 두 살짜리 아이를 붙들고 하루 종일 집에 고립되어 있던 엄마의 유일한 말동무가 되어 주었다. 엄마를 보면 홀로 투이를 키워야 했던 시간이 떠오른다고, 혼자 그렇게 오래 있으면 자연히 어두운 생각에 빠지게 된다고, 이야기하고 싶으면 언제든지 전화하라고 했다.

투이네 가족과 우리 가족은 적어도 일주일에 한 번은 같이 저녁을 먹었다. 한 번은 투이네 집에서, 한 번은 우리 집에서 먹는 식이었고 초여름이 되어 낮이 길어지자 토요일 이른 저녁부터 일요일 새벽까지 함께 시간을 보냈다. 같이 밥을 먹고, 어른들은 어른들끼리 카드놀이를 하고, 우리들은 직소 퍼즐을 하거나 만화책을 읽었다. 그때는 몰랐지만 지금 와 생각해 보면 투이네 가족도, 우리 가족도 서로 말고는 그렇게 가까운 이들이 없었던 셈이다.

술을 많이 마신 날이면 어른들은 돌아가며 노래를 불렀다. 엄마는 한국 노래를, 응웬 아줌마 부부는 베트남 노래를 불렀다. 뜻도 알아듣지 못할 노래의 후렴 구를 어설프게 따라 하려는 엄마를 보고 웃음을 터뜨리던 어른들의 모습이 생각난다.

'너희 아빠와는 말이 통하지 않아.' 엄마는 종종 내게 그렇게 말했다. 둘은 서로를 투명 인간처럼 대했다. 밥을 먹을 때도, 텔레비전을 볼 때도, 드라이브를 할 때도 그랬다. 그런 행동이 어린 나에게 어떤 상처를 줬는지 그들은 끝내 이해하지 못했을 것이다.

엄마와 아빠는 같은 대학 독문과에서 만나 오래 연애한 커플이었다고 했다. 경쟁적으로 서로의 존재를 무시하는 그 두 사람이 한때는 서로를 끔찍이 사랑했었다는 사실을 그때의 나는 이해할 수 없었다. 언젠가 엄마 아빠가 얼굴을 마주 보고 이야기할 수 있기를, 아무 미움 없이 평범한 이야기들을 할 수 있기를, 결코 헤어지지 않기를 나는 매일 빌었다.

투이네 가족과의 저녁 식사 시간이 좋았던 것도 그런 이유 때문이었다. 투이 가족과 함께 있을 때 엄마와 아빠는 가끔 서로를 보며 웃기도 했고, 투이 가족에게 서로에 대한 이야기를 자연스레 하기도 했다. 담배를 피우러 발코니로 나가는 아빠가 엄마의 어깨를 툭 치는 것을 본 적도 있었다. 술에 취해 웃으며 말하는 아빠를 선선히 바라보던 엄마의 눈빛이 기억난다. 우리 식구끼리만 있을 때는 상상할 수 없는 일이었다. 엄마가 그렇게 잘 웃는 모습을 나는 그전에도, 그 후에도 보지 못했다.

엄마 그때 참 예뻤어, 언젠가 내가 그렇게 얘기했을 때 엄마는 그 시절이 잘 기억나지 않는다고, 그래도 그렇게 말해 줘서 고맙다고 말했다.

본격적인 여름에 들어서자 밤 10시가 넘어도 대기에는 초저녁처럼 희미한 빛이 남아 있었다. 빛이 조금씩 줄어들면서 눈앞의 풍경이 푸른빛에 잠길 때의 모습을 나는 좋아했다. 거실 창문으로 밤바람이 불어오고, 부엌에서는 어른들의 말소리와 웃음소리가 들려오고, 그 시간이 되면 꼭 입을 벌리고 잠들었던 투이의 얼굴을 볼 때, 푸른빛의 채도가 점점 낮아지고 가로등 불빛이 하나둘씩 켜질 때면, 나는 내가 언젠가 이 시간을 그리워할지도 모른다고 생각했다.

투이와 나는 같이 빵이나 우유 심부름을 다니곤 했다. 심부름을 가는 길에 그 애는 보이지 않을 만큼 멀리 뛰어갔다가 다시 내 쪽으로 돌아왔다. 처음에는 투이를 쫓아가려고 했지만 그 애가 다시 돌아온다는 걸 알고는 나도 내 속도대로 걸었다. 보이지 않았다가 다시 내게 달려오는 그 애의 얼굴을 볼 때면 웃음이 났다. 투이는 나와 눈이 마주치면 고개를 활짝 뒤로 젖히고 더 우스꽝스러운 포즈로 달렸다.

심부름을 다녀오는 길에 우리는 찻길을 사이에 두고 맞은편에서 걸어갔다. 둘이 붙어 다니면 같은 반 애들이 놀릴지도 모른다는 염려 때문이었다. "우드스탁!" 그 애는 우리 둘만 있을 땐 나를 꼭 우드스탁이라고 불렀다. 시간이 지날수록 그 호칭은 나를 꽤나 들뜨게 했다. 그 누구도 빈번한 전학으로 스쳐 지나가는 나에게 별명을 붙여 주지 않았으니까.

투이네 동네 골목까지 들어오고서야 우리는 나란히 걸었다. 그럴 때 투이에게서는 볕에 달구어진 동전 냄새 같기도, 양파 냄새 같기도 한 땀 냄새가 났다. 별다른 이야기를 나눈 건 아니었지만 그렇게 함께 걷는 것만으로도 마음이 부드러워지는 기분이었다.

투이는 그 나이 또래 특유의 어그러짐이 없었다. 학교에서 있었던 일을 응웬 아줌마에게 종알종알 다 이야기했고 다른 사람을 신경 쓰지 않고 노래를 부르거나 즉흥 연극을 해 모두를 웃게 했다. 나는 동생을 대하듯이 그 애에게 말하곤 했는데, 가끔은 아무렇지 않은 듯 깊은 속마음을 말하기도 했다. 내가 무슨 말을 해도 투이 같은 어린애가 이해할 수 없으리라고 생각해서였다. 투이는 내 말을 별로 신경 쓰지 않는 것처럼 보였다. 그랬구나, 그랬었냐. 그런 무심한 대답을 듣고 있노라면 그 애에게 말하기 전의 억눌린 감정이 조금은 풀어지는 것 같았다.

"우리 엄마 아빠는 서로를 제일 싫어해." 그날도 나는 아무렇지 않게 웃으며 말했다. 투이는 걸음을 멈추고 가만히 서서 나를 쳐다봤다. 꼭 화가 난 것처럼 보였다. 의외의 반응이어서 무슨 말을 해야 할지 알 수 없었다.

"넌 왜 그런 얘길 하면서 웃어?" 투이는 그 말을 하고는 앞으로 성큼성큼 걸어 갔다. 여느 때처럼 다시 내 쪽으로 돌아오리라고 생각했지만 그 애는 그렇게 하지 않았다. 당시에는 조금 당황했을 뿐 그 일에 대해 깊이 생각하지는 않았었다. 하지만 고등학교 시절, 야자를 마치고 운동장을 가로질러 갈 때면 '넌 왜 그런 얘길 하면서 웃어?'라고 말하던 투이의 어린 얼굴이 생각나곤 했다. 나는 그 애를 조금도 알지 못했었어. 유년을 다 지나고 나서야 나는 그 애를 다르게 기억하기 시작했다.

"독일에 처음 왔을 때," 아줌마는 크게 웃으며 말했다. "너무 추웠어요. 아무리 껴입어도 벌벌 떨리는 거야. 아직도 그래요. 투이야 여기서 태어났으니까 아무렇지 않겠지만 난 이상하게 아직도 여기 겨울이 적응 안 돼. 난생처음 눈 봤을 때 얼마나 놀랐는지. 너무 예뻐서 춥다 춥다 하면서도 손이 다 얼도록 눈을 만지고 놀았어요."

엄마는 웃으며 말하는 응웬 아줌마의 얼굴을 물끄러미 쳐다봤다. 같이 웃어야 하는데 웃음이 나오지 않아 당황하던 엄마의 얼굴을 기억한다. 아줌마는 고생한 이야기를 할 때마다 과장되게 웃으면서 말했고 그럴 때면 엄마는 애써 같이 웃으려 노력했다.

아줌마는 엄마가 사랑이 많고, 다른 사람의 마음에 공감해 주는 능력을 타고났다고 말했다. 세상에는 엄마처럼 섬세한 사람들이 더 많아져야 한다면서, 엄마는 아파하지 못하는 사람들을 위해 대신 아파하는 사람이라고 말했다.

엄마와 함께 있을 때도 아줌마는 엄마에 대한 칭찬을 잘했다. 웃는 모습이 예뻐서 함께 있으면 방이 다 환해지는 것 같다, 두상이 동그라니 예쁘다, 걸음걸이가 사뿐하다, 옷맵시가 좋다, 앞니가 귀엽다, 듣기에 참 좋은 목소리다…… 아줌마는 이런 이야기를 망설이지 않고 했고 그럴 때면 엄마는 얼굴을 붉혔다. 아줌마의 말을 듣고 있노라면 나도 몰랐던 엄마의 좋은 부분이 눈에 들어왔고 엄마가 내 엄마라는 사실이 자랑스러워졌다. 아줌마와 엄마는 하루가 멀다 하고 서로의 집을 오갔다. 엄마는 김을 좋아하는 아줌마를 위해 한국에서 가져온 김을 구워 갖다줬고, 아줌마는 단 음식을 좋아하는 엄마에게 쌀푸딩을 만들어 줬다.

플라우엔에서 맞은 두 번째 겨울에 나는 거의 매일 투이네 집에 들렀다. 우리집은 오래된 라디에이터 때문에 언제나 냉골이었지만 투이네 집은 온몸이 노곤해질 정도로 기분 좋게 따뜻했고, 투이네 식구들과 함께 지내는 쪽이 집에 있는 것보다 편해서였다.

웅웬 아줌마는 나에게 많은 것을 물어봤다. 한국에서 다니던 학교는 어땠는지, 베를린에서의 생활은 만족스러웠는지, 바다에 가 보았는지, 한국의 바다는 어떤 색인지, 가장 좋아하는 독일 음식은 무엇인지. 아줌마의 질문은 공부는 잘하냐, 왜 이렇게 키가 작냐, 커서 뭐 할 거냐 물어 대는 다른 어른들의 것과는 달랐다. 진심 어린 관심을 받고 있다는 기쁨에 나는 두 볼이 빨갛게 달아오를 때까지 아줌마 앞에서 떠들어 댔다.

"이름 한자로 써 볼래?" 내가 이름을 한자로 쓰자 아줌마는 웃으며 말했다. "이럴 줄 알았지. 나랑 같은 성씨구나." 아줌마는 '나라 이름 원(阮)' 자를 쓰고는 '웅웬'이라고 읽었다. 호 아저씨의 '호'는 '되 호(胡)' 자였고, '투이'라는 이름은 '푸를 취(翠)' 자를 썼다. "넌 내 어릴 적 친구를 많이 닮았다. 그 애 성씨도 웅웬이었지. 같은 마을에 살았던 친구였다." 아줌마는 슬프게 웃어 보였다. 무척 좋아하는 것들에 대해 이야기할 때 그녀는 그런 표정을 짓곤 했다. 세 살이 된 내 동생 다연이를 볼 때도 그랬었다. 시간이 지날수록 그 표정은 나를 아프게 했는데, 아줌마의 행복이라는 것이 슬픔과 너무 가까이 붙어 있는 것처럼 보여서였다.

언젠가 아줌마에게 어린 시절 사진을 보여 달라고 한 적이 있었다. 그녀는 고개를 저었다. "다 잃어버렸지. 한 장이라도 남아 있으면 좋았을 텐데." 내가 이유를 묻자 그녀는 내 머리를 쓰다듬기만 했다. "사진만 잃어버린 게 아니었단다." 그녀는 내게 아주 작은 목소리로 말했다. 그 말이 무슨 뜻인지 정확히 알지는 못했지만 그 말을 하는 아줌마의 떨리는 마음이 내게도 그대로 전해져 두려워졌다.

투이네 집에서 유일하게 접근이 어려웠던 곳은 서재였다. 누가 그러지 말라고 한 것도 아니었지만 문이 항상 닫혀 있어 들어가 볼 생각을 하지 못했던 것 같다. 서재 문이 활짝 열려 있던 날, 나는 끌리듯이 그 방으로 들어갔다. 문 바로 옆으로 작은 제단이 보였다.

제단은 나무 장식장 위에 꾸며져 있었다. 기둥과 지붕으로 이루어진 집 모양의 조형물 아래로 다섯 개의 액자와 모래와 재가 든 향로가 보였다. 액자마다 한 사람 한 사람의 흑백 사진이 들어 있었고 향로에는 끝까지 타 버렸거나 중간에 꺼진 보라색 향들이 몇 개 꽂혀 있었다. 향로 옆으로 종이에 싸인 향과 작은 성냥갑이 보였다. 그런 향로는 이전에도 봤지만, 향로 뒤에 죽은 사람 사진을 둔 것을 본 건 그때가 처음이었다. 나는 겁이 나 사진을 똑바로 쳐다보지도 못하고 뒤돌아섰다.

사진 속 다섯 사람은 가족처럼 보였다. 내 기억이 맞는다면 노인은 한 명밖에 없었고 내 또래의 여자아이, 다연이 또래의 아기 사진도 있었다. 힐끗 훑어봤을 뿐이지만 그 사람들의 얼굴이 내 등 뒤에 달라붙기라도 한 것처럼 신경이 쓰였다.

나는 그들이 누구인지, 무슨 까닭으로 투이네 집 제단에 안치돼 있는지 알고 싶었다. 왜 응웬 아줌마나 투이가 나에게 제단을 보여 주지 않았는지도 궁금했지만, 막연한 두려움 때문에 누구에게도 그 일에 대해 말하지 못했다.

2차 세계 대전에 대해 배우던 시간에 나는 투이로부터 뜻밖의 이야기를 들었다. 가을 학기가 시작될 무렵이었다.

"다행히 2차 대전 이후로 이처럼 대규모의 살상이 일어난 전쟁은 없었단다." 투이가 손을 들어 선생님의 말을 끊었다. "아닌데요." 그게 투이의 첫마디였다.

"뭐가 아니라는 거지?"

"베트남에서 전쟁으로 사람들이 많이 죽었어요. 저희 할아버지, 할머니, 고모, 이모, 삼촌 모두 다 죽었대요. 군인들이 와서 그냥 죽였대요. 아이들도 다 죽였다고. 마을이 없어졌다고 했어요. 저희 엄마가 얘기하는 걸 들었어요." 투이가 말했다.

"그래. 투이 말이 맞다. 베트남전에 대해 너희는 들어 본 적 없을 거야. 투이가 더 얘기해 볼래?" 선생님은 투이가 자기 의견을 말했다는 것에 만족해했지만, 그 애는 반사적으로 말한 것처럼 보였다. 투이의 얼굴이 곧 울 것처럼 붉어졌기 때문이다. 그 애는 무슨 말을 하려다가 입을 다물고 고개를 숙였다.

"투이, 더 말해 봐. 우리들도 모두 알아야 하잖아." 그 애는 고개를 저었다. 나는 그 모든 상황이 부당하게 느껴졌지만 당시에는 그 감정의 원인에 대해 알지 못했다. 그때 반장 잉가가 손을 들었다. "베트남은 전쟁으로 미국을 이긴 유일한 나라예요. 미군만 6만 명이 죽었고 군인 아닌 베트남 사람도 200만 명 죽었대요. 텔레비전에서 봤어요. 미군이 비행기로 폭탄을 떨어뜨리고 나무를 죽이는 약도 뿌렸고요." 반장의 얼굴에 자랑스러운 미소가 떠올랐다. 나는 빨갛게 달아오른 투이의 작은 귀를 바라봤다.

선생님은 반장의 말이 정확하다고 칭찬하고는 미국이 베트남전에 참전한 배경과 전쟁 과정에 대해 설명했다. 그리고 그 일이 미국 정부의 실책이었고, 미국으로서는 아무런 득도 보지 못한 전쟁이었다고 결론 내렸다. 투이가 말하고 싶었던 건 그런 게 아니었으리라고, 그 애를 앞에 두고 그런 식의 설명을 하는 건 가슴 아픈 일이라고 말하고 싶었지만 어쩐지 입을 열 수 없었던 기억이 난다. 투이는 분명 교실에 있었지만 그 순간만큼은 그곳에 없는 사람으로 취급된 것 같았다. 나는 등을 구부리고 앉아 있는 그 애의 뒷모습을 바라봤다. 너희들은 투이의 마음을 조금도 짐작하지 못하겠지, 독일 애들에게 희미한 분노마저 느꼈던 기억도.

그날 저녁 우리는 투이네 집 식탁에 모여 호 아저씨가 만든 국수와 만두를 먹고 있었다. 이야기가 어떻게 그쪽으로 흘러갔는지는 잘 기억나지 않는다.

나는 예쁘지도 않았고, 특별히 잘하는 것도 하나 없는 열세 살짜리 여자애였다. 열한 살 때 동생이 태어난 이후로는 무슨 일을 하든 애처럼 굴지 말라는 말을 들었다. 존재감이 없는 아이들이 보통 그렇듯 어른들에게 인정받고자 하는 욕구는 컸다.

일본의 식민 통치에 대한 이야기가 나왔을 때, 어른들의 말에 동요한 것은 그런 이유에서였다. 드디어 나도 한마디 할 수 있는 기회가 왔다고 생각했다. 한국의 역사에 대해서라면 투이네 식구들보다 내가 더 잘 아니까, 아는 척을 한다면 엄마 아빠가 꽤나 뿌듯하게 생각해 줄 것 같았다.

"한국은 다른 나라를 침략한 적 없어요." 나는 그 말을 하고 동의를 구하기 위해 엄마 아빠를 쳐다봤다. 아빠는 아무 얘기도 못 들었다는 듯이 내 쪽으로 눈을 돌리지 않았고, 엄마는 조용히 하라는 투의 눈빛을 보냈다. "국물이 짜지는 않은지 모르겠네." 호 아저씨가 말을 돌렸다. 모두들 내 말을 무시하는 것 같아 서운했다. "정말이에요. 우린 정말 아무도 해치지 않았어요." 내가 말했다. 한국은 선한 나라라는 인상을 남기고 싶었고, 어른들의 대화에 자연스레 참여해서 칭찬받고 싶었다. 난 맞은편에 앉은 아빠에게 인정을 구하는 눈빛을 보냈다.

"넌 어른들 말하는 데 끼어들지 마. 네가 대체 뭘 안다고 떠드는 거냐!" 아빠가 한국어로 소리쳤다. 모두들 젓가락질을 멈추고 나를 봤다. 투이네 식구들 앞에서 아빠에게 그런 식으로 야단맞은 것이 부끄럽고 억울해서 귀가 먹먹해지고 눈에 눈물이 고였다. 얼굴이 화끈거렸다. 나는 마지막 용기를 쥐어짜서 독일어로 말했다. "한국에서 그렇게 배웠는데. 우린 아무에게도 잘못한 게 없다고. 우린

당하기만 했다고. 선생님이 그렇게 말했는데……."

"한국 군인들이 죽였다고 했어." 투이가 말했다. 작은 목소리였지만 식탁의 분위기를 얼려 버리기에는 충분했다. "그들이 엄마 가족 모두를 다 죽였다고 했어. 할머니도, 아기였던 이모까지도 그냥 다 죽였다고 했어. 엄마 고향에는 한국군 증오비가 있대." 어떻게 네가 그런 말을 할 수 있느냐고 힐난하는 말투였지만 나는 그 애가 무슨 말을 하는지 도무지 이해할 수 없었다.

"투이 넌 함부로 말하지 마라." 그 말을 하고 아줌마는 나를 봤다. "넌 신경 쓸 것 없어. 너와는 관계없는 일이야." 응웬 아줌마의 말은 투이의 말이 사실이라는 걸 확인시켜 줄 뿐이었다. "정말로 신경 쓸 일 아니야." 어린 마음에 혹여 상처를 입었을까 걱정하는 아줌마의 두 눈, 내가 결코 잊지 못할 얼굴. 투이의 말이 진실이라는 걸 나는 응웬 아줌마의 그 얼굴을 보고 이해했다. 그때 내가 상처를 받았다면 그건 응웬 아줌마의 상처에 대한 가책 때문이었을 것이다. "네가 태어나기도 전에 일어난 일이야." 아줌마가 속삭였다.

"저는 정말 몰랐어요." 엄마가 말했다. "응웬 씨가 겪었던 일, 저는 아무것도 모르지만 그래도 죄송하다고 말씀드리고 싶어요. 죄송합니다." 엄마는 호 아저씨와 응웬 아줌마에게 고개 숙였다.

"저는 모든 걸 제 눈으로 다 봤답니다. 투이 나이 때였죠." 그렇게 말하고 호 아저씨는 붉어진 눈시울로 애써 웃었다. "하지만 그렇게 말씀해 주셔서 감사합니다." 호 아저씨는 거기까지 말하고 힘껏 웃어 보였다. 응웬 아줌마는 호 아저씨에게 베트남어로 속삭이듯이 이야기했다. 알아들을 수 없었지만 분명 마음을 다독이는 말이었을 것이다. 그 말의 진동이 내 마음까지 위로하는 것 같았으니까.

아빠는 엄마와 호 아저씨의 대화를 못 들은 것처럼 맥주만 마시고 있었다.

"당신도 무슨 말 좀 해 봐." 엄마가 한국어로 아빠에게 말했다.

"내가 무슨 얘길 해? 그럼, 우리가 잘못했다고 말해야 돼? 왜 당신이 나서서 미안하다고 말해? 당신이 뭔데?" 아빠가 한국어로 받아쳤다.

"당신은 항상 이런 식이야. 죽어도 미안하다는 말을 못 해, 안 해. 그게 그렇게 어려운 일이야? 내가 응웬 씨였으면 처음부터 우리 가족 만나지도 않았을 거야."

아빠는 식탁 의자에 걸친 카디건에 팔을 넣었다. "저녁 잘 먹었습니다." 아빠는 잠시 망설이다가 입을 열었다. "저희 형도 그 전쟁에서 죽었습니다. 그때 형 나이 스물이었죠. 용병일 뿐이었어요." 아빠는 누구의 눈도 마주치지 않으려는 듯 바닥을 보면서 말했다.

"그들은 아기와 노인 들을 죽였어요." 응웬 아줌마가 말했다.

"누가 베트콩인지 누가 민간인인지 알아볼 수 없는 상황이었겠죠." 아빠는 여전히 응웬 아줌마의 눈을 피하며 말했다.

"태어난 지 고작 일주일 된 아기도 베트콩으로 보였을까요. 거동도 못하는 노인도 베트콩으로 보였을까요."

"전쟁이었습니다."

"전쟁요? 그건 그저 구역질 나는 학살일 뿐이었어요." 응웬 아줌마가 말했다. 어떤 감정도 담기지 않은 사무적인 말투였다.

"그래서 제가 무슨 말을 하길 바라시는 겁니까? 저도 형을 잃었다구요. 이미 끝난 일 아닙니까? 잘못했다고 빌고 또 빌어야 하는 일이라고 생각하세요?"

"당신 제정신이야?" 엄마가 말했다.

응웬 아줌마는 자리에서 일어나 천천히 서재로 걸어 들어갔다. 조심히 닫히던 문소리. 나는 겁에 질렸지만 차마 서재로 따라 들어가지는 못했다. 엄마는 동생을 안고 자리에서 일어났다. "정말 죄송합니다." 엄마는 호 아저씨에게 고개를 숙였다. "투이야, 미안하다." 엄마는 그 말을 하고 밖으로 나갔다. 나는 기저귀 가방과 카디건을 들고 엄마를 따라 나갔다.

'그건 그저 구역질 나는 학살일 뿐이었어요.' 그 말을 하던 응웬 아줌마의 웃음기 없는 얼굴이 자려고 누운 내 얼굴 위로 떠올랐다. 그 말을 할 때 아줌마는 우리와 다른 곳에 있었다. 내가 아무리 상상하려고 해도 상상할 수 없는 장소와 시간에 아줌마는 내몰려 있었다. 그녀의 말은 아빠를 설득하려는 말도 아니었고, 자신을 방어하고자 하는 말도 아니었다. 그 말은 아빠를 향한 것이 아니라 그간, 그 일을 겪은 이후로 애써 살아온 응웬 아줌마 자신에 대한 쓴웃음이었던 것 같다. 그녀는 아빠의 태도에 실망조차 하지 않았던 것이다. 어차피 당신들은 이해하지 못할 테니까,라는 마음이 그날 밤, 아줌마와 우리 사이를 안전하게 갈라놓았다. 그건 서로를 미워하고 싶지도, 서로로 인해 더는 다치고 싶지도 않은 어른들의 평범한 선택이었다.

엄마는 투이네 식구와의 관계를 회복하기 위해 노력했다. 열세 살이었던 나조차도 투이네 가족과는 이미 돌이킬 수 없게 되었다고 직감했지만 엄마의 생각은 달랐다. 엄마는 나와 동생을 데리고 몇 번이나 응웬 아줌마를 찾아갔다. 겉으로 달라진 건 없었다. 아줌마는 우리들에게 차와 간식을 내놓았고 우리는 예전처럼 이런저런 이야기를 나눴다. 그런데도 나는 어쩐지 아줌마가 그 시간을 그저 견디고 있다는 느낌을 받았다. 엄마는 어색함을 이겨 내려는 듯이 평소보다 더 많은 말을 했다. 그럴 때 엄마의 부정확한 독일어는 자주 부서졌고 당황한 엄마의 문장은 어떤 의미도 만들어 내지 못했다. 서로 연결되지 못하는 단어들은 부유했고 시제와 성(性), 수(數)가 일치하지 않는 문장은 꾸며 낸 유머처럼 들리기까지 했다. 엄마의 말을 듣는 아줌마는 지쳐 보였다. 아무리 아줌마가 마음을 감추려고 노력했다고 하더라도 눈치챌 수밖에 없는 표정이었다.

겨울 코트를 입기 시작했을 즈음부터 엄마는 아줌마를 찾아가지도, 아줌마에 관한 이야기도 더 이상 하지 않았다. 늘 투이네 식구와 함께했던 토요일 저녁 시간은 우리 가족끼리 어색하게 앉아 텔레비전을 보는 시간으로 변했다. 그 즈음에는 해도 짧아져서 6시만 돼도 사위가 컴컴해졌고 8시면 나는 방으로 들어가야 했다. 쉽게 잠들 수 없는 밤이었다. 나는 가만히 누워 엄마가 식탁 의자를 끄는 소리, 한국의 누군가에게 속삭이듯 전화하는 소리를 들었다. 새벽에 화장실을 가려고 밖에 나갔을 때 식탁 의자에 앉아 멍하니 벽을 보고 있던 엄마의 모습을 본 적도 있었다. 내가 나와 있는 줄도 모르고 무언가를 골똘히 생각하다 나를 보고 깜짝 놀라던, 그리고 안심하라는 듯이 눈가를 떨며 애써 웃던 그 얼굴을.

엄마는 반쯤 쓴 립스틱과 파운데이션을 쓰레기통에 던져 넣었고, 아끼던 투피스와 원피스를 의류 수거함에 버렸다. 일요일이면 어떻게든 짐을 싸서 근처 숲으로, 벼룩시장으로, 꽃 시장으로 나들이 다니던 사람이 동생 방에서 벽만 보고 누워 있었다. 전에는 아빠의 말과 행동을 지적하면서 싸움을 걸거나 아빠의 말을 맞받아쳤을 상황에서 엄마는 그저 침묵했다. 밥을 몰아 먹었고 손끝이 빨개지도록 뜨개질을 했다.

그즈음 나는 엄마가 깊이 잘 때 동생 방 쓰레기통을 뒤졌다. 그 속에는 사진들이 찢긴 채 버려져 있었다. 아직 아기인 나를 안고 있는 엄마와 그 곁에서 웃고 있는 아빠의 사진, 만삭인 엄마의 배를 내가 만져 보는 사진…… 테이프로 붙여 보지도 못할 만큼 잘게 찢긴 사진 조각들. 나는 다연이 옆에 누워 잠을 자는 엄마의 얼굴을 가만히 바라봤다. 엄마가 너무 멀리 있는 것 같아, 더 멀리 가 버릴 것 같아 두려웠다.

엄마는 내게 정사각형 모양의 선물 박스를 건넸다. 투이네 식구를 위한 선물이니, 투이에게 박스를 전해 달라고 부탁했다. 나는 박스를 부엌 창턱 위에 올려놓았다. 박스는 초록과 노랑의 체크무늬 포장지에 빨간 리본으로 장식되어 있었다.

몇 안 되는 가구가 빠져나가고, 대부분의 세간을 우편으로 부친 탓에 우리들은 빈집에 몰래 들어와 사는 사람들처럼 지냈다. 바닥에 신문지를 깔아 놓고 샌드위치를 먹고 밤에는 침낭에 들어가 잤다. 2년 새에 키가 많이 자라 독일에서 입던 옷은 모두 수거함에 버려졌다. 독일에 계속 머무르고 싶지도 않았지만 그렇다고 한국으로 돌아가고 싶지도 않았다. 한 달이 지나면 나는 한국에서 중학생이 될 터였다. 귀밑 3센티미터로 머리카락을 자르고 교복을 입고 조회 시간에 열을 맞춰 운동장에 서 있는 내 모습이 잘 상상되지 않았다. 그건 분명 두려운 변화였지만 그때 내가 느꼈던 감정은 두려움보다는 오히려 체념에 가까웠다.

눈이 많이 오는 날이었다. 공원에 쌓인 눈이 녹아 얼 새도 없이 계속 새로운 눈이 쌓였고, 사람들은 그나마 눈이 치워진 공원 사잇길로 걸어 다녔다. 나는 옷가지를 넣은 이민 가방을 깔고 앉아 바깥 풍경을 바라봤다. 처음 투이를 본 것도 이 창을 통해서였었지. 까불거리며 지그재그로 뛰어다니던 그 애의 모습이 떠올라 코가 찡해졌다. 곧 해가 질 시간이었고, 공원에 쌓인 눈은 푸르스름하게 보였다.

그때 창밖으로 검은색 파카를 입고 앞머리를 길게 기른 남자애의 모습이 보였다. 그 애는 보폭을 크게 해서 한 걸음 한 걸음을 내디뎠다. 얼굴이 잘 보이지는 않았지만 분명 개구지게 웃고 있으리란 걸 알 수 있었다. 남자애는 창 쪽으로 몸을 틀어 나를 올려다보더니 팔을 쭉 뻗어 손을 흔들었다. 투이였다. 나는 엄마가 준 선물 박스를 들고 1층으로 내려가 길을 건넜다.

투이가 서 있던 자리에는 그 애의 발자국만 남아 있었다. 나는 한동안 그곳에 서서 사방을 둘러봤다. 얼마나 그렇게 서 있었을까. 멀리서 허겁지겁 달려오는 투이의 모습이 보였다. 그 애는 내 코앞까지 와서 깔깔대며 웃었다.

"그 표정 뭐야. 넌 아직도 속냐?" 투이가 말했다.

"그따위 장난 다시는 하지 마." 그 말을 하고 웃었어야 했는데 노력해도 웃음이 나오지 않았다. '다시는'이라는 말이 이제 소용없어졌다는 것을 실감해서였다. 목이 멨다.

"야, 한두 번도 아닌데 왜 그래. 알았어. 다신 안 그럴게."

투이는 눈물을 참는 내 모습을 보고 놀랐는지 나를 한참 쳐다봤다.

"네가 썰매 개냐. 눈밭 위로 뛰어다니게." 그 말을 하고 나서야 나는 겨우 그 애에게 웃어 보일 수 있었다. 투이는 두 손을 앞으로 모으고 개 흉내를 내 나를 웃게 했다.

시간이 지나고 나서야 나는 투이의 유치한 말과 행동이 속 깊은 애들이 쓰는 속임수였다는 사실을 깨닫게 됐다. 그런 아이들은 다른 애들보다도 훨씬 더 전에 어른이 되어 가장 무지하고 순진해 보이는 아이의 모습을 연기한다. 다른 사람들이 자신을 통해 마음의 고통을 내려놓을 수 있도록, 각자의 무게를 잠시 잊고 웃을 수 있도록 가볍고 어리석은 사람을 자처하는 것이다. 진지하고 냉소적인 아이들을 어른스럽다고 생각했던 그때의 나는 투이의 깊은 속을 알아볼 도리가 없었다.

"엄마 금방 이쪽으로 올 거야. 요즘 교육받으러 다니거든. 이제 끝날 시간 다 됐어." 투이가 말했다. 너무 오랜만에 서로 이야기하자니 그 애가 조금 낯설게 느껴지기까지 했다. 나는 투이네 집에 가지 않았고 투이 또한 우리 집에 오지 않았다. 학교에서는 데면데면하게 지냈고, 집에 돌아오는 길에 우연히 마주치더라도 눈인사만 하고 모른 척 걸어가곤 했다. 그럴 때 투이는 내가 알던 아이가 아니었다. 키도 많이 자라 멀리서 보면 더 이상 애처럼 보이지 않았다. 이렇게 아무렇지 않은 척 예전처럼 이야기하고 있으려니 굉장히 오랜 시간이 지난 것 같은 느낌이었다. 우리는 공원 벤치에 나란히 앉았다.

"그날 너에게 나쁘게 말하려던 건 아니었어." 투이가 말했다. 내가 무슨 말을 해야 할지 망설이는 동안 투이는 말을 이었다. "널 공격하기 위해서 한 말은 아니었어."

"미안해."

나도 모르게 그 말을 하고 나서야 나는 내가 오래도록 그 애에게 이렇게 말하고 싶어 했다는 걸 깨달았다. 투이의 커다란 눈이 한 번 깜빡였다. 바람이 불 때마다 나뭇가지에서 눈덩이가 떨어져 머리 위에서 부서졌다.

"아무것도 몰랐던 거, 미안해." 나는 천천히 말했다. 공원에 부는 바람이 내 말

을 쓸어가 버리기라도 할 것처럼 조심스럽게. 그 말이 아무것도 되돌릴 수 없다는 것을 알면서도 그렇게 말하고 싶었다. 나와 눈이 마주치자 투이는 발끝으로 바닥을 툭툭 찼다. 그러고는 고개를 들어 다시 나를 봤다. 머쓱해하는 표정이었다. 그 애의 두 입술이 천천히 벌어지고 그 사이로 빠져나온 흰 입김이 허공으로 흩어졌다. 투이는 가방에서 종이봉투를 하나 꺼냈다.

"이거 받아, 우드스탁."

종이봉투 안에는 만화책 한 권이 들어 있었다. 우드스탁과 스누피가 개집 지붕에 앉아 서로를 보며 웃고 있는 표지였다. 이제 이렇게 둘이 앉아 있을 일은 없을 테고, 다시는 우드스탁이라는 우스꽝스러운 별명으로 불릴 일도 없겠지.

아줌마가 올 때까지 우리는 거기에 앉아 실없는 소리를 해 댔다. 대체 이 공원의 개똥은 왜 치워도 계속 생기는지, 저 하얀 눈 아래로 얼마나 많은 개똥들이 꽁꽁 얼어붙어 있을지. 똥 얘기만 나오면 바닥을 구를 정도로 함께 웃었었지만 어쩐지 우리는 더 이상 예전처럼 웃지 못했다. 그 이야기가 더는 재밌지 않았던 것이다.

응웬 아줌마는 나란히 앉아 있는 우리를 보고 손을 흔들었다. 아줌마는 내 곁에 앉았다.

"언제 떠나?"

"내일 밤에요."

아줌마는 아무런 반응 없이 쓰레기통을 바라보고 있었다. 나는 무안해져 팔짱을 풀고 엄마가 준 박스를 아줌마의 무릎 위에 올려놓았다.

"이거, 우리 엄마가 드리래요."

아줌마는 포장지를 천천히 뜯고 상자를 열었다. 그 안에는 엄마가 이번 가을

부터 뜨기 시작한 목도리와 털모자, 털장갑이 세 벌씩 들어 있었다. 엄마 이거 누구 주려는 거야? 내가 묻자 그냥 심심해서 뜨는 거라고 대수롭지 않게 이야기하던 엄마의 얼굴이 떠올랐다. 응웬 아줌마는 빨간 털모자를 꺼내 썼다. 털로 만들었다는 것만 다를 뿐, 아줌마가 여름에 자주 쓰는, 좁은 챙이 달린 모자와 비슷한 모양이었다. 털모자에는 장미꽃 모양의, 털실로 만든 코르사주가 붙어 있었다. 아줌마는 박스 안에 든 모자, 장갑, 목도리를 꺼내 하나씩 허공을 향해 들어 보였다. 그것들이 옅은 빛에 세심하게 비춰 봐야 할 보석이나 되는 것처럼. 아줌마는 감색 바탕에 노란 털실로 대문자 T 자가 새겨진 털모자를 들어 한참 보더니 투이의 머리에 씌웠다.

"얘가 머리가 커서 모자가 잘 안 맞거든. 근데……." 아줌마는 거기까지 말하고 말을 멈추더니 입을 꾹 다물고 코를 훌쩍였다. 그녀가 울음을 삼키는 모습을 본 건 그때가 처음이었다. 전쟁에 대해 이야기할 때도 표정 하나 바꾸지 않고 담담하게 말했었기에 나는 아줌마 옆에서 어떤 표정을 지어야 할지 알지 못했다. 응웬 아줌마. 나는 그녀의 얼굴을 봤다.

커다란 갈색 눈에 작은 코, 울음을 참느라 아래로 내려간 입꼬리, 미간에 세로로 그어진 두 개의 주름.

나는 입김을 불어 아줌마의 털모자 위로 떨어진 눈덩이를 털어 냈다.

"씬짜오." 나는 아줌마의 작은 얼굴을 보며 말했다.

"씬짜오." 응웬 아줌마도 같은 말로 화답했다.

"씬짜오, 투이." 나는 목소리를 조금 더 높여 말했다. 감색 털모자를 쓰고 코가 빨개진 채로 주머니에 손을 넣고 나를 보던 투이의 얼굴. "씬짜오." 투이는 작은 목소리로 답했다.

어쩌면 나는 그런 장면을 기대했는지도 모른다. 아줌마가 우리 집으로 올라가서 우리 식구들과 마지막 인사를 하는 장면을, 아줌마와 투이가 엄마가 떠 준 털모자를 쓰고 그 모습을 엄마에게 보여 주는 장면을, 그 둘을 뿌듯하게 바라보는 엄마의 얼굴을 보고 싶었는지도 모른다. 그러나 그런 극적인 장면은 없었다. 그 흔한 포옹도, 입맞춤도, 구구절절한 이별의 수사도 없었다. 그저 안녕, 그 한 마디였을 뿐. 우리는 벤치에서 일어나 외투에 묻은 눈을 털고 길가로 걸어 나갔다. 나는 길을 건넜고, 아줌마와 투이는 건너지 않았다. 내가 집 현관문 앞에 서는 걸 보고서야 아줌마와 투이는 걸음을 옮겼다. 저 모퉁이를 돌면 보이지 않겠지. 나는 현관문 앞에 붙박인 채로 천천히 걸어가는 아줌마와 투이를 바라봤다. 한 번, 두 번, 투이가 고개를 돌려 내 쪽을 바라봤지만 걸음은 멈추지 않은 채였다. 아줌마와 투이는 모퉁이를 돌았고, 나는 더 이상 그들을 볼 수 없었다. 다시 돌아올지 몰라. 나는 현관 앞에 쪼그리고 앉아 그들을 기다렸다. 그들이 오지 않아 나는 투이네 집 앞까지 걸어갔다. 거리에는 아무도 없었다.

시간이 지나고 하나의 관계가 끝날 때마다 나는 누가 떠나는 쪽이고 누가 남겨지는 쪽인지 생각했다. 어떤 경우 나는 떠났고, 어떤 경우 남겨졌지만 정말 소중한 관계가 부서졌을 때는 누가 떠나고 누가 남겨지는 쪽인지 알 수 없었다. 양쪽 모두 떠난 경우도 있었고, 양쪽 모두 남겨지는 경우도 있었으며, 떠남과 남겨짐의 경계가 불분명한 경우도 많았다.

몇 번이나 독일로 출장을 가면서도 나는 플라우엔에 들르지 않았었다. 기차로 두 시간 거리의 라이프치히에서 열흘 동안 체류했을 때도 나는 애써 그곳을 외면했다. 그곳에서 서로를 경멸하는 부모 밑에서 영혼의 밑바닥부터 떨던 아이가 있었고, 단 한 번의 포옹도 없었던 차가운 이별과 혼자 울던 길거리가 있었다. 나는 줄곧 그렇게 생각했다. 헤어지고 나서도 다시 웃으며 볼 수 있는 사람이 있고, 끝이 어떠했든 추억만으로도 웃음 지을 수 있는 사이가 있는 한편, 어떤 헤어짐은 긴 시간이 지나도 돌아보고 싶지 않은 상심으로 남는다고.

엄마가 돌아가신 다음 해에 나는 플라우엔을 찾았다. 엄마의 첫 기일이 일주일 지난, 햇볕은 따뜻하고 바람은 차가운 이른 봄이었다. 도시는 내 기억보다 훨씬 작았고, 20년 전보다도 쇠락하여 황량하기까지 했다. 내가 다니던 학교는 작은 공장으로 바뀌어 있었는데 뒤뜰에서 몇몇 노인들이 담배를 피우며 나를 무심히 바라봤다. 변함없는 건 내가 살던 공동 주택이었다. 그 건물은 여전히 그 자리에 그대로 남아 공원을 마주 보고 있었다. 나는 어린 내가 붙어 서 있던 3층 창가를 올려다봤다. 그 뒤에 서서 공원을 뛰어다니는 투이를 훔쳐보던 일이 떠올라 슬며시 웃음이 나왔다.

투이가 내게 선물한 스누피 만화책은 아직도 내 방 책장에 있다. 흑백 만화책이지만 우드스탁만은 샛노란색으로 칠해져 있다. 제대로 날지도 못하는 카나리아 우드스탁. 책을 펼쳐 그 노란색 카나리아를 볼 때면, 한 장 한 장 책장을 넘겨 가며 그 작은 새에게 색을 입혀 주려 했던 투이의 따뜻한 마음이 가까이 다가왔다.

투이네 집을 찾는 건 어렵지 않았다. 나는 투이네 집 맞은편 벤치에 앉아 창을 바라봤다. 저 창은 부엌 창이었지. 그 창으로 보이던 공원의 풍경과 부엌에 서서 저녁을 준비하던 호 아저씨의 뒷모습이 희미하게 기억났다. 쌀이 끓던 냄새와 고깃국을 먹을 때 씹히던 고수의 향, 웅웬 아줌마가 만들어 주었던 쌀푸딩의 단맛, 투이와 함께 벽에 기대앉아 스누피 만화책을 읽던 그 시간도. 그 시간은 아직도 달콤하고도 씁쓸하게 내 마음의 좁은 수로를 따라 흐르고 있었다. 위태롭게나마 서로를 포기하지 않으려고 애쓰던 나의 부모와 상처받았기에 누구에게도 상처 주지 않으려 애쓰던 웅웬 아줌마 부부가 서로에게 노래를 불러 주던 시간이 거기에 있었다.

엄마가 떠났을 때, 그녀를 위해 울어 줄 수 있는 사람은 몇 되지 않았다. '그 앤 어릴 때부터 예민하고 우울했었지.' '영리한 애는 아니었던 것 같아.' 큰이모와 작은이모마저도 엄마를 그런 식으로 회상할 뿐이었다. 그제야 나는 엄마가 사랑이 많은 사람이라고 말하던 웅웬 아줌마를 떠올렸다. 그녀는 세상 사람들이 지적하는 엄마의 예민하고 우울한 기질을 섬세함으로, 특별한 정서적 능력으로 이해해 준 유일한 사람이었다. 아줌마의 애정이 담긴 시선 속에서 엄마는 사랑받아 마땅한 사람으로 보였었다.

아줌마라고 해서 엄마의 모든 면이 아름답게 보였을까. 엄마의 약한 면은 보지 못했을까. 아줌마는 엄마의 인간적인 약점을 모두 다 알아보고도 있는 그대로의 엄마에게 곁을 줬다. 아줌마가 준 마음의 한 조각을 엄마는 얼마나 소중하게 돌보았을까. 그것이 엄마의 잘못도 아닌 일로 부서져 버렸을 때 엄마가 느꼈던 절망은 얼마나 깊은 것이었을까. 내가 아는 한, 엄마는 그 이후로도 마음을 나눌 친구를 쉽게 사귀지 못했었다. 그리웠을 것이다. 말로는 그때의 일들이 잘 기억나지 않는다고 했지만, 엄마를 엄마 자신으로 사랑해 준 응웬 아줌마를 엄마는 오래 그리워했을 것이다.

그저, 가끔 말을 들어 주는 친구라도 될 일이었다. 아주 조금이라도 곁을 줄 일이었다. 그녀가 내 엄마여서가 아니라 오래 외로웠던 사람이었기에. 이제 나는 사람의 의지와 노력이 생의 행복과 꼭 정비례하지는 않는다는 사실을 안다. 엄마가 우리 곁에서 행복하지 못했던 건 생에 대한 무책임도, 자기 자신에 대한 방임도 아니었다는 것을.

연락이 닿았을 때 응웬 아줌마는 믿을 수 없다는 말을 반복했다.

"우리 부부는 여기에 계속 살고 있어. 투이는 함부르크에서 일해." 나는 들뜬 아줌마에게 모든 사정을 말하지 않았다. 다만 "엄마는 잘 계시니?"라고 묻는 아줌마의 말에는 거짓으로 답할 수 없었다.

빨간 털모자를 쓴 작은 여자가 현관에서 나와 길 건너편에 섰다. 나는 벤치에서 일어나 길가로 걸어갔다. 우리는 작은 길을 사이에 두고 내내 서로를 바라보고만 있었다. 신호등이 파란불로 바뀌고 나는 길을 건넜다. 나는 아줌마의 눈에서 숨길 수 없는 충격을 봤다. 서른셋의 나는 그때의 엄마와 같은 사람이라고 해도 좋을 정도로 엄마를 빼닮아 있었으니까. 아줌마의 눈에서 나는 나와 함께 여기에 서 있는 엄마를 본다. 응웬 씨, 반갑게 이름 부르며 저쪽 길로 건너가는 엄마의 모습을. 씬짜오, 씬짜오. 우리는 몇 번이나 그 말을 반복한다. 다른 말은 모두 잊은 사람들처럼.

(2016년)

최은영, 《쇼코의 미소》(문학동네, 2016)